黄金时代
·黑铁时代

彩/绘/插/图/本

写出《黄金时代》之前，我从未觉得自己写得好，而《黄金时代》一篇，自觉写得尚可。……这篇小说是我的宠儿。

王小波

北方文艺出版社

图书在版编目（CIP）数据

黄金时代 / 王小波著. - 哈尔滨：北方文艺出版社，
2006.2
（王小波全集）
ISBN 7-5317-1922-3

Ⅰ.黄...　Ⅱ.王...　Ⅲ.中篇小说 - 作品集 - 中国
- 当代　Ⅳ.I247.5

中国版本图书馆 CIP 数据核字（2006）第 006361 号

黄金时代

Huang Jin Shi Dai

作　　者／	王小波	
绘　　者／	小　镇	
责任编辑／	徐秀梅　高　璐	
封面设计／	闫薇薇	
出版发行／	北方文艺出版社	
地　　址／	哈尔滨市道里区经纬二道街 55 号	
网　　址／	http://www.bfwy.com	
邮　　编／	150010	
电子信箱／	bfwy@bfwy.com	
经　　销／	新华书店	
印　　刷／	河北省三河市南阳印刷有限公司	
开　　本／	945 × 1275　1/32	
印　　张／	8.375	
字　　数／	185 千	
版　　次／	2006 年 3 月第 1 版	
印　　次／	2006 年 3 月第 1 次印刷	
定　　价／	19.80 元	
书　　号／	ISBN 7-5317-1922-3/I · 1775	

总　序

　　王小波的作品一直盛行不衰,使我感到欣慰。有一次,作家孙郁先生对我说,他在北京四中读书的女儿非常喜欢读王小波的作品,她的同学们也喜欢。一个作家的作品能够让毫无相同生活经历的年轻一代喜欢,首先证明他的作品中有一些能够超越时间的东西。而这就是所谓"永恒的主题",如爱和美。王小波的小说在世界文学之林中创造出属于他的美,这美就像一束强光,刺穿了时间的阻隔,启迪了一代又一代刚刚开始识字读书的青年的心灵。

　　其次,这个现象也表明,王小波批评的对象有些还活得好好的。当初,王小波的作品刚面世时,我就听到这样的说法:他说出了我们想说的话。而到今天,这些话语、这些思想仍是我们的社会所需要的。我们从王小波的长盛不衰只能得出这样的结论:在中国,自由主义理念的传播还任重而道远。

　　王小波所虚构的艺术之美,以及他通过对现实世界的批评所传播的自由主义理念,已经在这个世界的文化和思想宝库中占据了一席之地,虽然并没有一个像诺贝尔文学奖之类的证书来印证这一点,但是,我相信,时间就是他作品价值的证书。

李银河

2006 年 1 月 16 日

目　录

黄 金 时 代

黄金时代

一

　　我 21 岁时，正在云南插队。陈清扬当时 26 岁，就在我插队的地方当医生。我在山下十四队，她在山上十五队。有一天她从山上下来，和我讨论她不是破鞋的问题。那时我还不大认识她，只能说有一点知道。她要讨论的事是这样的：虽然所有的人都说她是一个破鞋，但她以为自己不是的。因为破鞋偷汉，而她没有偷过汉。虽然她丈夫已经住了一年监狱，但她没有偷过汉。在此之前也未偷过汉。所以她简直不明白，人们为什么要说她是破鞋。如果我要安慰她，并不困难。我可以从逻辑上证明她不是破鞋。如果陈清扬是破鞋，即陈清扬偷汉，则起码有一个某人为其所偷。如今不能指出某人，所以陈清扬偷汉不能成立。但是我偏说，陈清扬就是破鞋，而且这一点毋庸置疑。

　　陈清扬找我证明她不是破鞋，起因是我找她打针。这事经过如下：农忙时队长不叫我犁田，而是叫我去插秧，这样我的腰就不能经常直立。认识我的人都知道，我的腰上有旧伤，而且我身高在一米九以上。如此插了一个月，我腰痛难忍，不打封闭就不能入睡。我们队医务室那一把针头镀层剥落，而且都有倒钩，

3

经常把我腰上的肉钩下来。后来我的腰就像中了霰弹枪，伤痕久久不褪。就在这种情况下，我想起十五队的队医陈清扬是北医大毕业的大夫，对针头和钩针大概还能分清，所以我去找她看病。看完病回来，不到半个小时，她就追到我屋里来，要我证明她不是破鞋。

陈清扬说，她丝毫也不藐视破鞋。据她观察，破鞋都很善良，乐于助人，而且最不乐意让人失望。因此她对破鞋还有一点钦佩。问题不在于破鞋好不好，而在于她根本不是破鞋。就如一只猫不是一只狗一样。假如一只猫被人叫成一只狗，它也会感到很不自在。现在大家都管她叫破鞋，弄得她魂不守舍，几乎连自己是谁都不知道了。

陈清扬在我的草房里时，裸臂赤腿穿一件白大褂，和她在山上那间医务室里装束一样。所不同的是披散的长发用个手绢束住，脚上也多了一双拖鞋。看了她的样子，我就开始琢磨：她那件白大褂底下是穿了点什么呢，还是什么都没穿。这一点可以说明陈清扬很漂亮，因为她觉得穿什么不穿什么无所谓。这是从小培养起来的自信心。我对她说，她确实是个破鞋。还举出一些理由来：所谓破鞋者，乃是一个指称，大家都说你是破鞋，你就是破鞋，没什么道理可讲。大家说你偷了汉，你就是偷了汉，这也没什么道理可讲。至于大家为什么要说你是破鞋，照我看是这样：大家都认为，结了婚的女人不偷汉，就该面色黝黑，乳房下垂。而你脸不黑而且白，乳房不下垂而且高耸，所以你是破鞋。假如你不想当破鞋，就要把脸弄黑，把乳房弄下垂，以后别人就不说你是破鞋。当然这样很吃亏，假如你不想吃亏，就该去偷个汉来。这样你自己也认为自己是个破鞋。别人没有义务先弄明白你是否偷汉再决定是否管你叫破鞋。你倒有义务叫别人无法叫你破鞋。陈清扬听了这话，脸色发红，怒目圆睁，几乎就要打我一耳光。这女人打人耳光出了名，好多人吃过她的耳光。但是她忽然泄了气，说：好吧，破鞋就破鞋吧。但是垂不垂黑不黑的，不是你的事。她还说，假如我在这些事上琢磨得太多，很可能会吃耳光。

倒退到 20 年前，想象我和陈清扬讨论破鞋问题时的情景。那时我面色焦黄，嘴唇干裂，上面沾了碎纸和烟丝，头发乱如败棕，身穿一件破军衣，上面好多破洞都是橡皮膏粘上的，跷着二郎腿，坐在木板床上，完全是一副流氓相。你可以想象陈清扬听到这么个人说起她的乳房下垂不下垂时，手心是何等地发痒。她有点神经质，都是因为有很多精壮的男人找她看病，其实却没有病。那些人其实不是去看大夫，而是去看破鞋。只有我例外。我的后腰上好像被猪八戒筑了两耙。不管腰疼真不真，光那些窟窿也能成为看医生的理由。这些窟窿使她产生一个希望，就是也许能向我证明，她不是破鞋。有一个人承认她不是破鞋，和没人承认大不一样。可是我偏让她失望。

我是这么想的：假如我想证明她不是破鞋，就能证明她不是破鞋，那事情未免太容易了。实际上我什么都不能证明，除了那些不需证明的东西。春天里，队长说我打瞎了他家母狗的左眼，使它老是偏过头来看人，好像在跳芭蕾舞。从此后他总给我小鞋穿。我想证明我自己的清白无辜，只有以下三个途径：

1. 队长家不存在一只母狗；
2. 该母狗天生没有左眼；
3. 我是无手之人，不能持枪射击。

结果是三条一条也不成立。队长家确有一棕色母狗，该母狗的左眼确是后天打瞎，而我不但能持枪射击，而且枪法极精。在此之前不久，我还借了罗小四的气枪，用一碗绿豆做子弹，在空粮库里打下了二斤耗子。当然，这队里枪法好的人还有不少，其中包括罗小四。气枪就是他的，而且他打瞎队长的母狗时，我就在一边看着。但是我不能揭发别人，罗小四和我也不错。何况队长要是能惹得起罗小四，也不会认准了是我。所以我保持沉默。沉默就是默认。所以春天我去插秧，撅在地里像一根半截电

5

线杆,秋收后我又去放牛,吃不上热饭。当然,我也不肯无所作为。有一天在山上,我正好借了罗小四的气枪,队长家的母狗正好跑到山上叫我看见,我就射出一颗子弹打瞎了它的右眼。该狗既无左眼,又无右眼,也就不能跑回去让队长看见——天知道它跑到哪儿去了。

我记得那些日子里,除了上山放牛和在家里躺着,似乎什么也没做。我觉得什么都与我无关。可是陈清扬又从山上跑下来找我。原来又有了另一种传闻,说她在和我搞破鞋。她要我给出我们清白无辜的证明。我说,要证明我们无辜,只有证明以下两点:

1. 陈清扬是处女;
2. 我是天阉之人,没有性交能力。

这两点都难以证明。所以我们不能证明自己无辜。我倒倾向证明自己不无辜。陈清扬听了这些话,先是气得脸白,然后满面通红,最后一声不吭地站起来走了。

陈清扬说,我始终是一个恶棍。她第一次要我证明她清白无辜时,我翻了一串白眼,然后开始胡说八道。第二次她要我证明我们俩无辜,我又一本正经地向她建议进行一次性交。所以她就决定,早晚要打我一个耳光。假如我知道她有这样的打算,也许后面的事情就不会发生。

二

我过 21 岁生日那天,正在河边放牛。下午我躺在草地上睡着了。我睡去时,身上盖了几片芭蕉叶子,醒来时身上已经一无所有(叶子可能被牛吃了)。亚热带旱季的阳光把我晒得浑身赤红,痛痒难当,我的小和尚直翘翘地指向天空,尺寸空前。这就是我过生日时的情形。

我醒来时觉得阳光耀眼,天蓝得吓人,身上落了一层细细的尘土,好像一层爽身粉。我一生经历的无数次勃起,都不及那一次雄浑有力,大概是因为在极荒僻的地方,四野无人。

我爬起来看牛,发现它们都卧在远处的河汊里静静地嚼草。那时节万籁无声,田野上刮着白色的风。河岸上有几对寨子里的牛在斗架,斗得眼珠通红,口角流涎。这种牛阴囊紧缩,阳具直挺。我们的牛不干这种事。任凭别人上门挑衅,我们的牛依旧安卧不动。为了防止斗架伤身,影响春耕,我们把它们都阉了。

每次阉牛我都在场。对于一般的公牛,只用刀割去即可。但是对于格外生性者,就须采取锤骗术,也就是割开阴囊,掏出睾丸,一木锤砸个稀烂。从此后受术者只知道吃草干活,别的什么都不知道,连杀都不用捆。掌锤的队长毫不怀疑这种手术施之于人类也能得到同等的效力,每回他都对我们呐喊:你们这些生牛蛋子,就欠砸上一锤才能老实!按他的逻辑,我身上这个通红通红、直不棱登、长约一尺的东西就是罪恶的化身。

当然,我对此有不同的意见。在我看来,这东西无比重要,就如我之存在本身。天色微微向晚,天上飘着懒洋洋的云彩。下半截沉在黑暗里,上半截仍浮在阳光中。那一天我21岁,在我一生的黄金时代,我有好多奢望。我想爱,想吃,还想在一瞬间变成天上半明半暗的云。后来我才知道,生活就是个缓慢受锤的过程,人一天天老下去,奢望也一天天消失,最后变得像挨了锤的牛一样。可是我过21岁生日时没有预见到这一点。我觉得自己会永远生猛下去,什么也锤不了我。

那天晚上我请陈清扬来吃鱼,所以应该在下午把鱼弄到手。到下午五点多钟我才想起到戽鱼的现场去看看。还没走进那条小河汊,两个景颇族孩子就从里面一路打出来,烂泥横飞,我身上也挨了好几块,直到我拎住他们的耳朵,他们才罢手。我喝问一声:"鸡巴,鱼呢?"

那个年纪大点的说:"都怪鸡巴勒农!他老坐在坝上,把坝坐鸡巴倒了!"

勒农直着嗓子吼:"王二!坝打得不鸡巴牢!"

我说:"放屁!老子砍草皮打的坝,哪个鸡巴敢说不牢?"

到里面一看,不管是因为勒农坐的也好,还是因为我的坝没打好也罢,反正坝是倒了,戽出来的水又流回去,鱼全泡了汤,一整天的劳动全都白费。我当然不能承认是我的错,就痛骂勒农。勒都(就是那另一个孩子)也附和我。勒农上了火,一跳三尺高,嘴里吼道:"王二!勒都!鸡巴!你们姐夫舅子合伙搞我!我去告诉我家爹,拿铜炮枪打你们!"

说完这小兔崽子就往河岸上蹿,想一走了之。我一把薅住他脚脖子,把他揪下来。

"你走了我们给你赶牛哇?做你娘的美梦!"

这小子哇哇叫着要咬我,被我劈开手按在地上。他口吐白沫,杂着汉话、景颇话、傣话骂我,我用正庄京片子回骂。忽然间他不骂了,往我下体看去,脸上露出无限羡慕之情。我低头一看,我的小和尚又直立起来了。只听勒农啧啧赞美道:

"哇!想日勒都家姐哟!"

我赶紧扔下他去穿裤子。

晚上我在水泵房点起汽灯,陈清扬就会忽然到来,谈起她觉得活着很没意思,还说到她在每件事上都是清白无辜。我说她竟敢觉得自己清白无辜,这本身就是最大的罪孽。照我的看法,每个人的本性都是好吃懒做,好色贪淫,假如你克勤克俭,守身如玉,这就犯了矫饰之罪,比好吃懒做、好色贪淫更可恶。这些话她好像很听得进去,但是从不附和。

那天晚上我在河边上点起汽灯,陈清扬却迟迟不至,直到九点钟以后,她才到门前来喊我:"王二,混蛋!你出来!"

　　我出去一看,她穿了一身白,打扮得格外整齐,但是表情不大轻松。她说道:"你请我来吃鱼,做倾心之谈,鱼在哪里?"我只好说:"鱼还在河里。"她说:"好吧,还剩下一个倾心之谈。就在这儿谈吧。"我说:"进屋去谈。"她说:"那也无妨。"就进屋来坐着,看样子火气甚盛。

　　我过21岁生日那天,打算在晚上引诱陈清扬,因为陈清扬是我的朋友,而且胸部很丰满,腰很细,屁股浑圆。除此之外,她的脖子端正修长,脸也很漂亮。我想和她性交,而且认为她不应该不同意。假如她想借我的身体练开膛,我准让她开;所以我借她身体一用也没什么不可以。唯一的问题是她是个女人,女人家总有点小器。为此我要启发她,所以我开始阐明什么叫做"义气"。

　　在我看来,义气就是江湖好汉中那种伟大友谊。《水浒》中的豪杰们,杀人放火的事是家常便饭,可一听说"及时雨"的大名,立即倒身便拜。我也像那些草莽英雄,什么都不信,唯一不能违背的就是义气。只要你是我的朋友,哪怕你十恶不赦,为天地所不容,我也要站到你身边。那天晚上我把我的伟大友谊奉献给陈清扬,她大为感动,当即表示道:这友谊她接受了。不但如此,她还说要以更伟大的友谊还报我,哪怕我是个卑鄙小人也不背叛。我听她如此说,大为放心,就把底下的话也说了出来:"我已经21岁了,男女间的事情还没体验过,真是不甘心。"她听了以后就开始发愣,大概是没有思想准备。说了半天她毫无反应。我把手放到她肩膀上去,感觉她的肌肉绷得很紧。这娘们儿随时可能翻了脸给我一耳光,假定如此,就证明女人不懂什么是交情。可是她没有。忽然间她哼了一声,就笑起来。还说:"我真笨! 这么容易就着了你的道儿! "

　　我说:"什么道儿? 你说什么? "

　　她说:"我什么也没有说。"

　　我问她:"我刚才说的事儿你答应不答应? "她说:"呸! "而

且满面通红。我看她有点不好意思,就采取主动,动手动脚。她揉了我几把,后来说:"不在这儿,咱们到山上去。"我就和她一块儿到山上去了。

陈清扬后来说,她始终没搞明白我那个伟大友谊是真的呢,还是临时编出来骗她。但是她又说,那些话就像咒语一样让她着迷,哪怕为此丧失一切,也不懊悔。其实伟大友谊不真也不假,就如世上一切东西一样,你信它是真,它就真下去。你疑它是假,它就是假的。我的话也半真不假。但是我随时准备兑现我的话,哪怕天崩地裂也不退却。就因为这种态度,别人都不相信我。我虽然把交朋友当成终身的事业,所交到的朋友不过陈清扬等二三人而已。那天晚上我们到山上去,走到半路她说要回家一趟,要我到后山上等她。我有点怀疑她要晾我,但是我没说出来,径直走到后山上去抽烟。等了一些时间,她来了。

陈清扬说,我第一次去找她打针时,她正在伏案打瞌睡。在云南每个人都有很多时间打瞌睡,所以总是半睡半醒。我走进去时,屋子里暗了一下,因为是草顶土坯房,大多数光从门口进来。她就在那一刻醒来,抬头问我干什么。我说腰疼,她说:"躺下让我看看。"我就一头倒下去,扑到竹板床上,几乎把床砸塌。我的腰痛得厉害,完全不能打弯。要不是这样,我也不会去找她。

陈清扬说,我很年轻时就饿纹入嘴,眼睛下面乌黑。我的身材很高,衣服很破,而且不爱说话。她给我打过针,我就走了,好像说了一声谢了,又好像没说。等到她想起可以让我证明她不是破鞋时,已经过了半分钟。她追了出来,看见我正取近路走回十四队。我从土坡上走下去,逢沟跳沟,逢坎跃坎,顺着山势下得飞快。那时正逢旱季的上午,风从山下吹来,喊我也听不见。而且我从来也不回头。我就这样走掉了。

陈清扬说,当时她想去追我,可是觉得很难追上。而且我也

亚热带旱季的阳光把我晒得浑身赤红，痛痒难当，我的小和尚直翘翘地指向天空，尺寸空前。这就是我过生日时的情形。

不一定能够证明她不是破鞋。所以她走回医务室去。后来她又改变了主意去找我，是因为所有的人都说她是破鞋，因此所有的人都是敌人。而我可能不是敌人。她不愿错过了机会，让我也变成敌人。

那天晚上我在后山上抽烟。虽然在夜里，我能看见很远的地方。因为月光很明亮，当地的空气又很干净。我还能听见远处的狗叫声。陈清扬一出十五队我就看见了，白天未必能看这么远。虽然如此，还是和白天不一样。也许是因为到处都没人。

我也说不准夜里这片山上有人没人，因为到处是银灰色的一片。假如有人打着火把行路，那就是说，希望全世界的人都知道他在那里。假如你不打火把，就如穿上了隐身衣，知道你在那里的人能看见，不知道的人不能看见。我看见陈清扬慢慢走近，怦然心动，无师自通地想到，做那事之前应该亲热一番。

陈清扬对此的反应是冷冰冰的。她的嘴唇冷冰冰，对爱抚也毫无反应。等到我毛手毛脚给她解扣子时，她把我推开，自己把衣服一件件脱下来，叠好放在一边，自己直挺挺地躺在草地上。

陈清扬的裸体美极了。我赶紧脱了衣服爬过去，她又一把把我推开，递给我一个东西说："会用吗？要不要我教你？"

那是一个避孕套。我正在兴头上，对她这种口气只微感不快，套上之后又爬到她身上去，心慌气躁地好一阵乱弄，也没弄对。忽然她冷冰冰地说："喂！你知道自己在干什么吗？"

我说："当然知道。能不能劳你大驾躺过来一点？我要就着亮儿研究一下你的结构。"只听啪的一声巨响，好似一声耳边雷，她给我一个大耳光。我跳起来，拿了自己的衣服，拔腿就走。

三

那天晚上我没走掉。陈清扬把我拽住，以伟大友谊的名义叫我留下来。她承认打我不对，也承认没有好好待我，但是她说我的伟大友谊是假的，还说，我把她骗出来就是想研究她的结构。我说："既然我是假的，你信我干吗？"我是想研究一下她的结构，这也是在她的许可之下。假如不乐意可以早说，动手就打不够意思。后来她哈哈大笑了一阵说，她简直见不得我身上那个东西。那东西傻头傻脑，恬不知耻，见了它，她就不禁怒从心起。

我们俩吵架时，仍然是不着一丝。我的小和尚依然直挺挺，在月光下披了一身塑料，倒是闪闪发光。我听了这话不高兴，她也发现了。于是她用和解的口气说："不管怎么说，这东西丑得要命，你承不承认？"

这东西好像个发怒的眼镜蛇一样立在那里，是不大好看。我说："既然你不愿意见它，那就算了。"我想穿上裤子，她又说："别这样。"于是我抽起烟来。等我抽完了一支烟，她抱住我。我们俩在草地上干那件事。

我过 21 岁生日以前，是一个童男子。那天晚上我引诱了陈清扬和我到山上去。那一夜开头有月光，后来月亮落下去，出来一天的星星，就像早上的露水一样多。那天晚上没有风，山上静得很。我已经和陈清扬做过爱，不再是童男子了。但是我一点也不高兴。因为我干那事时，她一声也不吭，头枕双臂，若有所思地看着我，所以从始至终就是我一个人在表演。其实我也没持续多久，马上就完了。事毕我既愤怒又沮丧。

陈清扬说，她简直不敢相信这件事是真的：我居然在她面前亮出了丑恶的男性生殖器，丝毫不感到惭愧。那玩意儿也不感到惭愧，直挺挺地从她两腿之间插了进来。因为女孩子身上有这么个口子，男人就要使用她，这简直没有道理。以前她有个丈夫，天天对她做这件事。她一直不说话，等着他有一天自己感到惭愧，自己来解释为什么干了这些。可是他什么也没说，直到进了监狱。这话我也不爱听。所以我说："既然你不乐意，为什么要答应？"她说她不愿被人看成小器鬼。我说："你原本就是小器鬼。"后来她说："算了，别为这事吵架。"她叫我晚上再来这里，我们再试一遍。也许她会喜欢。我什么也没说。早上起雾以后，我和她分了手，下山去放牛。

那天晚上我没去找她，倒进了医院。这事原委是这样：早上我到牛圈门前时，有一伙人等不及我，已经在开圈拉牛。大家都挑壮牛去犁田。有个本地小伙子，叫三闷儿，正在拉一条大白牛。我走过去，告诉他，这牛被毒蛇咬了，不能干活。他似乎没听见。我劈手把牛鼻绳夺了下来，他就朝我挥了一巴掌。我当胸推了他一把，推了他一个屁股蹾。然后很多人拥了上来，把我们拥在中间要打架。北京知青一伙，当地青年一伙，抄起了棍棒和皮带。吵了一会儿，又说不打架，让我和三闷儿摔跤。三闷儿摔不过我，就动了拳头。我一脚把三闷儿踢进了圈前的粪坑，让他沾了一身牛屎。三闷儿爬起来，抢了一把三齿要刨我，被别人劝开了。

早上的事情就是这样。晚上我放牛回来，队长说我殴打贫下中农，要开我的斗争会。我说："你想借机整人，我也不是好惹的。"我还说要聚众打群架。队长说他没想整我，是三闷儿的娘闹得他没办法。那婆娘是个寡妇，泼得厉害。他说此地的规矩就是这样。后来他说，不开斗争会，改为帮助会，让我上前面去检讨一下。要是我还不肯，就让寡妇来找我。

会开得很乱。老乡们七嘴八舌，说知青太不像话，偷鸡摸狗还打人。知青们说："放狗屁，谁偷东西，你们当场拿住了吗？老子们是来支援边疆建设,又不是充军的犯人,哪能容你们乱栽赃。"我在前面也不检讨,只是骂。不提防三闷儿的娘从后面摸上来,抄起一条沉甸甸的拔秧凳,给了我后腰一下,正砸在我的旧伤上,登时我就背过去了。

我醒过来时,罗小四领了一伙人呐喊着要放火烧牛圈,还说要三闷儿的娘抵命。队长领了一帮人去制止,副队长叫人抬我上牛车去医院。卫生员说抬不得,腰杆断了,一抬就死尿。我说:"腰杆好像没断,你们快把我抬走。"可是谁也不敢肯定我的腰杆是断了还是没断,所以也不敢肯定我会不会一抬就死尿。我就一直躺着。后来队长过来一问,就说:"快摇电话把陈清扬叫下来,让她看看腰断了没有。"过了不一会儿,陈清扬披头散发眼皮红肿地跑了来,劈头第一句话就是:"你别怕。要是你瘫了,我照顾你一辈子。"然后一检查,诊断和我自己的相同。于是我就坐上牛车,到总场医院去看病。

那天夜里陈清扬把我送到医院,一直等到腰部 X 光片子出来,看过认为没问题后才走。她说过一两天就来看我,可是一直没来。我住了一个星期,可以走动了,就奔回去找她。

我走进陈清扬的医务室时,身上背了很多东西,装得背篓里冒了尖。除了锅碗盆瓢,还有足够两人吃一个月的东西。她见我进来,淡淡地一笑,说:"你好了吗?带这些东西上哪儿?"

我说要去清平洗温泉。她懒懒地往椅子上一仰说,这很好。温泉可以治旧伤。我说我不是真去洗温泉,而是到后面山上住几天。她说后面山上什么都没有,还是去洗温泉吧。

清平的温泉是山坳里一片泥坑,周围全是荒草坡。有一些病人在山坡上搭了窝棚,成年住在那里,其中得什么病的都有。我到那里不但治不好病,还可能染上麻风。而后面荒山里的低洼处沟谷纵横,疏林之中芳草离离,我在人迹绝无的地方造上一间草房,空山无人,流水落花,住在里面可以修身养性。陈清扬听了,禁不住一笑说:"那地方怎么走?也许我去看看你。"我告诉她路,还画了一张示意图,自己进山去了。

我走进荒山,陈清扬没有去看我。旱季里浩浩荡荡的风刮个不停,整个草房都在晃动。陈清扬坐在椅子上听着风声,回想起以往发生的事情,对一切都起了怀疑。她很难相信自己会莫名其妙地来到这极荒凉的地方,又无端地被人称做破鞋,然后就真的搞起了破鞋。这件事真叫人难以置信。陈清扬说,有时候她走出房门,往后山上看,看到山丘中有很多小路蜿蜒通到深山里去。我对她说的话言犹在耳。她知道沿着一条路走进山去,就会找到我。这是无可怀疑的事。但是越是无可怀疑的事就越值得怀疑。很可能那条路不通到任何地方,很可能王二不在山里,很可能王二根本就不存在。

过了几天,罗小四带了几个人到医院去找我。医院里没人听说过王二,更没人知道他上哪儿去了。那时节医院里肝炎流行,没染上肝炎的病人都回家去疗养,大夫也纷纷下队去送医上门。罗小四等人回到队里,发现我的东西都不见了,就去问队长可见过王二。队长说:"谁是王二?从来没听说过。"罗小四说:"前几天你还开会斗争过他,尖嘴婆打了他一板凳,差点把他打死。"这样提醒了以后,队长就更想不起来我是谁了。那时节有一个北京知青慰问团要来调查知青在下面的情况,尤其是有无被捆打逼婚等情况,因此队长更不乐意想起我来。罗小四又到十五队问陈清扬可曾见过我,还闪烁其词地暗示她和我有过不正当的关系。陈清扬则表示,她对此一无所知。

等到罗小四离开,陈清扬就开始糊涂了。看来有很多人说,王二不存在。这件事叫人困惑的原因就在这里。大家都说存在的东西一定不存在,这是因为眼前的一切都是骗局。大家都说不存在的东西一定存在,比如王二,假如他不存在,这个名字是从哪里来的?陈清扬按捺不住好奇心,终于扔下一切,上山找我来了。

我被尖嘴婆打了一板凳后晕了过去,陈清扬曾经从山上跑下来看我。当时她还忍不住哭了起来,并且当众说,如果我好不了要照顾我一辈子。结果我并没有死,连瘫都没瘫。这对我是很好的事,可是陈清扬并不喜欢。这等于当众暴露了她是破鞋。假如我死,或是瘫掉,就是应该的事,可是我在医院里只住了一个星期就跑出来。对她来说,我就是那个急匆匆从山上赶下去的背影,一个记忆中的人。她并不想和我做爱,也不想和我搞破鞋,除非有重大的原因。因此她来找我就是真正的破鞋行径。

陈清扬说,她决定上山找我时,在白大褂底下什么都没穿。她就这样走过十五队后面的那片山包。那些小山上长满了草,草下是红土。上午风从山上往平坝里吹,冷得像山上的水,下午风吹回来,带着燥热和尘土。陈清扬来找我时,乘着白色的风。风从衣服下面钻进来,流过全身,好像爱抚和嘴唇。其实她不需要我,也没必要找到我。以前人家说她是破鞋,说我是她的野汉子时,她每天都来找我。那时好像有必要。自从她当众暴露了她是破鞋,我是她的野汉子后,再没人说她是破鞋,更没人在她面前提到王二(除了罗小四)。大家对这种明火执仗的破鞋行径是如此地害怕,以致连说都不敢啦。

关于北京要来人视察知青的事,当地每个人都知道,只有我不知道。这是因为我前些日子在放牛,早出晚归,而且名声不好,谁也不告诉我,后来住了院,也没人来看我。等到我出院以后,就进了深山。在我进山之前,总共就见到了两个人,一个是陈清扬,她没有告诉我这件事;另一个是我们队长,他也没说起这件事,只叫我去温泉养病。我告诉他,我没有东西(食品、炊具等等),所以不能去温泉。他说他可以借给我。我说我借了不一定还,他说不要紧。我就向他借了不少家制的腊肉和香肠。

陈清扬不告诉我这件事是因为她不关心,她不是知青。队

18

长不告诉我这件事,是因为他以为我已经知道了。他还以为我拿了很多吃的东西走,就不会再回来。所以罗小四问他王二到哪儿去了时,他说:"王二?谁叫王二?从没听说过。"对于罗小四等人来说,找到我有很大的好处,我可以证明大家在此地受到很坏的待遇,经常被打晕。对于领导来说,我不存在有很大的便利,可以说明此地没有一个知青被打晕。对于我自己来说,存在不存在没有很大的关系。假如没有人来找我,我在附近种点玉米,可以永远不出来。就因为这个原因,我对自己存不存在的事不太关心。

我在小屋里也想过自己存不存在的问题。比方说,别人说我和陈清扬搞破鞋,这就是存在的证明。用罗小四的话来说,王二和陈清扬脱了裤子干。其实他也没看见。他想象的极限就是我们脱裤子。还有陈清扬说,我从山上下来,穿着黄军装,走得飞快。我自己并不知道我走路是不回头的。因为这些事我无从想象,所以是我存在的证明。

还有我的小和尚直挺挺,这件事也不是我想出来的。我始终盼着陈清扬来看我,但陈清扬始终没有来。她来的时候,我没有盼着她来。

四

我曾经以为陈清扬在我进山后会立即来看我,但是我错了。我等了很久,后来不再等了。我坐在小屋里,听着满山树叶哗哗响,终于到了物我两忘的境界。我听见浩浩荡荡的空气大潮从我头顶涌过,正是我灵魂里潮兴之时。正如深山里花开,龙竹笋剥剥地爆去笋壳,直翘翘地向上。到潮退时我也安息,但潮兴时要乘兴而舞。正巧这时陈清扬来到草屋门口,她看见我赤条条坐在竹板床上,阳具就如剥了皮的兔子,红通通亮晶晶足有一尺长,直立在那里,登时惊慌失措,叫了起来。

19

陈清扬到山里找我的事又可以简述如下：我进山后两个星期，她到山里找我。当时是下午两点钟，可是她像那些午夜淫奔的妇人一样，脱光了内衣，只穿一件白大褂，赤着脚走进山来。她就这样走过阳光下的草地，走进了一条干河沟，在河沟里走了很久。这些河沟很乱，可是她连一个弯都没转错。后来她又从河沟里出来，走进一个向阳的山洼，看见一间新搭的草房。假如没有一个王二告诉她这条路，她不可能在茫茫荒山里找到一间草房。可是她走进草房，看到王二就坐在床上，小和尚直挺挺，却吓得尖叫起来。

陈清扬后来说，她没法相信她所见到的每件事都是真的。真的事要有理由。当时她脱了衣服，坐在我的身边，看着我的小和尚，只见它的颜色就像烧伤的疤痕。这时我的草房在风里摇晃，好多阳光从房顶上漏下来，星星点点落在她身上。我伸手去触她的乳头，直到她脸上泛起红晕，乳房坚挺。忽然她从迷梦里醒来，羞得满脸通红。于是她紧紧地抱住我。

我和陈清扬是第二次做爱，第一次做爱的很多细节当时我大惑不解。后来我才明白，她对被称做破鞋一事，始终耿耿于怀。既然不能证明她不是破鞋，她就乐于成为真正的破鞋。就像那些被当场捉了奸的女人一样，被人叫上台去交代那些偷情的细节。等到那些人听到情不能持、丑态百出时，怪叫一声：把她捆起来！就有人冲上台去，用细麻绳把她五花大绑，她就这样站在人前，受尽羞辱。这些事一点也不讨厌。她也不怕被人剥得精赤条条，拴到一扇磨盘上，扔到水塘里淹死。或者像以前达官贵人家的妻妾一样，被强迫穿得整整齐齐，脸上贴上湿透的黄表纸，端坐着活活憋死。这些事都一点也不讨厌。她丝毫也不怕成为破鞋，这比被人叫做破鞋而不是破鞋好得多。她所讨厌的是使她成为破鞋那件事本身。

我和陈清扬做爱时，一只蜥蜴从墙缝里爬了进来，走走停停地经过房中间的地面。忽然它受到惊动,飞快地出去,消失在门口的阳光里。这时陈清扬的呻吟就像泛滥的洪水,在屋里漫延。我为此所惊,伏下身不动。可是她说,快,混蛋。还拧我的腿。等我"快"了以后,阵阵震颤就像从地心传来。后来她说,她觉得自己罪孽深重,早晚要遭报应。

她说自己要遭报应时,一道红晕正从她的胸口褪去。那时我们的事情还没完。但她的口气是说,她只会为在此之前的事遭报应。忽然之间我从头顶到尾骨一齐收紧,开始极其猛烈地射精。这事与她无关,大概只有我会为此遭报应。

后来陈清扬告诉我,罗小四到处找我。他到医院找我时,医院说我不存在。他找队长问我时,队长也说我不存在。最后他来找陈清扬,陈清扬说:"既然大家都说他不存在,大概他就是不存在吧,我也没有意见。"罗小四听了这话,禁不住哭了起来。

我听了这话,觉得很奇怪。我不应该因为尖嘴婆打了我一下而存在,也不应该因为她打了我一下而不存在。事实上,我的存在乃是不争的事实。我就为这一点钻了牛角尖。为了验证这不争的事实,慰问团来的那一天,我从山上奔了下去,来到座谈会的会场上。散会以后,队长说:"你这个样子不像有病。还是回来喂猪吧。"他还组织人力,要捉我和陈清扬的奸。当然,要捉我不容易,我的腿非常快。谁也休想跟踪我。但是也给我添了很多麻烦。到了这个时候我才悟到,犯不着向人证明我存在。

我在队里喂猪时,每天要挑很多水。这个活计很累,连偷懒都不可能,因为猪吃不饱会叫唤。我还要切很多猪菜,劈很多柴。喂这些猪原来要三个妇女,现在要我一个人干。我发现我不能顶三个妇女,尤其是腰疼时。这时候我真想证明我不存在。

晚上我和陈清扬在小屋里做爱。那时我对此事充满了敬业精神,对每次亲吻和爱抚都贯注了极大的热情。无论是经典的传教士式、后进式、侧进式、女上位,我都能一丝不苟地完成。陈清扬对此极为满意。我也极为满意。在这种时候,我又觉得用不着去证明自己是存在的。从这些体会里我得到一个结论,就是永远别让别人注意你。北京人说,不怕贼偷,就怕贼惦记。你千万别让人惦记上。

过了一些时候,我们队的知青全调走了。男的调到糖厂当工人,女的到农中去当老师。单把我留下来喂猪,据说是因为我还没有改造好。陈清扬说,我叫人惦记上了。这个人大概就是农场的军代表。她还说,军代表不是个好东西。原来她在医院工作,军代表要调戏她,被她打了个大嘴巴。然后她就被发到十五队当队医。十五队的水是苦的,也没有菜吃,待久了也觉得没有啥。但是当初调她来,分明有修理一下的意思。她还说,我准会被修到半死。我说过,他能把我怎么样?急了老子跑他娘。后来的事都是由此而起。

那天早上天色微明,我从山上下来,到猪场喂猪。经过井台时,看见了军代表,他正在刷牙。他把牙刷从嘴里掏出来,满嘴白沫地和我讲话,我觉得很讨厌,就一声不吭地走掉了。过了一会儿,他跑到猪场里,把我大骂了一顿,说:"你怎么敢走了?"我听了这些话,一声不吭。就是他说我装哑巴,我也一声不吭。然后我又走开了。

军代表到我们队来蹲点,蹲下来就不走了。据他说,要不能从王二嘴里掏出话来,死也不甘心。这件事有两种可能的原因,一是他下来视察,遇见了我对他装聋作哑,因而大怒,不走了;二是他不是下来视察,而是听说陈清扬和我有了一腿,特地来找我的麻烦。不管他为何而来,反正我是一声也不吭,这叫他很没办法。

军代表找我谈话,要我写交代材料。他还说,我搞破鞋群众很气愤,如果我不交代,就发动群众来对付我。他还说,我的行为够上了坏分子,应该受到专政。我可以辩解说,我没搞破鞋。

谁能证明我搞了破鞋?但我只是看着他。像野猪一样看他,像发傻一样看他,像公猫看母猫一样看他。把他看到没了脾气,就让我走了。

最后他也没从我嘴里套出话来。他甚至搞不清我是不是哑巴。别人说我不是哑巴,他始终不敢相信,因为他从来没听我说过一句话。他到今天想起我来,还是搞不清我是不是哑巴。想起这一点,我就万分地高兴。

五

最后我们被关了起来,写了很长时间的交代材料。起初我是这么写的:我和陈清扬有不正当的关系。这就是全部。上面说,这样写太简单。叫我重写。后来我写,我和陈清扬有不正当关系,我干了她很多回,她也乐意让我干。上面说,这样写缺少细节。后来又加上了这样的细节:我们俩第四十次非法性交。地点是我在山上偷盖的草房。那天不是阴历十五就是阴历十六,反正月亮很亮。陈清扬坐在竹床上,月光从门里照进来,照在她身上。我站在地上,她用腿圈着我的腰。我们还聊了几句,我说她的乳房不但圆,而且长得很端正,脐窝不但圆,而且很浅。这些都很好。她说:"是吗,我自己不知道。"后来月光移走了,我点了一根烟,抽到一半她拿走了,接着吸了几口。她还捏过我的鼻子,因为本地有一种说法,说童男的鼻子很硬,而纵欲过度行将死去的人鼻子很软。这些时候她懒懒地躺在床上,倚着竹板墙。其他的时间她像澳大利亚考拉熊一样抱住我,往我脸上吹热气。最后月亮从门对面的窗子里照进来。这时我和她分开。但是我写这些材料,不是给军代表看。他那时早就不是军代表了,而且已经复员回家去了。他是不是代表不重要,反正犯了我们这种错误,总是要写交代材料。

我后来和我们学校人事科长关系不错。他说当人事干部最大的好处就是可以看到别人写的交代材料。我想他说的包括了我写的交代材料。我以为我的交代材料最有文采。因为我写这些材料时住在招待所,没有别的事可干,就像专业作家一样。

我逃跑是晚上的事。那天上午,我找司务长请假,要到井坎镇买牙膏。我归司务长领导,他还有监视我的任务。他应该随时随地看住我,可是天一黑我就不见了。早上我带给他很多酸琶果,都是好的。平原上的酸琶果都不能吃,因为里面是一窝蚂蚁。只有山里的酸琶果才没蚂蚁。司务长说,他个人和我关系不坏,而且军代表不在。他可以准我去买牙膏。但是司务长又说,军代表随时会回来。要是他回来时我不在,司务长也不能包庇我。我从队里出去,爬上十五队的后山,拿个镜片晃陈清扬的后窗。过一会儿,她到山上来,说是头两天人家把她盯得特紧,跑不出来,而这几天她又来月经。她说这没关系,干吧。我说那不行。分手时她硬要给我200块钱。起初我不要,后来还是收下了。

后来陈清扬告诉我,头两天人家没有把她盯得特紧,后来她也没有来月经。事实上,十五队的人根本就不管她。那里的人习惯于把一切不是破鞋的人说成破鞋,而对真的破鞋放任自流。她之所以不肯上山来,让我空等了好几天,是因为对此事感到厌倦。她总要等有了好心情才肯性交,不是只要性交就有好心情。当然这样做了以后,她也不无内疚之心。所以她给我200块钱。我想既然她有200块钱花不掉,我就替她花。所以我拿了那些钱到井坎镇上,买了一条双筒猎枪。

后来我写交代材料,双筒猎枪也是一个主题。人家怀疑我拿了它要打死谁。其实要打死人,用200块钱的双筒猎枪和40块钱的铜炮枪打都一样。那种枪是用来在水边打野鸭子的,在山里一点不实用,而且像死人一样沉。那天我到井坎街上时,已经是下午时分,又不是赶街的日子,所以只有一条空空落落的土路和几间空空落落的国营商店。商店里有一个售货员在打瞌睡,还有很多苍蝇在飞。货架上写着"吕过吕乎",放着铝锅铝壶。我和那个胶东籍的售货员聊一会儿天,她叫我到库房里看了看。在那儿我看见那条上海出的猎枪,就不顾它已经放了两年没卖出去的事实,把它买下了。傍晚时我拿它到小河边试放,打死了一只鹭鸶。这时军代表从场部回来,看见我手里有枪,很吃了一惊。他唠叨说,这件事很不对,不能什么人手里都有枪。应该和队里说一下,把王二的枪没收掉。我听了这话,几乎要朝他肚子上打一枪。如果打了的话,恐怕会把他打死。那样多半我也活不到现在了。

那天下午我从井坎回队的路上,涉水从田里经过,曾经在稻棵里站了一会儿。我看见很多蚂蟥像鱼一样游出来,叮上了我的腿。那时我光着膀子,衣服包了很多红糖馅的包子(镇上饭馆只卖这一种食品),双手提包子,背上还背了枪,很累赘。所以我也没管那些蚂蟥。到了岸上我才把它们一条条揪下来用火烧死。烧得它们一条条发软起泡。忽然间我感到很烦很累,不像21岁的人。我想,这样下去很快就会老了。

后来我遇上了勒都。他告诉我说,他们把那条河汊里的鱼都捉到手了。我那一份已经晒成了鱼干,在他姐姐手里。他姐姐叫我去。他姐姐和我也很熟,是个微黑俏丽的小姑娘。我说一时去不了。我把那一包包子都给了勒都,叫他给我到十五队送个信,告诉陈清扬,我用她给我的钱买了一条枪。勒都去了十五队,把这话告诉陈清扬,她听了很害怕,觉得我会把军代表打死。这种想法也不是没有道理,傍晚时我就想打军代表一枪。

傍晚时分我在河边打鹭鸶,碰上了军代表。像往常一样,我一声不吭,他喋喋不休。我很愤怒,因为已经有半个多月了,他一直对我喋喋不休,说着同样的话:我很坏,需要思想改造。对我一刻也不能放松。这样的话我听了一辈子,从来没有像那天晚上那么火。后来他又说,今天他有一个特大好消息,要向大家公布。但是他又不说是什么,只说我和我的"臭婊子"陈清扬今后的日子会很不好过。我听了这话格外恼火,想把他就地掐死,又想听他说出是什么好消息以后再下手。他却不说,一直卖着关子,只说些没要紧的话,到了队里以后才说:"晚上你来听会吧,会上我会宣布的。"

晚上我没去听会,在屋里收拾东西,准备逃上山去。我想一定发生了什么大事,以致军代表有了好办法来收拾我和陈清扬,至于是什么事我没想出来,那年头的事很难猜。我甚至想到可能中国已经复辟了帝制,军代表已经当上了此地的土司。他可以把我锤骟掉,再把陈清扬拉去当妃子。等我收拾好要出门,才知道没有那么严重。因为会场上喊口号,我在屋里也能听见。原来是此地将从国营农场改做军垦兵团。军代表可能要当个团长。不管怎么说,他不能把我阉掉,也不能把陈清扬拉走。我犹豫了几分钟,还是把装好的东西背上了肩,还用砍刀把屋里的一切都砍坏,并且用木炭在墙上写了"×××(军代表名),操你妈",然后出了门,上山去了。

我从十四队逃跑的事就是这样。这些经过我也在交代材料里写了。概括地说,是这样的:我和军代表有私仇,这私仇有两个方面:一是我在慰问团面前说出了曾经被打晕的事,叫军代表很没面子;二是争风吃醋,所以他一直修理我。当他要当团长时,我感到不堪忍受,逃到山上去了。我到现在还以为这是我逃上山的原因。但是人家说,军代表根本就没当上团长,我逃跑的理由不能成立。所以人家说,这样的交代材料不可信。可信的材料应该是,我和陈清扬有私情。俗话说,色胆包天,我们什么事都能干出来。这话也有一点道理,可是我从队里逃出来时,原本不打算找陈清扬,打算一走算了。走到山边上才想到,不管怎样,陈是我的一个朋友,该去告别。谁知陈清扬说,她要和我一起逃跑。她还说,假如这种事她不加入,那伟大友谊岂不是喂了狗。于是她匆匆忙忙收拾了一些东西跟我走了。假如没有她和她收拾的东西,我一定会病死在山上。那些东西里有很多治疟疾的药,还有大量的大号避孕套。

我和陈清扬逃上山以后,农场很惊慌了一阵。他们以为我们跑到缅甸去了。这件事传出去对谁都没好处,所以就没向上报告,只是在农场内部通缉王二和陈清扬。我们的样子很好认,还带了一条别人没有的双筒猎枪,很容易被人发现,可是一直没人找到我们。直到半年以后,我们自己回到农场来,各回各的队,又过了一个多月,才被人保组叫去写交代材料。也是我们流年不利,碰上了一个运动,被人揭发了出来。

六

人保组的房子在场部的路口上,是一座孤零零的土坯房。你从很远的地方就能看见,因为它粉刷得很白,还因为它在高岗上。大家到场部赶街,老远就看见那间房子。它周围是一片剑麻地,剑麻总是暗绿色,剑麻下的土总是鲜红色。我在那里交代问题,把什么都交代了。我们上了山,先在十五队后山上种玉米,那里土不好,玉米有一半没出苗。我们就离开,昼伏夜行,找别的地方定居。最后想起山上有个废水碾,那里有很大一片丢荒了的好地。水碾里住了一个麻风寨跑出来的刘大爹。谁也不到那里去,只有陈清扬有一回想起自己是大夫,去看过一回。我们最后去了刘大爹那里,住在水碾背后的山洼里,陈清扬给刘大爹看病,我给刘大爹种地。过了一些时候,我到清平赶街,遇上了同学。他们说,军代表调走了,没人记着我们的事。我们就回来。整个事情就是这样的。

　　我在人保组里待了很长时间。有一段时间，气氛还好，人家说："问题清楚了，你准备写材料。"后来忽然又严重起来，怀疑我们去了境外，勾结了敌对势力，领了任务回来。于是他们把陈清扬也叫到人保组，严加审讯。问她时，我往窗外看。天上有很多云。

　　人家叫我交代偷越国境的事。其实这件事上，我也不是清白无辜。我确实去过境外。我曾经打扮成老傣的模样，到对面赶过街。我在那里买了些火柴和盐。但是这没有必要说出来。没必要说的话就不说。

　　后来我带人保组的人到我们住过的地方去勘查。我在十五队后山上搭的小草房已经漏了顶，玉米地招来很多鸟。草房后面有很多用过的避孕套，这是我们在此住过的铁证。当地人不喜欢避孕套，说那东西阻断了阴阳交流，会使人一天天弱下去。其实当地那种避孕套，比我后来用过的任何一种都好，那是百分之百的天然橡胶。

　　后来我再不肯带他们去那些地方看，反正我说我没去国外，他们不信。带他们去看了，他们还是不信。没必要做的事就别做。我整天一声不吭。陈清扬也一声不吭。问案的人开头还在问，后来也懒得吭声。街子天里有好多老傣、老景颇背着新鲜的水果蔬菜走过，问案的人也越来越少。最后只剩了一个人。他也想去赶街，可是不到放我们回去的时候，让我们待在这里无人看管，又不合规定。他就到门口去喊人，叫过路的大嫂站住。但是人家经常不肯站住，而是加快了脚步。见到这种情况，我们就笑起来。

　　人保组的同志终于叫住了一个大嫂。陈清扬站起来，整理好头发，把衬衣领子折起来，然后背过手去。那位大嫂就把她捆起来，先捆紧双手，再把绳子在脖子和胳膊上扣住。那大嫂抱歉地说："捆人我不会呀。"人保组的同志说："可以了。"然后他再把我捆起来，让我们在两张椅子上背靠背坐好，用绳子拦腰捆

人保组的同志说，可以了。然后他再把我捆起来，让我们在两张椅子上背靠背坐好，用绳子拦腰捆上一道，然后他锁上门，也去赶集。

上一道,然后他锁上门,也去赶集。过了好半天他才回来,到办公桌里拿东西,问道:"要不要上厕所?时间还早,一会儿回来放你们。"然后又出去。

到他最后来放开我们的时候,陈清扬活动一下手指,整理好头发,把身上的灰土掸干净,我们俩回招待所去。我们每天都到人保组去,每到街子天就被捆起来,除此之外,有时还和别人一道到各队去挨斗。他们还一再威胁说,要对我们采取其他专政手段——我们受审查的事就是这样的。

后来人家又不怀疑我们去了国外,开始对她比较客气,经常叫她到医院去,给参谋长看前列腺炎。那时我们农场来了一大批军队下来的老干部,很多人有前列腺炎。经过调查,发现整个农场只有陈清扬知道人身上还有前列腺。人保组的同志说,要我们交代男女关系问题。我说:"你怎知我们有男女关系问题?你看见了吗?"他们说:"那你就交代投机倒把问题。"我又说:"你怎知我有投机倒把问题?"他们说:"那你还是交代投敌叛变的问题。反正要交代问题,具体交代什么,你们自己去商量。要是什么都不交代,就不放你。"我和陈清扬商量以后,决定交代男女关系问题。她说,做了的事就不怕交代。

于是我就像作家一样写起交代材料来。首先交代的就是逃跑上山那天晚上的事。写了好几遍,终于写出陈清扬像考拉熊。她承认她那天心情非常激动,确实像考拉熊。因为她终于有了机会,来实践她的伟大友谊。于是她腿圈住我的腰,手抓住我的肩膀,把我想象成一棵大树,几次想爬上去。

后来我又见到陈清扬,已经到了 90 年代。她说她离了婚和女儿住在上海,到北京出差。到了北京就想到,王二在这里,也许能见到。结果真的在龙潭湖庙会上见到了我。我还是老样子,饿纹入嘴,眼窝下乌青,穿过了时的棉袄,蹲在地上吃不登大雅之堂的卤煮火烧。唯一和过去不同的是手上被硝酸染得焦黄。

陈清扬的样子变了不少,她穿着薄呢子大衣,花格呢裙子,高跟皮靴,戴金丝眼镜,像个公司的公关职员,她不叫我,我绝不敢认。于是我想到每个人都有自己的本质,放到合适的地方就大放光彩。我的本质是流氓土匪一类,现在做个城里的市民,学校的教员,就很不像样。

陈清扬说,她女儿已经上了大二,最近知道了我们的事,很想见我。这事的起因是这样的:她们医院想提拔她,发现她档案里还有一堆东西。领导上讨论之后,认为是"文革"时整人的材料,应予撤销。于是派人到云南外调,花了一万元差旅费,终于把它拿了出来。因为是本人写的,交还本人。她把它拿回家去放着,被女儿看见了。该女儿说:"好哇,你们原来是这么造的我!"

其实我和她女儿没有任何关系。她女儿产生时,我已经离开云南了。陈清扬也是这么解释的,可是那女孩说,我可以把精液放到试管里,寄到云南让陈清扬人工授精。用她原话来说就是:"你们两个混蛋什么干不出来。"

我们逃进山里的第一个夜晚,陈清扬兴奋得很。天明时我睡着了,她又把我叫起来,那时节大雾正从墙缝里流进来。她让我再干那件事,别戴那劳什子。她要给我生一窝小崽子,过几年就耷拉到这里。同时她揪住乳头往下拉,以示耷拉之状。我觉得耷拉不好看,就说,咱们还是想想办法,别叫它耷拉。所以我还是戴着那劳什子。以后她对这件事就失去了兴趣。

后来我再见陈清扬时,问道:"怎么样,耷拉了吧?"她说:"可不是,耷拉得一塌糊涂。你想不想看看有多耷拉。"后来我看见了,并没有一塌糊涂。不过她说,早晚要一塌糊涂,没有别的出路。

我写了这篇交代材料交上去,领导上很欣赏。有个大头儿,不是团参谋长就是政委,接见了我们,说我们的态度很好。领导上相信我们没有投敌叛变。今后主要的任务就是交代男女关系问题。假如交代得好,就让我们结婚。但是我们并不想结婚。后来又说,交代得好,就让我调回内地。陈清扬也可以调上级医院。所以我在招待所写了一个多月交代材料,除了出公差,没人打搅,我用复写纸写,正本是我的,副本是她的。我们有一模一样的交代材料。

后来人保组的同志找我商量,说是要开个大的批斗会。所有在人保组受过审查的人都要参加,包括投机倒把分子、贪污犯,以及各种坏人。我们本该属于同一类,可是团领导说了,我们年轻,交代问题的态度好,所以又可以不参加。但是有人攀我们,说都受审查,他们为什么不参加。人保组也难办。所以我们必须参加。最后的决定是来做工作,动员我们参加。据说受受批斗,思想上有了震动,以后可以少犯错误。既然有这样的好处,为什么不参加? 到了开会的日子,场部和附近生产队来了好几千人。我们和好多别的人站到台上去。等了好半天,听了好几篇批判稿,才轮到我们王陈二犯。原来我们的问题是思想淫乱,作风腐败,为了逃避思想改造,逃到山里去。后来在党的政策感召下,下山弃暗投明。听了这样的评价,我们心情激动,和大家一起振臂高呼:打倒王二! 打倒陈清扬! 斗过这一台,我们就算没事了。但是还得写交代,因为团领导要看。

在十五队后山上,陈清扬有一回很冲动,要给我生一群小崽子,我没要。后来我想,生生也不妨,再跟她说,她却不肯生了。而且她总是理解成我要干那件事。她说,要干就干,没什么关系。我想纯粹为我,这样太自私了,所以就很少干。何况开荒很累,没力气干。我所能交代的事就是在地头休息时摸她的乳房。

旱季里开荒时,到处是热风,身上没有汗,可是肌肉干疼。最热时,只能躺在树下睡觉。枕着竹筒,睡在棕皮蓑衣上。我奇怪为什么没人让我交代蓑衣的事。那是农场的劳保用品,非常贵。我带进山两件,一件是我的,一件是从别人门口顺手拿来的。一件也没拿回来。一直到我离开云南,也没人让我交还蓑衣。

我们在地头休息时,陈清扬拿斗笠盖住脸,敞开衬衣的领口,马上就睡着了。我把手伸进去,有很优美的浑圆的感觉。后来我把扣子又解开几个,看见她的皮肤是浅红色。虽然她总穿着衣服干活,可是阳光透过了薄薄的布料。至于我,总是光膀子,已经黑得像鬼一样。

陈清扬的乳房是很结实的两块,躺着的时候给人这样的感觉。但是其他地方很纤细。过了二十多年,大模样没怎么变,只是乳头变得有点大,有点黑。她说这是女儿作的孽。那孩子刚出世,像个粉红色的小猪,闭着眼一口叼住她那个地方狠命地吃,一直把她吃成个老太太,自己却长成个漂亮大姑娘,和她当年一样。

年纪大了,陈清扬变得有点敏感。我和她在饭店里重温旧情,说到这类话题,她就有恐慌之感。当年不是这样。那时候在交代材料里写到她的乳房,我还有点犹豫。她说,就这么写。我说:"这样你就暴露了。"她说:"暴露就暴露,我不怕!"她还说是自然长成这样,又不是她捣了鬼。至于别人听说了有什么想法,不是她的问题。

过了这么多年我才发现,陈清扬是我的前妻哩。交代完问题人家叫我们结婚。我觉得没什么必要了。可是领导上说,不结婚影响太坏,非叫去登记不可。上午登记结婚,下午离婚。我以为不算呢。乱秧秧的,人家忘了把发的结婚证要回去。结果陈清扬留了一张。我们拿这 20 年前发的破纸头登记了一间双人房。要是没有这东西,就不许住在一间房子里。20 年前不这样。20 年前他们让我们住在一间房子里写交代材料,当时也没这个东西。

我写了我们住在后山上的事。团领导要人保组的人带话说,枝节问题不要讲太多,交代下一个案子吧。听了这话,我发了犟驴脾气:"妈妈的,这是案子吗?"陈清扬开导我说:"这世界上有多少人,每天要干多少这种事,又有几个有资格成为案子。"我说:"其实这都是案子,只不过领导上查不过来。"她说:"既然如此,你就交代吧。"所以我交代道:那天夜里,我们离开了后山,向作案现场进发。

七

我后来又见到陈清扬,和她在饭店里登记了房间,然后一起到房间里去,我伸手帮她脱下大衣。陈清扬说:"王二变得文明了。"这说明我已经变了很多。以前我不但相貌凶恶,行为也很凶恶。

我和陈清扬在饭店里又作了一回案。那里暖气烧得很暖,还装着茶色玻璃。我坐在沙发上,她坐在床上,聊了一会儿天,逐渐有了犯罪的气氛。我说:"不是让我看有多耷拉吗,我看看。"她就站起来,脱了外衣,里面穿着大花的衬衫。然后她又坐下去,说:"还早一点。"过一会儿服务员来送开水。他们有钥匙,连门都不敲就进来了。我问她:"碰上了人家怎么说?"她说,她没被碰上过,但是听说人家会把门一摔,在外面说:真他妈的讨厌!

我和陈清扬逃进山以前,有一次我在猪场煮猪食。那时我要烧火,要把猪菜切碎(所谓猪菜,是番薯藤、水葫芦一类东西),要往锅里加糠添水。我同时做着好几样事情。而军代表却在一边喋喋不休,说我是如何之坏。他还让我去告诉我的"臭婊子"陈清扬,她是如何之坏。忽然间我暴怒起来,抡起长刀,照着梁上挂的盛南瓜籽的葫芦劈去,把它劈成两半。军代表吓得一步跳出房去。如果他还要继续数落我,我就要砍他脑袋了。我是那样凶恶,因为我不说话。

后来在人保组,我也不大说话,包括人家捆我的时候。所以我的手经常被捆得乌青。陈清扬经常说话。她说:"大嫂,捆疼了。"或者:"大嫂,给我拿手绢垫一垫。我头发上系了一块手绢。"她处处与人合作,苦头吃得少。我们处处都不一样。

陈清扬说,以前我不够文明。在人保组里,人家给我们松了绑。那条绳子在她的衬衣上留下了很多道痕迹。这是因为那绳子平时放在烧火的棚子里,沾上了锅灰和柴草末。她用不灵活的手把痕迹掸掉,只掸了前面,掸不了后面。等到她想叫我来掸时,我已经一步跨出门去。等到她追出门去,我已经走了很远。我走路很快,而且从来不回头看。就因为这些原因,她根本就不爱我,也说不上喜欢。

照领导定的性,我们在后山上干的事,除了她像考拉那次之外,都不算案子。像我们在开荒时干的事,只能算枝节问题。所以我们没有继续交代下去。其实还有别的事。当时热风正烈,陈清扬头枕双臂睡得很熟。我把她的衣襟完全解开了。这样她袒露出上身,好像是故意的一样。天又蓝又亮,以致阴影里都是蓝黝黝的光。忽然间我心里一动,在她红彤彤的身体上俯身下去。我都忘了自己干了些什么了。我把这事说了出来,以为陈清扬一定不记得。可是她说:"记得记得!那会儿我醒了。你在我肚脐上亲了一下吧?好危险,差一点爱上你。"

陈清扬说,当时她刚好醒来,看见我那颗乱蓬蓬的头正在她肚子上,然后肚脐上轻柔的一触。那一刻她也不能自持。但是她还是假装睡着,看我还要干什么。可是我什么都没干,抬起头来往四下看看,就走开了。

我写的交代材料里说,那天夜里,我们离开后山,向作案现场进发,背上背了很多坛坛罐罐,计划是到南边山里定居。那边土地肥沃,公路两边就是一人深的草。不像十五队后山,草只有半尺高。那天夜里有月亮,我们还走了一段公路,所以到天明将起雾时,已经走了20公里,上了南面的山。具体地说,到了章风寨南面的草地上,再走就是森林。我们在一棵大青树下露营,拣了两块干牛粪生了一堆火,在地上铺了一块塑料布。然后脱了一切衣服(衣服已经湿了),搂在一起,裹上三条毯子,滚成一个球,就睡着了。睡了一个小时就被冻醒。三重毯子都湿透了,牛粪火也灭了。树上的水滴像倾盆大雨往下掉。空气里飘着的水点有绿豆大小。那是在一月里,旱季最冷的几天。山的阴面就有这么潮。

陈清扬说,她醒时,听见我在她耳边打机关枪。上牙碰下牙,一秒钟不止一下。而且我已经有了热度。我一感冒就不容易好,必须打针。她就爬起来说:"不行,这样两个人都要病。快干那事。"我不肯动,说道:"忍忍吧。一会儿就出太阳。"后来又说:"你看我干得了吗?"案发前的情况就是这样的。

案发时的情形是这样:陈清扬骑在我身上,一起一落,她背后的天上是白茫茫的雾气。这时好像不那么冷了,四下里传来牛铃声。这地方的老傣不关牛,天一亮水牛就自己跑出来。那些牛身上拴着木制的铃铛,走起来发出闷闷的响声。一个庞然大物骤然出现在我们身边,耳边的刚毛上挂着水珠。那是一条白水牛,它侧过头来,用一只眼睛看我们。

白水牛的角可以做刀把,晶莹透明很好看。可是质脆容易裂。我有一把匕首,也是白牛角把,却一点不裂,很难得。刃的材料也好,可是被人保组收走了。后来没事了,找他们要,却说找不到了。还有我的猎枪,也不肯还我。人保组的老郭死气白赖地说要买,可是只肯出50块钱。最后连枪带刀,我一样也没要回来。

我和陈清扬在饭店里作案之前聊了好半天。最后她把衬衣也脱下来,还穿着裙子和皮靴。我走过去坐在她身边,把她的头发撩了起来。她的头发有不少白的了。

陈清扬烫了头。她说,以前她的头发好,舍不得烫。现在没关系了。她现在当了副院长,非常忙,也不能每天洗头。除此之外,眼角脖子下有不少皱纹。她说,女儿建议她去做整容手术。但是她没时间做。

后来她说:"好啦,看吧。"就去解乳罩。我想帮她一把,也没帮上。扣在前面,我把手伸到后面去了。她说看来你没学坏,就转过身来让我看。我仔细看了一阵,提了一点意见。不知为什么,她有点脸红,说:"好啦,看也看过了。还要干什么?"就要把乳罩戴上。我说:"别忙,就这样吧。"她说:"怎么,还要研究我的结构?"我说:"那当然。现在不着急,再聊一会儿。"她的脸更红了,说道:"王二,你一辈子学不了好,永远是个混蛋。"

我在人保组,罗小四来看我,趴窗户一看,我被捆得像粽子一样。他以为案情严重,我会被枪毙掉,把一盒烟从窗里扔进来,说道:"二哥,哥们儿一点意思。"然后哭了。罗小四感情丰富,很容易哭。我让他点着了烟从窗口递进来,他照办了,差点肩关节脱臼才递到我嘴上。然后他问我还有什么事要办,我说没有。我还说,你别招一大群人来看我。他也照办了。他走后,又有一帮孩子爬上窗台看,正看见我被烟熏得睁一眼闭一眼,样子非常难看。打头的一个不禁说道:"耍流氓。"我说:"你爸你妈才耍流氓。他们不耍流氓能有你?"那孩子抓了些泥巴扔我。等把我放开,我就去找他爸,说道:"今天我在人保组,叫人像捆猪一样捆上。令郎人小志大,趁那时朝我扔泥巴。"那人一听,揪住他儿子就揍。我在一边看完了才走。陈清扬听说这事,就有这种评价:"王二,你是个混蛋。"

其实我并非永远是混蛋。我现在有家有口,已经学了不少好。抽完了那根烟,我把她抱过来,很熟练地在她胸前爱抚一番,然后就想脱她的裙子。她说:"别忙,再聊会儿。你给我也来支烟。"我点了一支烟,抽着了给她。

陈清扬说,在章风山她骑在我身上一上一下,极目四野,都是灰蒙蒙的水雾。忽然间觉得非常寂寞,非常孤独。虽然我的一部分在她身体里摩擦,她还是非常寂寞,非常孤独。后来我活过来了,说道:"换换,你看我的。"我就翻到上面去。她说:"那一回你比哪回都混蛋。"

陈清扬说,那回我比哪回都混蛋,是指我忽然发现她的脚很小巧好看。因此我说:"老陈,我准备当个拜脚狂。"然后我把她两腿捧起来,吻她的脚心。陈清扬平躺在草地上,两手摊开,抓着草。忽然她一晃头,用头发盖住了脸,然后哼了一声。

我在交代材料里写道,那时我放开她的腿,把她脸上的头发抚开。陈清扬猛烈地挣扎,流着眼泪,但是没有动手。她脸上有两点很不健康的红晕。后来她不挣扎了,对我说:"混蛋,你要把我怎么办?"我说:"怎么了?"她又笑,说道:"不怎么。接着来。"所以我又捧起她的双腿。她就那么躺着不动,双手平摊,牙咬着下唇,一声不响。如果我多看她一眼,她就笑笑。我记得她脸特别白,头发特别黑,整个情况就是这样的。

陈清扬说,那一回她躺在冷雨里,忽然觉得每一个毛孔都进了冷雨。她感到悲从中来,不可断绝。忽然间一股巨大的快感劈进来。冷雾,雨水,都沁进了她的身体。那时节她很想死去。她不能忍耐,想叫出来,但是看见了我她又不想叫出来。世界上还没有一个男人能叫她肯当着他的面叫出来。她和任何人都格格不入。

陈清扬后来和我说,每回和我做爱都深受折磨。在内心深处她很想叫出来,想抱住我狂吻,但是她不乐意。她不想爱别人,任何人都不爱;尽管如此,我吻她脚心时,一股辛辣的感觉还是钻到她心里来。

我和陈清扬在章风山上做爱,有一只老水牛在一边看。后来它哞了一声跑开了,只剩我们两人。过了很长时间,天渐渐亮了。雾从天顶消散。陈清扬的身体沾了露水,闪起光来。我把她放开,站起来,看见离寨子很近,就说:走。于是离开了那个地方,再没回去过。

八

我在交代材料里说,我和陈清扬在刘大爹后山上作案无数。这是因为刘大爹的地是熟地,开起来不那么费力。生活也安定,所以温饱生淫欲。那片山上没人,刘大爹躺在床上要死了。山上非雾即雨,陈清扬腰上束着我的板带,上面挂着刀子。脚上穿高统雨靴,除此之外不着一丝。

陈清扬后来说,她一辈子只交了我一个朋友。她说,这一切都是因为我在河边的小屋里谈到伟大友谊。人活着总要做几件事情,这就是其中之一。以后她就没和任何人有过交情。同样的事做多了没意思。

我对此早有预感。所以我向她要求此事时就说:老兄,咱们敦敦伟大友谊如何?人家夫妇敦伦,我们无伦可言,只好敦友谊。她说好。怎么敦?正着敦反着敦?我说反着敦。那时正在地头上。因为是反着敦,就把两件蓑衣铺在地上,她趴在上面,像一匹马,说道:你最好快一点,刘大爹该打针了。我把这些事写进了交代材料,领导上让我交代:

1. 谁是"郭伦"?

2. 什么叫"郭郭"伟大友谊?

3. 什么叫正着郭,什么叫反着郭?

把这些都说清以后,领导上又叫我以后少掉文,是什么问题就交代什么问题。

在山上敦伟大友谊时,嘴里喷出白气。天不那么凉,可是很湿,抓过一把能拧出水来。就在蓑衣旁边,蚯蚓在爬。那片地真肥。后来玉米还没熟透,我们就把它放在捣臼里捣,这是山上老景颇的做法。做出的玉米耙耙很不坏。在冷水里放着,好多天不坏。

陈清扬趴在冷雨里,乳房摸起来像冷苹果。她浑身的皮肤绷紧,好像抛过的大理石。后来我把小和尚拔出来,把精液射到地里。她在一边看着,面带惊恐之状。我告诉她:这样地会更肥。她说:"我知道。"后来又说:"地里会不会长出小王二来?"——这像个大夫说的话吗?

雨季过去后,我们化装成老傣,到清平赶街。后来的事我已经写过,我在清平遇上了同学。虽然化了装,人家还是一眼就认出我来。我的个子太高,装不矮。人家对我说:"二哥,你跑哪儿去了?"我说:"我不会讲汉话哟!"虽然尽力加上一点怪腔,还是京片子。一句就漏馅了。

回到农场是她的主意。我自己既然上了山,就不准备下去。她和我上山,是为了伟大友谊。我也不能不陪她下去。其实我们随时可以逃走,但她不乐意。她说现在的生活很有趣。

陈清扬后来说,在山上她也觉得很有趣。漫山冷雾时,腰上别着刀子,足蹬高统雨靴,走到雨丝里去。但是同样的事做多了就不再有趣。所以她还想下山,忍受人世的摧残。

我和陈清扬在饭店里重温伟大友谊,说到那回从山上下来,走到岔路口上。那地方有四条岔路,各通一方。东西南北没有关系,一条通到国外,是未知之地;一条通到内地;一条通到农场;一条是我们来的路。那条路还通到户撒。那里有很多阿伧铁匠,那些人世世代代当铁匠。我虽然不是世世代代,但我也能当铁匠。我和那些人熟得很,他们都佩服我的技术。阿伧族的女人都很漂亮,身上挂了很多铜箍和银钱。陈清扬对那种打扮十分神往,她很想到山上去当个阿伧。那时雨季刚过,云从四面八方升起来。天顶上闪过一缕缕阳光。我们有各种选择,可以到各方向去。所以我在路口上站了很久。后来我回内地时,站在公路上等汽车,也有两种选择,可以等下去,也可以回农场去。当我沿着一条路走下去的时候,心里总想着另一条路上的事。这种时候我心里很乱。

陈清扬说过,我天资中等,手很巧,人特别浑。这都是有所指的。说我天资中等,我不大同意。说我特别浑,事实俱在,不容抵赖。至于说我手巧,可能是自己身上体会出来的。我的手的确很巧,不光表现在摸女人方面。手掌不大,手指特长,可以做任何精细的工作。山上那些阿伧铁匠打刀刃比我好,可是要比在刀上刻花纹,没有任何人能比得上我。所以起码有 20 个铁匠提出过,让我们搬过去,他打刀刃我刻花纹,我们搭一伙。假如当初搬了过去,可能现在连汉话都不会说了。

假如我搬到一位阿伧大哥那里去住,现在准在黑洞洞的铁匠铺里给户撒刀刻花纹。在他家泥泞的后院里,准有一大窝小崽子,共有四种组合形式:

1. 陈清扬和我的;
2. 阿伧大哥和阿伧大嫂的;
3. 我和阿伧大嫂的;
4. 陈清扬和阿伧大哥的。

陈清扬从山上背柴回来,撩起衣裳,露出极壮硕的乳房,不分青红皂白,就给其中一个喂奶。假如当初我退回山上去,这样的事就会发生。

陈清扬说,这样的事不会发生,因为它没有发生。实际发生的是,我们回了农场,写交代材料出斗争差。虽然随时都可以跑掉,但是没有跑。这是真实发生了的事。

陈清扬说,我天资平常,她显然没把我的文学才能考虑在内。我写的交代材料人人都爱看。刚开始写那些东西时,我有很大抵触情绪。写着写着就入了迷。这显然是因为我写的全是发生过的事。发生过的事有无比的魅力。

我在交代材料里写下了一切细节,但是没有写以下已经发生的事情:

我和陈清扬在十五队后山上，在草房里干完后，到山涧里戏水。山上下来的水把红土剥光，露出下面的蓝黏土来。我们爬到蓝黏土上晒太阳。暖过来后，小和尚又直立起来。但是刚发泄过，不像急色鬼。于是我侧躺在她身后，枕着她的头发进入她的身体。我们在饭店里，后来也是这么重温伟大友谊。

我和陈清扬侧躺在蓝黏土上，那时天色将晚，风也有点凉。躺在一起心平气和，有时轻轻动一下。据说海豚之间有生殖性的和娱乐性的两种搞法，这就是说，海豚也有伟大友谊。我和陈清扬连在一起，好像两只海豚一样。

我和陈清扬在蓝黏土上，闭上眼睛，好像两只海豚在海里游动。天黑下来，阳光逐渐红下去。天边起了一片云，惨白惨白，翻着无数死鱼肚皮，瞪起无数死鱼眼睛。山上有一股风，无声无息地吹下去。天地间充满了悲惨的气氛。陈清扬流了很多眼泪。她说是触景伤情。

我还存了当年交代材料的副本，有一回拿给一位搞英美文学的朋友看，他说很好，有维多利亚时期地下小说的韵味。至于删去的细节，他也说删得好，那些细节破坏了故事的完整性。我的朋友真有大学问。我写交代材料时很年轻，没什么学问(到现在也没有学问)，不知道什么是维多利亚时期地下小说。我想的是不能教会了别人。我这份交代材料不少人要看，假如他们看了情不自禁，也去搞破鞋，那倒不伤大雅，要是学会了这个，那可不大好。

我在交代材料里还漏掉了以下事实，理由如前所述。我们犯了错误，本该被枪毙，领导上挽救我们，让我写交代材料，这是多么大的宽大！所以我下定决心，只写出我们是多么坏。

我们俩在刘大爹后山上时，陈清扬给自己做了一件筒裙，想穿了它化装成老傣，到清平去赶街。可是她穿上以后连路都走不了啦。走到清平南边遇到一条河，山上下来的水像冰一样凉,像腌雪里红一样绿。那水有齐腰深,非常急。我走过去,把她用一个肩膀扛起来,径直走过河才放下来。我的一边肩膀正好和陈清扬的腰等宽,记得那时她的脸红得厉害。我还说:"我可以把你扛到清平去,再扛回来,比你扭扭捏捏地走更快。"她说:"去你妈的吧。"

筒裙就像个布筒子,下口只有一尺宽。会穿的人在里面可以干各种事,包括在大街上撒尿,不用蹲下来。陈清扬说,这一手她永远学不会。在清平集上观摩了一阵,她得到了要扮就扮阿伦的结论。回来的路是上山,而且她的力气都耗光了。每到跨沟越坎之处,她就找个树墩子,仪态万方地站上去,让我扛她。

回来的路上扛着她爬坡。那时旱季刚到,天上白云纵横,阳光灿烂。可是山里还时有小雨。红土的大板块就分外地滑。我走上那块烂泥板,就像初次上冰场。那时我右手扣住她的大腿,左手提着猎枪,背上还有一个背篓,走在那滑溜溜的斜面上,十分吃力。忽然间我向左边滑动,马上要滑进山沟,幸亏手里有条枪,拿枪拄在地上。那时我全身绷紧,拼了老命,总算支持住了。可这个笨蛋还来添乱,在我背上扑腾起来,让我放她下去。那一回差一点死了。

等我刚能喘过气来,就把枪带交到右手,抡起左手在她屁股上狠狠打了两巴掌。隔了薄薄一层布,倒显得格外光滑。她的屁股很圆。鸡巴,感觉非常之好的啦!她挨了那两下登时老实了。非常地乖,一声也不吭。

当然打陈清扬屁股也不是好事,但是我想别的破鞋和野汉子之间未必有这样的事。这件事离了题,所以就没写。

九

我和陈清扬在章风山上做爱时,她还很白,太阳穴上的血管清晰可见,后来在山里晒得很黑,回到农场又变得白皙。后来到了军民共建边防时期，星期天机务站出一辆大拖拉机，拉上一车有问题的人到砖窑出砖。出完了砖再拉到边防线上的生产队去，和宣传队会齐。我们这一车是历史反革命、贼、走资派、搞破鞋的等等，敌我矛盾、人民内部矛盾都有，干完了活到边境上斗争一台，以便巩固政治边防。出这种差公家管饭，武装民兵押着蹲在地上吃。吃完了我和陈清扬倚着拖拉机站着，过来一帮老婆娘，对她品头论足。结论是她真白，难怪搞破鞋。

我去找过人保组老郭，问他们叫我们出这种差是什么意思。他们说，无非是让对面的坏人知道这边厉害，不敢过来。本来不该叫我们去，可是凑不齐人数。反正我们也不是好东西，去去也没什么的。我说："去去原是不妨，你叫人别揪陈清扬的头发。搞急了老子又要往山上跑。"他说他不知道有这事，一定去说说。其实我早想上山，可是陈清扬说，算了，揪揪头发又怎么了。

我们出斗争差时，陈清扬穿我的一件学生制服。那衣服她穿上非常大，袖子能到掌心，领子拉起来能遮住脸腮。后来她把这衣服要走了。据说这衣服还在，大扫除擦玻璃她还穿。挨斗时她非常熟练，一听见说到我们，就从书包里掏出一双洗得干干净净用麻绳拴好的解放鞋，往脖子上一挂，等待上台了。

陈清扬说，在家里刚洗过澡，她拿我那件衣服当浴衣穿。那时她表演给女儿看，当年怎么挨斗。人是撅着的，有时还得抬脸给人家看，就和跳巴西桑巴舞一样。那孩子问道："我爸呢？"陈清扬说："你爸爸坐飞机。"那孩子就咯咯笑，觉得非常有趣。

我听见这话，觉得如有芒刺在背。第一，我也没坐飞机。挨斗时是两个小四川押我，他俩非常客气，总是先道歉说："王哥，多担待。"然后把我撅出去。押她的是宣传队的两个小骚货，又撅胳膊又揪头发。照她说的好像人家对我比对她还不好，这么说对当年那两个小四川不公平。第二，我不是她爸爸。等斗完了我们，就该演节目了。把我们撅下台，撅上拖拉机，连夜开回场部去。每次出过斗争差,陈清扬都性欲勃发。

我们跑回农场来,受批判,出斗争差。这也是一阵阵的。有时候团长还请我们到他家坐,说起我们犯错误,他还说,这种错误他也犯过。然后就和陈清扬谈前列腺。这时我就告辞,除非他叫我修手表。有时候对我们很坏,一礼拜出两次斗争差。这时政委说,像王二、陈清扬这样的人,就是要斗争,要不大家都会跑到山上去,农场还办不办?平心而论,政委说得也有道理,而且他没有前列腺炎。所以陈清扬书包里那双破鞋老不扔,随时备用。过了一段时间,不再叫我们出斗争差,有一回政委出去开会,团长到军务科说了说,就把我放回内地去了。

有关斗争差的事是这样的:当地有一种传统的娱乐活动,就是斗破鞋。到了农忙时,大家都很累。队长说,今晚上娱乐一下,斗斗破鞋。但是他们怎么娱乐的,我可没见过。他们斗破鞋时,总把没结婚的人都撵走。再说,那些破鞋面黑如锅底,奶袋低垂,我不爱看。

后来来了一大批军队干部,接管了农场,就下令不准斗破鞋。理由是不讲政策。但是到了军民共建时期,又下令说可以斗破鞋。团里下了命令,叫我们到宣传队报到,准备参加斗争。马上我就要逃进山去,可是陈清扬不肯跟我走。她还说,她无疑是当地斗过的破鞋里最漂亮的一个。斗她的时候,周围好几个队的人都去看,这让她觉得无比自豪。

团里叫我们随宣传队活动,是这么交代的:我们俩是人民内部矛盾,这就是说,罪恶不彰,要注意政策。但是又说,假如群众愤怒了,要求狠狠斗我们,那就要灵活掌握。结果群众见了我们就愤怒。宣传队长是团长的人,他和我们私交也不坏,跑到招待所来和我们商量:"能不能请陈大夫受点委屈?"陈清扬说:"没有关系。"下回她就把破鞋挂在了脖子上。但是大家还是不满意。他只好让陈清扬再受点委屈。最后他说:"大家都是明白

[　　放声大哭从一个梦境进入另一个梦境，这是每个人都有的奢望。　　]

人,我也不多说。您二位多担待吧。"

我和陈清扬出斗争差的时候,开头总是待在芭蕉树后面。那里是后台。等到快轮到我们时,她站起来,把头上的发卡取下来衔在嘴里,再一个个别好,翻起领口,拉下袖子,背过双手,等待受捆了。

陈清扬说,他们用竹批绳、棕绳来捆她,总把她的手捆肿。所以她从家里带来了晾衣服的棉绳。别人也抱怨说,女人不好捆。浑身圆滚滚,一点不吃绳子。与此同时,一双大手从背后擒住她的手腕,另一双手把她紧紧捆起来,捆成五花大绑。

后来人家把她押出去,后面有人揪住她的头发,使她不能往两边看,也不能低下头,所以她只能微微侧过头去,看汽灯青白色的灯光。有时她正过头来,看见一些陌生的脸,她就朝那人笑笑。这时她想,这真是个陌生的世界!这里发生了什么,她一点不了解。

陈清扬所了解的是,现在她是破鞋。绳子捆在她身上,好像一件紧身衣。这时她浑身的曲线毕露。她看到在场的男人裤裆里都凸起来。她知道是因为她,但为什么这样,她一点不理解。

陈清扬说,出斗争差时,人家总要揪着她头发让她往四下看。为此她把头发梳成两缕,分别用皮筋系住,这样人家一只手捉住她的手腕,另一只手揪她的头发就特别方便。她就这样被人驾驶着看到了一切,一切都流进她心里。但是她什么都不理解。但是她很愉快,人家要她做的事她都做到了,剩下的事与她无关。她就这样在台上扮演了破鞋。

等到斗完了我们,就该演文艺节目了。我们当然没资格看,就被撵上拖拉机,拉回场部去。开拖拉机的师傅早就着急回家睡觉,早就把机器发动起来。所以连陈清扬的绑绳也来不及松开。我把她抱上拖拉机,然后车上颠得很,天又黑,还是解不开。到了场部以后,索性我把她扛回招待所,在电灯下慢慢解。这时候陈清扬面有酡颜,说道:"敦伟大友谊好吧?我都有点等不及了！"

　　陈清扬说，那一刻她觉得自己像个礼品盒，正在打开包装。于是她心花怒放。她终于解脱了一切烦恼，用不着再去想自己为什么是破鞋，到底什么是破鞋，以及其他费解的东西：我们为什么到这个地方来，来干什么等等。现在她把自己交到了我手里。

　　在农场里，每回出完了斗争差，陈清扬必要求敦伟大友谊。那时总是在桌子上。我写交代材料也在那张桌子上，高度十分合适。她在那张桌上像考拉那样，快感如潮，经常禁不住喊出来。那时黑着灯，看不见她的模样。我们的后窗总是开着的，窗后是一个很陡的坡。但是总有人来探头探脑。那些脑袋露在窗台上好像树枝上的寒鸦。我那张桌子上老放着一些山梨，硬得人牙咬不动，只有猪能吃。有时她拿一个从我肩上扔出去，百发百中，中弹的从陡坡上滚下去。这种事我不那么受用，最后射出的精液都冷冰冰。不瞒你说，我怕打死人。像这样的事倒可以写进交代材料，可是我怕人家看出我在受审查期间继续犯错误，给我罪加一等。

十

　　后来我们在饭店里重温伟大友谊，谈到各种事情。谈到了当年的各种可能性，谈到了我写的交代材料，还谈到了我的小和尚。那东西一听别人谈到它，就激昂起来，蠢动个不停。因此我总结道，那时人家要把我们锤掉，但是没有锤动。我到今天还强硬如初。为了伟大友谊，我还能光着屁股上街跑三圈。我这个人，一向不大知道要脸。不管怎么说，那是我的黄金时代。虽然我被人当成流氓。我认识那里好多人，包括赶马帮的流浪汉，山上的老景颇等等。提起会修表的王二，大家都知道。我和他们在火边喝那种两毛钱一斤的酒，能喝很多。我在他们那里大受欢迎。

　　除了这些人，猪场里的猪也喜欢我，因为我喂猪时，猪食里的糠比平时多三倍。然后就和司务长吵架,我说,我们猪总得吃饱吧。我身上带有很多伟大友谊,要送给一切人。因为他们都不要,所以都发泄在陈清扬身上了。

我和陈清扬在饭店里敦伟大友谊,是娱乐性的。中间退出来一次,只见小和尚上血迹斑斑。她说:"年纪大了,里面有点薄,你别那么使劲。"她还说:"在南方待久了,到了北方手就裂。而蛤蜊油的质量下降,抹在手上一点用都不管。"说完了这些话,她拿出一小瓶甘油来,抹在小和尚上面。然后正着敦,说话方便。我就像一根待解的木料,躺在她分开的双腿中间。

陈清扬脸上有很多浅浅的皱纹,在灯光下好像一条条金线。我吻她的嘴,她没反对。这就是说,她的嘴唇很柔软,而且分开了。以前她不让我吻她嘴唇,让我吻她下巴和脖子交界的地方。她说,这样刺激性欲。然后继续谈到过去的事。

陈清扬说,那也是她的黄金时代。虽然被人称做破鞋,但是她清白无辜。她到现在还是无辜的。听了这话,我笑起来。但是她说,我们在干的事算不上罪孽。我们有伟大友谊,一起逃亡,一起出斗争差,过了 20 年又见面,她当然要分开两腿让我趴进来。所以就算是罪孽,她也不知罪在何处。更主要的是,她对这罪恶一无所知。

然后她又一次呼吸急促起来。她的脸变到赤红,两腿把我用力夹紧,身体在我下面绷紧,压抑的叫声一次又一次穿过牙关。过了很久才松弛下来。这时她说很不坏。

很不坏之后,她还说这不是罪孽。因为她像苏格拉底,对一切都一无所知。虽然活了四十多岁,眼前还是奇妙的新世界。她不知道为什么人家要把她发到云南那个荒凉的地方,也不知为什么又放她回来。不知道为什么要说她是破鞋,把她押上台去斗争,也不知道为什么又说她不是破鞋,把写好的材料又抽出来。这些事有过各种解释,但没有一种她能听懂。她是如此无知,所以她无罪。一切法律书上都是这么写的。

陈清扬说，人活在世上，就是为了忍受摧残，一直到死。想明了这一点，一切都能泰然处之。要说明她怎会有这种见识，一切都要回溯到那一回我从医院回来，从她那里经过进了山。我叫她去看我，她一直在犹豫。等到她下定了决心，穿过中午的热风，来到我的草房前面，那一瞬间，她心里有很多美丽的想象。等到她进了那间草房，看见我的小和尚直挺挺，像一件丑恶的刑具。那时她惊叫起来，放弃了一切希望。

陈清扬说，在此之前二十多年前一个冬日，她走到院子里去。那时节她穿着棉衣，艰难地爬过院门的门槛。忽然一粒沙粒钻进了她的眼睛。是那么地疼，冷风又是那样地割脸，眼泪不停地流。她觉得难以忍受，立刻大哭起来，企图在一张小床上哭醒。这是与生俱来的积习，根深蒂固。放声大哭从一个梦境进入另一个梦境，这是每个人都有的奢望。

陈清扬说，她去找我时，树林里飞舞着金蝇。风从所有的方向吹来，穿过衣襟，爬到身上。我待的那个地方可算是空山无人。炎热的阳光好像细碎的云母片，从天顶落下来。在一件薄薄的白大褂下，她已经脱得精光。那时她心里也有很多奢望。不管怎么说，那也是她的黄金时代，虽然那时她被人叫做破鞋。

陈清扬说，她到山里找我时，爬过光秃秃的山岗。风从衣服下面吹进来，吹过她的性敏感带，那时她感到的性欲，就如风一样捉摸不定。它放散开，就如山野上的风。她想到了我们的伟大友谊，想起我从山上急匆匆地走下去。她还记得我长了一头乱蓬蓬的头发，论证她是破鞋时，目光笔直地看着她。她感到需要我，我们可以合并，成为雄雌一体。就如幼小时她爬出门槛，感到了外面的风。天是那么蓝，阳光是那么亮，天上还有鸽子在飞。鸽哨的声音叫人终身难忘。此时她想和我交谈，正如那时节她渴望和外面的世界合为一体，溶化到天地中去。假如世界上只有她一个人，那实在是太寂寞了。

陈清扬说,她到我的小草房里去时,想到了一切东西,就是没想到小和尚。那东西太丑,简直不配出现在梦幻里。当时陈清扬也想大哭一场,但是哭不出来,好像被人捏住了喉咙。这就是所谓的真实。真实就是无法醒来。那一瞬间她终于明白了在世界上有些什么,下一瞬间她就下定了决心,走上前来,接受摧残,心里快乐异常。

陈清扬还说,那一瞬间,她又想起了在门槛上痛哭的时刻。那时她哭了又哭,总是哭不醒,而痛苦也没有一点减小的意思。她哭了很久,总是不死心。她一直不死心,直到 20 年后面对小和尚。这已经不是她第一次面对小和尚。但是以前她不相信世界上还有这种东西。

陈清扬说,她面对这丑恶的东西,想到了伟大友谊。大学里有个女同学,长得丑恶如鬼(或者说,长得也是这个模样),却非要和她睡一个床。不但如此,到夜深人静的时候,还要吻她的嘴,摸她的乳房。说实在的,她没有这方面的嗜好。但是为了交情,她忍住了。如今这个东西张牙舞爪,所要求的不过是同一种东西。就让它如愿以偿,也算是交友之道。所以她走上前来,把它的丑恶深深埋葬,心里快乐异常。

陈清扬说,到那时她还相信自己是无辜的。甚至直到她和我逃进深山里去,几乎每天都敦伟大友谊。她说这丝毫也不能说明她有多么坏,因为她不知道我和我的小和尚为什么要这样。她这样做是为了伟大友谊,伟大友谊是一种诺言。守信肯定不是罪孽。她许诺过要帮助我,而且是在一切方面。但是我在深山里在她屁股上打了两下,彻底玷污了她的清白。

十一

我写了很长时间交代材料,领导上总说,交代得不彻底,还要继续交代。所以我以为,我的下半辈子要在交代中度过。最后陈清扬写了一篇交代材料,没给我看,就交到了人保组。此后就再没让我们写材料。不但如此,也不叫我们出斗争差。不但如此,陈清扬对我也冷淡起来。我没情没绪地过了一段时间,自己回了内地。她到底写了什么,我怎么也猜不出来。

从云南回来时我损失了一切东西:我的枪,我的刀,我的工具。只多了一样东西,就是档案袋鼓了起来。那里面有我自己写的材料,从此不管我到什么地方,人家都能知道我是流氓。所得的好处是比别人早回城,但是早回来没什么好,还得到京郊插队。

我到云南时,带了很全的工具,桌拿子、小台钳都有。除了钳工家具,还有一套修表工具。住在刘大爹后山上时,我用它给人看手表。虽然空山寂寂,有些马帮却从那里过。有人让我鉴定走私表,我说值多少就值多少。当然不是白干。所以我在山上很活得过。要是不下来,现在也是万元户。

至于那把双筒猎枪,也是一宝。原来当地卡宾枪老套筒都不稀罕,就是没见过那玩意儿。筒子那么粗,又是两个管,我拿了它很能唬人。要不人家早把我们抢了。我,特别是刘老爹,人家不会抢,恐怕要把陈清扬抢走。至于我的刀,老拴在一条牛皮大带上。牛皮大带又老拴在陈清扬腰上。睡觉做爱都不摘下来。她觉得带刀很气派。所以这把刀可以说已经属于陈清扬。枪和刀我已说过,被人保组要走了。我的工具下山时就没带下来,就放在山上,准备不顺利时再往山上跑。回来时行色匆匆,没顾上去拿,因此我成了彻底的穷光蛋。

我对陈清扬说,我怎么也想不出来在最后一篇交代里她写了什么。她说,现在不能告诉我。要告诉我这件事,只能等到了分手的时候。第二天她要回上海,她叫我送她上车站。

陈清扬在各个方面都和我不同。天亮以后,洗了个冷水澡(没有热水了),她穿戴起来。从内衣到外衣,她都是一个香喷喷的 lady。而我从内衣到外衣都是一个地道的土流氓。无怪人家把她的交代材料抽了出来，不肯抽出我的。这就是说，她那破裂的处女膜长了起来。而我呢，根本就没长过那个东西。除此之外，我还犯了教唆之罪，我们在一起犯了很多错误，既然她不知罪，只好都算在我账上。

我们结了账，走到街上去。这时我想，她那篇交代材料一定淫秽万分。看交代材料的人都心硬如铁，水平无比之高，能叫人家看了受不住，那还好得了？陈清扬说，那篇材料里什么也没写，只有她真实的罪孽。

陈清扬说她真实的罪孽，是指在清平山上。那时她被架在我的肩上，穿着紧裹住双腿的筒裙，头发低垂下去，直到我的腰际。天上白云匆匆，深山里只有我们两个人。我刚在她屁股上打了两下，打得非常重，火烧火燎的感觉正在飘散。打过之后我就不管别的事，继续往山上攀登。

陈清扬说，那一刻她感到浑身无力，就瘫软下来，挂在我肩上。那一刻她觉得如春藤绕树，小鸟依人。她再也不想理会别的事，而且在那一瞬间把一切都遗忘。在那一瞬间她爱上了我，而且这件事永远不能改变。

在车站上陈清扬说，这篇材料交上去，团长拿起来就看。看完了面红耳赤，就像你的小和尚。后来见过她这篇交代材料的人，一个个都面红耳赤，好像小和尚。后来人保组的人找了她好几回，让她拿回去重写，但是她说，这是真实情况，一个字都不能改。人家只好把这个东西放进了我们的档案袋。

陈清扬说，承认了这个，就等于承认了一切罪孽。在人保组里，人家把各种交代材料拿给她看，就是想让她明白，谁也不这么写交代。但是她偏要这么写。她说，她之所以要把这事最后写出来，是因为它比她干过的一切事都坏。以前她承认过分开双腿，现在又加上，她做这些事是因为她喜欢。做过这事和喜欢这事大不一样。前者该当出斗争差,后者就该五马分尸千刀万剐。
但是谁也没权力把我们五马分尸,所以只好把我们放了。

　　陈清扬告诉我这件事以后,火车就开走了。以后我再也没
见过她。

三十而立

一

王二生在北京城,我就是王二。夏天的早上,我骑车子去上班,经过学校门口时,看着学校庄严的大门,看着宽阔的操场和操场后面高耸的烟囱,我忽然觉得:无论如何,我也不能相信。

仿佛在不久之前,我还是初一的学生。放学时在校门口和同学们打书包仗。我的书包打在人身上一声闷响,把人家摔出一米多远。原来我的书包里不光有书,还有一整块板砖。那时节全班动了公愤,呐喊一声在我背后追赶。我奔过操场,逃向那根灰色的烟囱。后来校长出来走动,只见我高高爬在脚手梯上,迎着万里东风,敞开年轻的胸怀,高叫着:"✕你妈!谁敢上来我一脚踹他下去!"这好像是刚刚发生的事情。

转眼之间我就长大了很多,身高一米九〇,体重八十多公斤。无论如何,一帮初一的男孩子不能把这样一条大汉撵得爬上烟囱,所以我绝不相信。

不知不觉我从自行车上下来,推车立在路旁。学校里静悄悄,好像一个人也没有,这叫我心头一凛。多少次我在静悄悄的时候到校,穿过静悄悄的走廊,来到熟悉的教室,推开门时

57

几十张脸一齐转向我——我总是迟到。假如教室里有表扬批评的黑板报,批评一栏里我总是赫然有名。下课以后班长、班干部、中队长、小队长争先恐后来找我谈话,然后再去向班主任、辅导员表功。像拾金不昧、帮助盲人老大爷回家之类的好事不是每天都能碰到,而我是一个稳定的好事来源。只要找我谈谈话,一件好事就已诞生:"帮助了后进生王二!"我能够健康地成长,没有杀死校长老师,没有放火和在教室里撒尿,全是这些帮助的功劳。

20年前谁都不会相信——校长不相信,教师不相信,同学们不相信,我自己也不相信,王二能够赶前40分钟到校,但是这件事已经发生。如今王二是一名大学教师,在上实验课之前先到实验室看看。按说实验课有实验员许由负责,但是我对他不放心。

如今轮到我为别人操心,这真叫人难以置信。我和许由有30年的交情,我们在幼儿园里合谋毒杀阿姨,好像是昨天发生的事情。我清清楚楚地记得自己在大班里凶悍异常,把小朋友都打遍。我还记得阿姨揪住我的耳朵把它们朝刘备的方向改造。我永远也不会忘记那天午睡过后,阿姨带我们去大便。所有的孩子排成长龙,蹲在九曲十八回的长沟上排粪,阿姨躲在玻璃门外监视。她应该在大家屙完之后回来给大家擦屁股,可是那天她打毛衣出了神,我们蹲得简直要把肠子全屙出来,她也不闻不问。那个气味也真不好闻。我站起来,自己拿手纸擦了屁股,穿上裤子,然后又给别人擦屁股。全班小朋友排成一排,由我排头擦去,真有说不出的得意。有多少今日的窈窕淑女,竟被我捷足先登,光顾了屁股,真是罪过!忽然间被阿姨揪住了耳朵,她把我尽情羞辱了一番。

我气得鼓鼓的。星期天回家以后,我带了一瓶家里洗桃子的高锰酸钾水来。我妈说这种药水有毒,我想拿它毒死阿姨。吾友许由见了我的红色药水,问清用途,深表赞同。他还有一秘方可以加强药力,那就是石灰,许由抓住什么都往下吞,有一回吞石灰,被叔叔掐住了脖子,说石灰能把肠子烧穿。后来我们又在药水里加入了脚丫泥、尿、癞蛤蟆身上的浆汁等等,以致药水变得五彩缤纷。后来这瓶药水没来得及洒入阿姨的饭盒,就已被人揭发,这就是轰动幼儿园的王二毒杀案。根据以上事实,无论如何我也不能相信,如果不是为了毒死校长,我能为一个实验如此操心。

事实如此,不论我信与不信。1983年7月初的某个早上,我从本质上已经是个好人、好教师、好公民、好丈夫。事实证明,社会是个大熔炉,可以改造各种各样的人,甚至王二。现在我不但是某大学农业系的微生物讲师,还兼着基础部生物室的主任。我不但要管好自己,还要管好别人(如"后进生许由"之流,因为这家伙是我在校长那儿拍了胸脯才调进来的)。所以我在车棚里放下车子,就往实验室狂奔。推开门一看,果然不出我之所料。实验台上放着一锅剩面条,地上横七竖八几个啤酒瓶子。上回校长到实验室视察,看见实验台上放着吃剩的香肠,问我:"这是什么?"我说是实验样品。他咆哮起来:"什么实验?造大粪的实验!"叫我心里好一阵发麻。我把这些东西收拾了,又闻见一股很奇怪的味:又像死猫死狗,又像是什么东西发了酵。找了半天,没找到味源。赶紧到里屋把许由揪起来。他睡眼惺忪地说:"王二,你干什么?正梦见找到老婆………""呸!7点40了。快起来! 我问你,屋里什么味?"

"别打岔。我这个梦非比一般,比哪回梦见的都好看。正要……"

我一把揪住他耳朵:"我问你,屋里什么东西这么臭?"

"这有什么可大惊小怪的? 死耗子呗。我下了耗子药。"

"不是那种味! 是你身上的味!"

"我哪知道。"他坐起来。这个东西就是这么不要脸,光屁股睡觉。"嘿,我鞋呢? 王二,别开这种玩笑!"

"你死了吧！谁给你看着鞋！"

"呀！王二,我想起来了。我把球鞋放到烘箱里烤,忘了拿出来了！"

我冲到烤箱前,打开门——我主！几乎熏死。急忙打开通风机,戴上防毒面具,套上胶皮手套,把他的臭球鞋用报纸包起来,扔进了厕所。回来一看,上午的实验许由根本就没准备,再过15分钟学生就要来了,桌面上光秃秃的。我翻箱倒柜,把各种器具往外拿,折腾得汗都下来了。回头一看许由,这家伙穿着工作服,消消停停坐在显微镜前,全神贯注地往里看。见了这副景象,我不禁心头火起,大吼一声:

"许由！我要用胶布,给我上医务室拿点来。"

"不要慌。等一会儿。"

"什么时候了？火燎雀子毛了！快去！"

"别急。我还要穿几件衣服。"

"你穿得够整齐了。"

他风度翩翩地一撩衣服下摆。天,怎么不使雷劈了他！这家伙还光着屁股。他连做几个芭蕾动作,把三大件舞得像钟摆一样,进屋去穿衣服。过一会儿又舞出来,上医务室了。我把实验准备好,他还没回来,这不要紧,他不能死在那儿。擦擦汗,掸去身上的土,我又恢复了常态。学生还得一会儿来,我先看看许由刚才看什么。

显微镜里白花花的,满视野全是活的微生物,细长细长,像一盒活大头针。这是什么？许由能搞来什么稀罕玩意儿？我要叫它难住,枉自教了微生物。这东西很眼熟,可就是想不起来了。

忽然许由揪住了我的后领:"王二,你是科班出身,说说这是什么？"

"胶布拿来了？每个实验台分一块。"

"别想混过去。你说！说呀！"

我直起身来,无可奈何地收起室主任的面孔,换上王二的嘴脸,朝他奸笑一声。

"你以为能难倒我?我查查书,马上就能告诉你。可是你呀,连革兰氏染色都不会。"

"是是是。我承认你学问大。你今年还发过两篇论文,对不对? 这些暂且不提。你就说说这镜下是什么? "

"我对你说实话,不知道。一时忘了,提笔忘字,常有的事。"

"这个态度是好的。告诉你吧,这是我的……"

我心里"咯噔"一声,往显微镜里一看——可不是吗,他的精虫像大尾巴蛆一样爬。"你把它收拾了! 快! "

"别这么假正经! 我还不知你是谁吗? "

"小声点,学生来了,看见这东西,我们就完了! "

"完什么? 完不了。让他们看看人的精液,也长长见识。"

"他们要问,哪儿来的这东西? 大天白日的,这儿又不是医院的门诊! 怎么回答? "

"当然是你的了。你为科学,拿自己作了贡献,这种精神与自愿献血同等高尚。学校该给你营养补助。像你这种结了婚,入不敷出的同志能做到这一步,尤为难能可贵。"

我正急了眼要骂,学生来了,几个女孩子走过来说:"王老师早。你干什么呢? "

"早。都到自己实验台上去,看看短不短东西。缺东西向许老师要。"

"老师,你看什么片子? 我们也看看! "

我赶紧俯身占住镜筒,可是这帮学生很赖皮。有人硬拿脸来挤我,长头发灌了我一脖子。太有伤风化!

我只好让开。这帮丫头就围上去,一边看一边唧唧喳喳:"活的哎! ""还爬呢! ""老师,这是什么呀? "

"噢,这是我的工作,不干你事。回位子去。"

"我们想知道! 我们一定要知道! "

我叫起来:"班长!课代表!都上哪儿去了?谁不回位子,这节课我给你们零分!"

"老师,你怎么啦?""嘿!装个老头样。""告诉一下何妨?"

"跟你们女孩子说这个不妥。还要听?好,告诉你们,这是荷兰进口的种猪精液。我要看看精子活力如何。"

这节课上得我头都大了。70%的时间在回答有关配种的问题,女生兴趣尤大。她们从人工授精问到人造母猪的构造,净是我不了然的问题,弄得我火气越来越大。快下课时,校长进来,狠狠白了我一眼,还叫我下课去一下。

我去见校长,在校长室门口转了几圈才进去。不瞒你说,一见到师长之类的人物,就会激发我灵魂深处的劣根性,使我不像个好人。我进门时,校长正在浇花,他转过身来装个笑脸:"小王,你看我的花怎么样?"

"报告校长,这是蔷薇科蔷薇属,学名不知道。因为放在别的地方不长,只在驴棚里长,老百姓叫它毛驴花。"

"那么我就是毛驴了?你的嘴真无可救药。坐,近来工作如何?"

"报告,进展顺利。学生上实验课闹的事,已和他们班主任谈过,叫他做工作,再不行打电话叫刑警。许由在实验室做饭,我已对他提出最严重警告,再不听就往他锅里下泻药。实验室耗子成灾,我也有解决的方法,去买几只猫来。"

"全是胡说,只有养猫防鼠还不太离谱。可是你想了没有,我就在你隔壁。晚上我这儿开会,你的猫闹起来了怎么办?"

"我有措施。我把它阉了,它就不会闹。我会阉各种动物,大至大象,小到黄花鱼,我全有把握。"

"哈哈。我叫你来,还不是谈实验室的事。反正我也要搬走,随你闹去,我眼不见心不烦。谈谈你的事。你多大了?"

"三十有二。"

"三十而立嘛。你是大人了,别老像个孩子,星期天带爱人到我家玩。你爱人叫什么名字？"

"张小霞，小名二妞子。报告校长，此人是一名悍妇，常常侵犯我的公民权利。如果您能教育感化她，那才叫功德无量。"

"好，胡扯到此为止。告诉你一件事，你不要有情绪。你要借调出国，党委讨论过了，不能同意啊。"

"这干他们什么事？为什么不同意？吃错药了？"

"不要这样。我们新建的学校，缺教师这是事实。再说，你也太不成体统。大家说，放你这样的人出去，给学校丢人。同志们对你有偏见，我是尽力说服了的。你还是要以此事为动力，改改你的毛病……"

校长不酸不凉把我一顿数落，我全没听进去。这两年我和矿院吕教授合作搞项目，凭良心说，我干了百分之九十的工作。白天在学校上课，晚上到他那儿做试验。受累不说，还冒了被炸成肉末儿的危险。因为做的是炸药。我这么玩命，所为何事？就因为吕教授手下有出国名额。只要项目搞成，他就得把我借到他手下，出国走一圈，到外边看看洋妞儿有多漂亮。这本是讲好了的事，如今这项目得了国家科技一等奖，吕教授名利双收，可这点小事他都没给我办成。忽然听见校长喊我："喂喂，出神儿啦？"

"报告校长，我在认真听。你说什么来着？"

"我在问你，还有什么意见？"

我当然有意见！不过和他说不着。"没有！我要找老吕，把他数落数落。"

"你不用去了，吕教授已经走了。他说名额废了太可惜，你既然不能去，他就替你去。凭良心说，他也尽了力。一晚上给我打七次电话，害得我也睡不着。我是从矿院调来的，你是矿院的子弟，咱们也不能搞得太过分。最主要的问题是：这件事你事先向组织上汇报了吗？下次再有这种事，希望你能让我挺起腰杆为你说话。首先要把许由管管，其次自己也别那么疯。人家说，凡听过你课的班,学生都疯疯癫癫的。"

"报告校长,这不怪我。这个年级的学生全是三年困难时坐的胎。那年头人人挨饿,造他们时也难免偷工减料。我看过一个材料,犹太孩子特别聪明、守规矩,全是因为犹太人在这种事上一丝不苟。事实证明,少摸一把都会铸成大错……"

"闭嘴,看你哪像大学教师的样子?我都为你脸红。回去好好想想,就谈到这里吧。"

我从校长室出来,怒发冲冠,想拿许由出气。一进实验室的门,看见许由在实验台上吃饭,就拼命尖叫起来:"又在实验室吃饭!!!你这猪……"吼到没了气停下来喘,只见他双手护耳。这时听见校长在隔壁敲墙。走到许由面前,一看他在吃香椿拌豆腐,弄了那么一大盆,我接着教训他:

"你这不是塌我的台吗?这东西产气,吃到你肚子里还了得?每次我在前边讲,你就在后面出怪声,好像吹喇叭。然后学生就炸了窝!"

"得了,王二,假正经干吗?你看我拌的豆腐比你老婆弄得不差。"

"里面吃去。许由,你净给我找麻烦!"

"嘻嘻,你别拿这模样对我,我知道为什么。你出国没出成。王二,人生不如意之事十有八九,别放在心上。人没出国,还有机会,我还有什么机会?老婆还不知上哪儿去找哩。"

说到这个事,我心里一凉。也许他不是这个意思,是我多心。我和许由三十年的交情,从来都是我出主意他干。从小学到中学,我们干尽了偷鸡摸狗的勾当,没捅过大漏子。千不该万不该,"文化革命"里我叫他和我一块儿到没人的实验室里造炸药玩,惹出一场大祸来。现在许由的脸比得过十次天花还要麻,都是我弄出来的。

他的脸里崩进了好几根试管,现在有时洗脸时还会把手割破,这全怪我在实验台上摔了一根雷管。没人乐意和大麻壳结

它好像是西藏的一种酷刑：把人用湿牛皮裹起来，放在阳光下曝晒。等牛皮干硬收缩，就把人箍得乌珠迸出。生活也如是：你一天天老下去，牛皮一天天紧起来。

婚,所以他找不着老婆。我们俩从来没谈过那场事故的原因,不过我想大家心里都有数。我对他说:"你用不着拿话刺我!"

"王二,我刺你什么了?"

"是我把你炸伤的!我记着呢!"

"王二,你他妈的吃枪药了!你这叫狗眼看人低。嘿!在校长那儿吃了屁,拿我出气。我不理你,你自己想想吧!"

他气冲冲走开了。

和许由吵过之后,我心里乱纷纷的。这是我第一次和许由吵架,这说明我很不正常。我听说有些人出国黄了,或者评不上讲师就撒癔症,骂孩子打老婆搅得鸡犬不宁。难道我也猥琐如斯?这倒是件新闻。

我在实验室里踱步,忽然觉得生活很无趣,它好像是西藏的一种酷刑:把人用湿牛皮裹起来,放在阳光下曝晒。等牛皮干硬收缩,就把人箍得乌珠进出。生活也如是:你一天天老下去,牛皮一天天紧起来。这张牛皮就是生活的规律:上班下班,吃饭排粪,连做爱也是其中的一环,一切按照时间表进行,躺在牛皮里还有一点小小的奢望:出国,提副教授。一旦希望破灭,就撒起癔症。真他妈的扯淡!真他妈的扯淡得很!

不知不觉我在实验室的高脚凳上坐下来,双手支着下巴,透过试管架,看那块黑板。黑板上画了些煤球。我画煤球干什么?想了半天才想起是我画的酵母。有些猥琐的念头,鬼鬼祟祟从心底冒出来。比方说我出国占矿院的名额,学校干吗卡我?还有我是个怎样的人干你们尿事等等。后来又想:我何必想这些屁事。这根本不该是我的事情。

我看着那试管架,那些试管挺然翘然,引起我的沉思。培养基的气味发臭,叫我闻到南国沼泽的气味,生命的气味也如是。新生的味道与腐烂的味道相混,加上水的气味。南方的太阳又白又亮,在天顶膨胀,平原上草木葱茏,水边的草根下沁出一片片油膜。这是一个梦,一个故事,要慢慢参透。

　　从前有一伙人,从帝都流放到南方荒蛮之地。有一天,其中一位理学大师,要找个地方洗一洗,没找到河边,倒陷进一个臭水塘里来了。他急忙把衣服的下摆撩起。乌黑的淤泥印在雪白的大腿上。太阳晒得他发晕,还有刺鼻的草木气味。四下空无一人,忽然他那话儿无端勃起,来得十分强烈,这叫他惊恐万分。他解开衣服,只见那家伙红得像熟透的大虾,摸上去烫手,没法解释为什么,他也没想到女人。水气蒸蒸,这里有一个原始的欲望,早在男女之先。忽然一阵笑声打破了大师的惶惑——一对土人男女骑在壮硕的水牛上经过。人家赤身裸体,搂在一起,看大师的窘状。

　　有人对我说话,抬头一看,是个毛头小子,戴着红校徽,大概是刚留校的,我不认识他。他好像在说一楼下水道堵了,叫我去看一下,这倒奇了:"你去找总务长,找我干什么?"

　　"师傅,总务处下班了。麻烦你看一下,反正你闲着。"

　　"真的吗? 我闲着,你很忙是吗?"

　　"不是这回事,我是教师,你是锅炉房的。"

　　"谁是锅炉房的? 喂喂,下水道堵了,干你什么事?"

　　"学校卫生,人人有责嘛。你们锅炉房不能不负责任!"

　　"×你妈! 你才是锅炉房! 你给我滚出去!"

　　骂走这家伙,我才想起为什么人家说我是锅炉房的。这是因为我常在锅炉房里待着,而且我的衣着举止的确也不像个教师。也许就是因为这个,我才出不了国。这没什么。我原本是个管工,到什么时候都不能忘本。要不是他说我"闲着",我也可能去跟他捅下水道,你怎么能对一个工人说"反正你闲着"?

　　太阳从西窗照进来,到下班的时候了,我还不想走。愤懑在心里淤积起来,想找个人说一说。许由进来,问我在不在学校吃饭。许由真是个好朋友,我想和他说说我的苦闷。但是他不会懂,他也没耐心听。

　　我想起拉封丹的一个寓言:有两个朋友住在一个城里,

其中一个深夜去找另一个。那人连忙爬起来,披上铠甲,右手执剑,左手执钱袋,叫他的朋友进来说:"朋友,你深夜来访,必有重大的原因。如果你欠了债,这儿有钱。如果你遭人侮辱,我立刻去为你报仇。如果你是清夜无聊,这儿有美丽的女奴供你排遣。"

许由就是这样的朋友,但是现在他对我没用处。我心里的一片沉闷,只能向一个女人诉说,真想不出她是谁。

二

我骑上车出了校门,可是不想回家,在街上乱逛。我老婆见我烦闷时,只会对我喋喋不休,叫我烦上加烦。我心里一股苦味,这是我的本色。

好多年前,我在京郊插队时,常常在秋天走路回家,路长得走不完。我心里紧绷绷,不知道走到哪里去,也不知走完了路以后干什么。路边全是高高的杨树,风过处无数落叶就如一场黄金雨从天顶飘落。风声呼啸,时紧时松。风把道沟里的落叶吹出来,像金色的潮水涌过路面。我一个人走着,前后不见一个人。忽然之间,我的心里开始松动。走着走着,觉得要头朝下坠入蓝天,两边纷纷的落叶好像天国金色的大门。我心里一荡,一些诗句涌上心头。就在这一瞬间,我解脱了一切苦恼,回到存在本身。

我看到天蓝得像染过一样,薄暮时分,有一个人从小路上走来,走得飞快,踢土扬尘的姿势多熟悉呀!我追上去在她肩上一拍,她一看是我,就欢呼起来:"是他妈的你!是他妈的你!"这是我插队时的女友小转铃。

我们迎着风走回去,我给她念了刚刚想到的诗,其中有这样的句子:

走在寂静里，走在天上，
而阴茎倒挂下来。

虽然她身上没有什么可以倒挂下来，但是她说可以想象。小转铃真是个难得的朋友，她什么都能想象。

我应该回劲松去，可是转到右安门外去了，小转铃就住在附近。我也不知道自己为什么走到这儿来，我绝没有找她的意思，可是偏偏碰上了。

她穿浅黄色的上衣，红裙子，在路边上站着，嘴唇直哆嗦，一副要哭的样子，看样子早就看见我了。我赶紧从车上下来，打个招呼说："铃子，你好吗？"

她说："王二，你他妈的……"然后就哭了，我觉得这件事不妙——我们俩最好永远别见面。

小转铃叫我陪她去吃饭。走进新开的得月楼，一看菜单，我差点骂出口来：像这种没名的馆子竟敢这么要钱，简直是不要脸。这个东我做不起，可要她请我又不好意思。过去我可以说："铃子，我有 20 块钱。你有多少钱？"现在不成了。我是别人的丈夫，她是别人的妻子。所以我支支吾吾，东张西望，小转铃见我这个样子，先是撅嘴，后来就火了。

"王二，你要是急着回家，就滚！要是你我还有在一块儿吃饭的交情，就好好坐着。别像狗把心叼走了一样。"

"你这是怎么了？我在想，这年头吃馆子，最好能知道两人共有多少钱，等付账时闹个大红脸就不好了。"

"这用你说吗？我要是没钱，早开口了！王二，你真叫我伤心。你一定被你那个二妞子管得不善！"

"你别这么说。我就不会说这种话。"

小转铃的脸红了。她说："我就是想说这个。好吧，不谈这种话，你好吗？最近还写东西吗？"

我说顾不上了。近来忙着造炸药。她听了直撇嘴。正说着，服务员来叫点菜。她像怄气一样点了很多。我不习惯在桌面上剩东西，所以她可能是要撑死我。

十年前，我常和小转铃去喝酒。我喝过酒以后，总是很难受，但每次都是我要喝。而小转铃体质特异，喝白酒如饮凉水，喝多少也没反应，天生一个酒漏。夏天在沙河镇上，我们喝了一种青梅酒，这东西喝起来味道尚可，事后却头疼得像是脑浆子都从耳朵眼儿里流出来。酒馆里只有一种下酒菜，乃是猪脑子。铃子说看着都恶心。我还是要了一盘，尝了一口，腥得要命。她不敢看那个东西，把它推到桌角，我们找个题目开始讨论。

所谓讨论，无非是没事扯淡罢了。那天谈的是历史哲学。据说克莉奥佩屈拉的鼻子决定了罗马帝国的兴衰，由此类推，一切巨大的后果莫不为细小的前因所注定。而且早在亿万年之前，甚至在创世之初，就有一个最微小的机缘，决定了今日今时，有一个王二和小转铃，决定了他们在此喝酒，还决定了下酒菜是猪脑子，小转铃不肯吃。你也可以说这是规律使然，也可以说是命中注定。小转铃说，倘若真的如此，她简直不想活了。为了证明此说不成立，她硬着头皮吃了一口猪脑子。这东西一进了嘴，她就要吐，我也劝她把它吐了，可是她硬把它吞了下去，眼见它像只活青蛙，一跳一跳进了她的胃。小转铃就是这么偏！

小转铃对什么都认真，而我总是半真不假。坐在她面前，我不无内疚之感，抓起啤酒瓶往肚子里灌，脸立刻就红了。

铃子说："王二，我今天难得高兴。请你把着点量，别灌到烂醉如泥。记得吗？那次在沙河镇上，你出了大洋相！"

那天晚上我出的什么洋相已经记不清了，只记得是她把我扛回去的，很难想象她能扛得起我。但她要是硬要扛，好像也没什么扛不动的东西。我站起来到柜台上买一瓶白兰地。回来后铃子问我要干什么。我说我今晚上不想回家，想和她上公园里坐一宿，这瓶酒到后半夜就用得着了。小转铃大喜："王二，你要让我高兴,总能想出办法。不必去公园,上我家去,近得很。"

"不好吧?你丈夫准和我打起来。"

"我早离婚了。"

"为什么?"

"不为什么!"

我说离婚可不容易,尤其是通过法院判离。她说,可不是?她们报社就派了一位副主编来做工作,叫她别离婚。"假正经!完全是假正经!"

"你怎么和他说?"

"我说,有的人配操我的×,有的人就不配!老先生当场晕倒,以后再没人找茬儿!"

"你别故做惊人之语啦,没这话吧。"

"我说过!我什么时候对你说过假话?我可不像你,说句真话就脸红。你的论文还在我这儿呢!我常看,获益极多!"

提起那篇论文,我的心往下一沉,好似万丈高楼一脚蹬空。我早已忘了除了爆炸物、化学和微生物,好多年前还写过一篇哲学论文。这种事怎么会忘记?我有点怀疑自己是存心忘记的,这是件很奇怪的事。

我在知青点最后一个冬天,别人都回城去了,男生宿舍里只有我一个。我叫铃子搬过来,我们俩形同夫妇。我从城里搬来很多书,看到那么多漂亮的书堆在炕上,真叫人心花怒放!

那一年城里中国书店开了一家机关服务部,供应外文旧书。我拿了我妈搞来的介绍信和我爸爸的钱混进去,发现里面应有尽有。有好多过去的书全在扉页上题了字、盖了印章。其中很多人已经死了,还有好多人不知去向。站在高高的书架下面,我觉得自己像盗墓贼一样。我记得有几千本书上盖着"志摩藏书"的字样——曾几何时,有过很多徐志摩那样的人,在荒漠上用这些书筑起孤城。如今城已破,人已亡,真叫人有不胜唏嘘之情!

我在知青点看了一冬天的书。躺在热炕上,看到头疼时,就看看窗玻璃上的冰花。这时小转铃就凑上来说:"王二,讲讲呀!"她翻着字典慢慢看,一天也看不了几页。

我从小受家传的二手洋奴教育,英文相当不赖,所以能有阅读的乐趣,但是我只颠三倒四乱讲几句,又埋头读书。天黑以后,像狗一样趴在炕上,煤油灯炙黄了头发。到头皮发紧,眼皮发沉时,我才说:"铃子,咱们得睡了。"但是自己还在看书,影影绰绰觉得小转铃在身边忙碌,收拾东西,还从我身上剥衣服。最后她吹熄了灯,我才发觉自己精赤条条躺在被窝里。

我在黑暗里给小转铃讲自己刚看的书,因为兴奋和疲惫,虚火上升。小转铃对我做了必要的措施,嘴里还催促着:"讲。后来呢?"

等到开始干时她不说话了,刚刚结束,她又说:"后来呢?"

这真叫岂有此理!我说:"喂,你这么讲像话吗?"

"对不起,对不起,可是后来呢?"

"后来还没看到。我还得点起灯来再看!"

"你别看了!你现在虚得很,我能觉出来,好好睡一觉吧。"

有一天晚上我总是睡不着,想到笛卡尔的著名思辨"我思,故我在"。我不诧异笛卡尔能想出东西来,我只奇怪自己为什么不是笛卡尔。我好像缺少点什么,这么一想思绪不宁。我爬起来,抽了两支烟,又点起煤油灯,以笛卡尔等辈曾达到的境界来看,我们不但是思维混乱,而且有一种精神病。

小转铃醒来,问我要干什么,我说要做笛卡尔式的思辨。这一番推论不知推出个什么来。她大喜,说:"王二。推!快推!"以后就有了那篇论文。

我不乐意想到自己写下的东西,就对小转铃说:"铃子,我们有过好时光!那一冬读书的日子,以后还会有吗?"

她放下酒杯说:"看书没有看你的论文带劲。"

又提到那篇论文!这就如澡塘里一池热水,真不想跳下去。

我不得不想起来,我那篇论文是这么开头的:假若笛卡尔是王二,他不会思辨。假若堂吉诃德是王二,他不会与风车搏斗。王二就算到了罗得岛,也不会跳跃。因为王二不存在。不但王二不存在,大多数人也不存在,这就是问题症结所在。

发了这个怪论以后,我又试图加以证明。如果说王二存在,那么他一定不能不存在。但是王二所在的世界里没有这种明晰性,故此他难以存在。有如下例子为证:

凡人都要死。皇帝是人,皇帝万岁。

还有:

人都要死。皇帝是人,皇帝也会死。

这两种说法王二都接受,你看他还有救吗?很明显,这个世界里存在着两个体系,一个来自生存的必要,一个来自存在本身,于是乎对每一个问题同时存在两个答案。这就叫虚伪,我那篇论文题目就叫《虚伪论》。

我写那篇东西时太年轻,发了很多过激议论。只有一点还算明白:我没有批判虚伪本身。不独如此,我认为虚伪是伟大的文明。小转铃对此十分不满,要求把这段删去,而我拿出吕不韦作春秋的气概说:一字千金不易。现在想,当时好像有精神病。

想到这件事,不知不觉喝了很多酒。天已经晚了,饭厅里只剩了几桌客人。有一个服务员双手叉腰站在厨房门口,好像孙二娘在看包子馅。我在恍惚之间被她拖进了厨房,倒挂在铁架上。大师傅说:"这牛子筋多肉少,肉又骚得紧。调馅时须是要放些胡椒。"

那母夜叉说道:"索性留下给我做个面首,牛子你意下如何?"

她上唇留一撮胡须,胸前悬着两个暖水袋。我说道:"毋宁死。"她踢了我一脚说:"不识抬举。牛子,忍着些。过一个时辰来给你放血。"于是就走了。厨房里静悄悄的。忽然一只狮子猫,其毛白如雪,像梦一样飘进来,蹲在我面前。

铃子对我说:"王二!醉啦?出什么神?"

其实我还没醉,还差得远。我坐端正,又想起自己写过的论文。不错,我是写过,虚伪还不是终结。从这一点出发后,每个人都会进化。

所谓虚伪,打个比方来说,不过是脑子里装个开关罢了。无论遇到任何问题,必须做出判断:事关功利或者逻辑,然后就把开关拨动。扳到功利一边,咱就喊皇帝万岁万万岁,扳到逻辑一边,咱就从大前提、小前提,得到必死的结论。由于这一重负担,虚伪的人显得迟钝,有时候弄不利索,还要犯大错误。

人们可以往复杂的方向进化:在逻辑和功利之间构筑中间理论。通过学习和思想斗争,最后达到这样的境界:可以无比真诚地说出皇帝万岁和皇帝必死,并且认为,这两点之间不存在矛盾。也不知道为什么,这条光荣的道路一点也不叫我动心。我想的是退化而返璞归真。

在我看来,存在本身有无穷的魅力,为此值得把虚名浮利全部放弃。我不想去骗别人,受逼迫时又当别论。如此说来,我得不到什么好处。但是,假如我不存在,好处又有什么用?

当时我还写道,以后我要真诚地做一切事情,我要像笛卡尔一样思辨,像堂吉诃德一样攻击风车。无论写诗还是做爱,都要以极大的真诚完成。眼前就是罗得岛,我就在这里跳跃——我这么做什么都不为,这就是存在本身。

在我看来,春天里一棵小草生长,它没有什么目的。风起时一匹公马发情,它也没有什么目的。草长马发情,绝非表演给什么人看的,这就是存在本身。

我要抱着草长马发情的伟大真诚去做一切事,而不是在人前羞羞答答地表演。在我看来,人都是为了要表演,失去了自己的存在。我说了很多,可一样也没照办。这就是我不肯想起那篇论文的原因。

服务员拿了把笤帚扫地。与其说是扫地,不如说是扬场。虽然离饭店关门还有半个钟头,我们不得不站起来,恋恋不舍地到外面去。那年冬天我和铃子也是这么恋恋不舍地离开集体户。

我和小转铃在集体户住了二十多天,把一切都吃得精光,把柴火也烧得精光。最后离开时,林子里传来了鞭炮声。原来已经是大年三十,天上飘着好大的雪,天地皆白,汽车停开,行人绝迹。我们俩在一片寂静中走回城去。

如今我和铃子上她家去,走过一条田间的土路,这条路我从来没走过,也不知道通到哪里去。我有点怕到小转铃那里去,这也许是因为她对生活的态度,还像往日一样强硬。

我和小转铃走过茫茫大雪回城去,除了飞转的雪片和沙沙的落雪声,看不见一个影子,听不见一点声音。冷风治好了持续了好几天的头疼。忽然之间心底涌起强烈的渴望,前所未有:我要爱、要生活,把眼前的一世当做一百世一样。这里的道理很明白:我思故我在,既然我存在,就不能装做不存在。无论如何,我要对自己负起责任。

到了小转铃家,弄水洗了脸,我们坐在院子里继续喝酒。不知为什么,这回越喝越清醒,平时要喝这么多早醉了。小转铃坐在我对面的躺椅里,一声也不吭。我看着她,不觉怦然心动。

那一年我们踏雪回家,走到白雾深处,我看着她也怦然心动。那时候四面一片混沌,也不知天地在哪里,我看见她艰难地走过没膝的深雪,很想把她抱起来。她的小脸冻得通红,呵出的白气像喷泉一样。那时候天地茫茫,世界上好像再没别的人。我想保护她,得到她,把她据为己有。

没人能得到小转铃,她是她自己的。这个女人勇悍绝伦,比我还疯狂。我和她初次做爱时,她流了不少血,涂在我们俩的腿上。不过片刻她就跳起来,嬉笑着对我说:“王二,不要脸!这么大的东西就往这里杵!”

我和她是上大学时分手的。在此之前同居了很长时间。性

76

生活不算和谐,但是也习惯了。小转铃是性冷淡,要用润滑剂,但是她从没拒绝过,也没有过怨言。我也习惯了静静躺在身下的娇小身躯。但是最后还是吹了,我总觉得是命中注定。

小转铃就坐在面前,上身戴个虎纹乳罩,下身穿了条短裙,在月光下显得很漂亮。我还发现她穿了耳朵眼,不过这没有用。她的鞋尖还是一塌糊涂,这说明她走路时还是要踢石子。这就叫江山易改本性难移。

我知道,如果小转铃说:"王二,我需要你。"结果会难以想象。小转铃也知道,我经不起诱惑。但是她什么都没有说,只是放下了酒杯又抽烟。其实她很想说,但是她不肯。

小转铃说过,她需要我这个朋友,她要和我形影不离,为此她不惜给我当老婆。和一个朋友在一起过一辈子可够累的。所以我这么和她说:"也许咱们缘分不够,也许你能碰上一个人,不是不惜给他当老婆,而是原本就是他老婆。不管怎么说,小转铃是王二的朋友,这一点永远不会变。"说完了这些话,我就和她分手了。

假如今天小转铃肯说:"王二,我是你老婆。"这事情就不妙得很。二妞子可不容人和她打离婚。但是这件事没有发生。我们直坐到月亮西斜,我才说:"铃子,我要回去了。"

有一瞬间小转铃嘴唇抖动,又像是要哭的样子,但是马上又恢复了平静。她说:"你走吧,有空常来看我。"我赶紧往家赶,可了不得了,已经是夜里两点钟!

三

我蹑手蹑脚出了院门,骑车回家去。把车扛上楼锁在扶手上,轻轻开门进去,屋里一团漆黑。脱下鞋小心翼翼往床上一躺,却从床上掉下来。然后灯亮了,我老婆端坐在床上。刚才准是她一脚把我从床上踹下来,她面色赤红,头发都竖了起来。

"你上哪儿去了?我以为你死了哩!学校、矿院,到处都打了电话,还去了派出所。原来你去喝酒! 和谁混了一夜?"

我虽然很会撒谎,可是不会骗老婆。和某些人只说实话,和某些人只说假话,这是我的原则。于是我期期艾艾地说:"和小转铃碰上了,喝了一点儿。"

她尖叫一声,拿被子蒙上头,就在床上游仰泳。现在和她说什么都没用,我去厕所洗了脚回来,关上灯又往床上一躺。忽然脖子被勒住,憋得我眼冒金星。二妞子在我耳边咬牙切齿地说:"叫你知道我的厉害!"

这个泼妇是练柔道的,胳膊真有劲。平时她也常向我挑衅,但是我不怕她。不管她对我下什么绊儿,我只把她拎起来往床上一扔。她是 47 公斤级的,我是 90 公斤级的,差了 40 多公斤。现在在床上被她勒住了脖子,这就有点棘手。这女人成天练这个名堂,叫做什么"寝技"。我翻了两下没翻起来,太阳穴上青筋乱蹦。最后我奋起神威,炸雷也似大喝一声(行话叫喊威),往起一挣,只听天崩地裂一声巨响,床塌了。我在地上滚了几滚,又撞倒了茶几,稀里哗啦。我终于摔开她,爬起来去开灯,只见她坐在地上哭,这时候应该先发制人。

"夜里三点啦! 你疯什么? 诈尸呀!"

我是如此理直气壮,她倒吃一惊,半天才觉过味来:"你混蛋! 离婚!"

"明天早上陪你去,今晚上先睡觉。"

"我找你妈告状去!"

"你去吧,不过我告诉你,你没理。"

"我怎么会没理?"

"事情是这样的:不管怎么说,我和小转铃是多年的老朋友了,见面哪能不理呢? 陪她吃顿饭,喝一点,完全应该。"

"一点儿? 一点是多少?"

"也就是半斤吧。不是白干,是白兰地。"

"好混蛋,喝了这么多。在哪儿吃的饭?"

"齐家河得月楼。菜糟得一塌糊涂,小转铃开的钱。"

"混蛋!显她有钱。明天咱们去新侨,敢不去阉了你。吃了什么菜?一样一样说。"

这还有完吗?深更半夜的,我又害头疼。"炒猪屎!"

二妞子气得又哭又笑。扯完了淡,已经是四点钟。刚要合眼,二妞子又叫我把自行车搬进来,结果还是迟了一步。前后胎的气都被人放光。还算客气,没把气门嘴拔去。这是邻居对我们刚才武斗的抗议。

那一夜我根本没睡。二妞子在我身边翻来覆去闹个不休。天快亮时,我才迷糊了一会儿,一双纤纤小手又握住了我的要命处,她要我证明自己没二心。这一证明不要紧,睡不成了。第二天早上教师会,校长布置工作。不到一刻钟的工夫,我往地上出溜了三回。校长大喝一声:"王二,你站起来!"

"报告校长,我已经站起来了!"

"你就这么站着醒醒!以前开会你打瞌睡,我没说你。你是加夜班做实验,还得了奖嘛,可以原谅。如今不加夜班了,你晚上干什么去了?"

不提这事犹可,一提我气不打一处来。难道该着我加夜班?一屋子幸灾乐祸的嘴脸,一屋子假正经!不要忙,待我撒泼给你们看:"报告校长,老婆打我。"

全场哄然。后排校工座上有人鼓掌。

"报告校长,我为了学校荣誉,奋起抗暴,大打出手,大败我老婆,没给学校丢脸!"

后排的哥们儿全站起来,掌声雷动。校长气得面皮发紫,大吼一声:"出去!到校长室等我!"

到了校长室,我又有点后悔。太给校长下不来台。校长拿我当他的人百般庇护,他提我当生物室主任,虽然只管许由一个宝贝,好多人还是反对。人事处长拿了我档案去说:王二历史上有问题,他和许由犯过爆炸案。这两个家伙可别把办公楼炸了,最好让我当副主任,调食堂胖三姑当正主任。校长哈哈大笑说:两个小屁孩,"文化革命"里闹着玩儿,没什么问题。倒是食堂的胖三姑好贪小便宜,放到实验室里是个祸害。最近我和吕教授项目搞成,到手 2000 元奖金,他拿大头,给我 300。这钱到了学校会计科,科长就要全部没收。理由是王二拿了学校的工资,夜里给外单位干活,白天上课打呵欠,坐第一排的学生能看见我的扁桃腺。校长又为我说话,说王二加班搞项目,功在国家,于学校也有光彩。国家奖下来的钱,你们克扣不是佛面刮金吗?结果这钱全到了我手,比吕教授到自己手的还多。

想到这些事,我心里发软。我不想被人看成个不知好歹的人。但是转念一想,心里又硬起来:"×你妈,谁说我是你的人?老子是自己的人。"正在想着,校长进来了。他坐下沉默了两分钟,凝重地说:"小王,我要处分你。"

"报告校长,我早该受处分!"

"你不要有情绪。出国的事,你不满意,可以理解。但不能在会场上这么闹!我不处分你,就不能服众。"

"报告,我没情绪。我对组织一贯说实话。二姐子是打了我。你看我脖子上这一溜紫印……也就是我,换上别人早被掐死了。"

校长一看我脖子,简直哭笑不得:"你这小子!夫妇打架也要有分寸!"

"校长,你不知道。这可不是夫妇打闹!我老婆是真打我。她是柔道队的!上次把我肘关节扭掉了环,贴了好多虎骨膏,现在还贴着呢。"

校长沉吟了半晌,走了出去。我心里暗笑:看你怎么处理我。过一会儿他把工会主席和人事处长叫进来,这两人是我的大对头。校长很激动地说:"你们看看,这成什么体统?把人打成这个样子!男同志打老婆,单位要管,女同志打老公,我们能不管吗?不要笑!这情况特殊!得给体委打电话,叫他们管教一下运动员!工会人事要出面。伤成这个样子,影响工作。小王呀,要是不行就回家休息。最好坚持一下,把会开完。"

鬼才给他坚持。出了校门我就拍着肚皮大笑:世界上居然有这样的校长!回家睡了一大觉,起来已然三点钟。我老婆留条叫我四点钟去新侨,还把西装取出来放在桌上。我打扮起来照照镜子,怎么看怎么不像那么回事。我这个人根本就没体面。出了门我怕熟人看见我,就溜着墙根走。到了新侨门口,老远就看见我老婆。她穿了一件鲜红的缎子旗袍,有如一床缎子被。她还搽了胭脂抹了粉,活脱脱一个女妖精!我走过去挽住她的手,手心里全是汗。只听她娇叹一声:"我要死了!"

"别怕,往前走,打断我骨头的劲儿上哪儿去了?别看地,地上没钱,有钱我比你先看见。抬头!挺胸!"

"我怕人家看见我抹了粉!"

"怕什么?你蛮漂亮的嘛。抹了粉也比没鼻子的人好看。要像模特儿那么走。晃肩膀,扭屁股!"

她这么一走,好似发了自发功,骨节都响起来。我老婆穿得随便一点,走到街上还蛮有人看的,现在别人都把头扭到一边去,走进饭店在桌前坐下,她都要哭了。

这顿饭吃得很不舒服,我觉得我们俩是在饭店里耍了一场活宝。回家以后,我有好一阵若有所思,似乎有所领悟。第二天早上到班,我就比平时更像个恶棍。

我一到学校,就先与许由会合。出国出不成,我已经想通了,反正没我的份。前天和许由闹了一架,彼此不痛快,现在应该聊一聊。从小到大,他一直是我的保镖,我不能叫他和我也生分了。正聊得高兴,墙壁响了,这是校长的信号,召我去听训。

进了校长室,只见他气色不正。桌子上放着我上报的实验室预算。只听他长叹一声:"王二呀王二,你的行为用四个字便可包括!"

"我知道,克己奉公。"

"不。少年无行!你瞧你给总务处的预算。什么叫'200立升电冰箱3台,给胖三姑放牛奶'?"

"她老往我冰箱里放牛奶,说是冰箱空着也是白费电。冰箱是我放菌种的,她把菌种放到外边,全坏了。现在人家又怀上了,不准备下来行吗?"

"这意见应该提,可是不要在报告里乱写。再说,为什么写3台?有人说,你是借题发挥,有意破坏团结。"

"校长,三姑生的是第二胎。第一胎是生肚子,生不多。第二胎生十个八个是常有的事。真要是老母猪,人家有那么多个奶。三姑只有两个,咱们要为第二代着想。这道理报告里写了。"

"胡扯!本来有理的事,现在把柄落在人家手里。你坐下,咱们推心置腹地谈谈。你知道咱们学校处境不好吗?"

"报告校长,我看报。现在新建的大学太多,整顿合并是党中央的英明决策。就说咱们学校,师资校舍一样没有,关了也罢。"

"你这叫胡说八道!咱们学校从无到有,在很艰苦的条件下给国家培养了几千名毕业生,成绩明摆着。现在有了几百名教职员工,这么多校舍设备,怎么能关了也罢?学校关了你去哪儿?"

"我去矿院。老吕调我好几回了,都是您给压着。你再看看我,是不是放我走了更适合?"

"你别做梦了。学校有困难,请调的一大批。放了你我怎么挡别人?党委讨论了,一个都不放。谁敢辞职,先给个处分,叫他背一辈子。另一方面,我们也要大胆提拔年轻人。能干的我们也往国外送,提教授。就说你吧,几乎无恶不作,我们还提你当生物室主任,学校有什么地方对不住你?"

"对不起我的地方太多了。就说住房吧。我同学分到农委,才毕业就是一套房。我呢?打了半天报告,分我一间地下室。又湿又黑,养蘑菇正合适。就说我落后,也没落后到这个份上。蘑菇是菌藻植物门担子菌纲。我呢,起码是动物,灵长目,人科人属,东亚亚种,和您一样。您看我哪一点像蘑菇?"

"当然!谁也不是蘑菇!我们要关心人。房子会有的。你不要哭穷。你住得比我宽敞!"

"那可是体委的房,我老婆说,我占了她的便宜,要任打任骑。要说打,打得过她,可是咱们理亏。咱们七尺大汉,就因为进了这个学校,被老婆打得死去活来,还不敢打离婚——离婚没房子住。要不就得和许由挤实验室。许由的脚有多臭,你知道吗?"

"所以你想把学校闹得七颠八倒。明白和你说了吧,这学校里也不是我一个人说了算。你和我要贫嘴没用。就算你真调成了,也没个好儿。我把你的政治鉴定写好了,想不想听听?'王二同志,品行恶劣。政治上思想反动,工作上吊儿郎当,生活上品行恶劣。'这东西塞在你档案里,叫你背一辈子。怎么样?想不想拿着它走?"

校长对我狞笑起来,笑得我毛骨悚然。我只好低声下气地求他:"校长,您老人家怎么能这么对待我?我是真想学好,天分低一点,学得不像。好吧,这报告我拿回去重写。许由我也要管好。你还要我干什么?有话明说,别玩阴的。"

"你要真想学好,先把嘴改改。刚才说话的态度,像教员和校长说话的态度吗?"

"知道了。下次上您这儿来,就像和遗体告别。还有呢?"

"政治学习要参加!你是农三乙的班主任,知道吗?"

"什么叫农三乙,简直像农药名字。好,我知道了。星期三下午去和学生谈话。做到这些你给我什么好处?放我出国?"

"你想得倒美!政治部反映上来,你有反动言论。上次批精神污染的教师会上,你说什么来着?"

"那一回会上念一篇文章,太下流了,说什么牛仔裤穿不得。批精神污染是个严肃的事儿,不能庸俗化。说什么牛仔裤不通风,裹住了女孩子的生殖器,要发霉。试问,谁发霉了?你是怎么看见的? 中国人穿了这几天就发霉,美国那些牛仔岂不要长蘑菇?"

"你的思想方法太片面,要全面地看问题。外国那些乱七八糟的东西进来,非抵制不可。再说那牛仔裤好在哪?我看不出。"

"您穿三尺的裤腰,穿上像大萝卜,当然穿不得。腰细的人穿上就是好看——好了,不争这个了。就说穿它发霉,咱们可以改进,在裤裆上安上个小风机,用电池带动。这要是好主意,咱们出口赚大钱。要是卖不出去,那个写文章的包赔损失,谁让他胡扯,我就发了这么个言。"

"这就不对!文章是我让念的。当时咱们学校也有女教师穿那个东西,我是要提醒大家注意!现在又说不整穿衣服的问题,再穿我也不管了。当然,发霉不发霉你是专家,但是不要乱讲。你明白了吗? "

"有一点不明白。你这么盯着我干吗? "

"这话怪了。我是关心你,爱护你。"

"你关心我干吗? "

"好吧,咱们说几句不上纲的话。学校现在是创业阶段,需要创业的人。大家对你有看法,但是我是这么看:不管你王二有多少毛病,反正你是既能干,又肯干。只要有这两条,哪怕你青面獠牙我也要——现在的年轻人,有几个肯干活的? 这是从我这方面来看。从你这方面来看,我对你怎么样?古人还讲个知遇之恩哩!你到校外给老吕干活,他给你什么好处了?出国都不对你说一声。可我在校务会上说了你多少好话! 老吕对你许了多少愿,他办成了吗? 不负责任。我把这话放在这里:只要你表现好,什么机会我都优先你。其他年轻人比你会巴结的多的是,我都不考虑。因为我觉得你是个人才,这么说你懂了吗? "

这么说我就懂了。我说世界上怎么还有这样的校长! 原来是这样。原来我是个人才！承他看得起，我也要拿出点良心来。矿院我决心不去了。

那天上午我带着学生去参观，大家精神抖擞地等着我。我把这帮人带到传达室等车，自己给接待单位中心配种站打电话。那儿有我一个同学当主任。

"配种站吗？我找郭主任。不！我什么都不送……我自己也没兴趣……我们公的母的都有。郭二，我们要去了。现在不是节气，只能看看样子了。刚才接电话的是谁？"

"我这儿没正经人。王二你来吧。不到季节，咱们可以人工催情哪。我这儿的牲口全打了针，全要造反呀！我设计了一头人造母猪，用上了电子技术，公猪们上去都不乐意下来！"

"人造的不要太多。我们是基础课，没那么专门。"

"天然的也有。我有云南来的一头小公驴，和狗一样大，阳具却大过了关中驴，看到的没有不笑的。你快来！"

"别这么嚷嚷，我这儿一大群学生，你吼得大伙全听见了。"

"嘿，你也正经起来了，骗谁呀？我还要和你切磋技术呢！"

"你越扯越下道了！同学们，把耳朵堵上。好了，不多说。半小时以后见。"

放下电话，心里犯嘀咕。我不该带学生去配种站，这样显得我没正经。等了半天，汽车还不来。正要派人去催，农学系主任刘老先生来了。他把嘴撅得像嗍了奶嘴一样："对不起王老师，对不起同学们，咱们的用车计划取消了。请回教室上课。参观下周去。"

"刘主任，我也是个农学家，这叫开的什么玩笑！这个季节配种要人工催情，忽而去忽而不去，叫人家怎么向种驴交代！好好，您来我也不说什么。我给配种站打电话。"

电话打通，郭二听说我们下星期去就叫："放屁放屁，下星期不接待，我这配种站是给你开的？"说完啪一下挂上了。我对刘先生说："您听听，人家怎么说我！配种站给我开的。我成什么了。同学们,咱们去不成了。再下周咱们考试。"

学生鼓噪起来,有人喊罢课。这么拦着校门起哄谁也吃不消,我赶紧说:"去去!咱们走着去。女同学和伤病员就别去了,下了公共汽车还要走六七里路呢。我们拍幻灯片给你们看。"

这么说也通不过。班上有个校队的,打球伤了腿,今天拄着拐来了,就是为了看配种。学生要抬着他去,这是胡闹。我对刘先生说:"您看,是不是派辆小车?起码得把伤兵拉上。"

"王老师,不是我不派车!我们系里不像有些人那么不懂事——学农的不看配种站,那不是笑话吗?总务处说没车有啥办法。这些人可真浑,也不先打个招呼。"

"真的?我不信。您看我的。"抓起电话叫司机班,"你是谁?小马?给我把大轿车开出来。我带学生参观。"

"王二,车是你要的?我们处长瞎眼了。这么着,我开大卡车,咱们坐驾驶楼,好不好?"

"不行!让别人坐卡车,我要大轿车。"

"我们处长叫把大轿车藏起来,别叫人看见。他要用。咱们给他留个面子,好吧?"

"那么我的面子呢?你以为谁的面子重要?"

"当然是王二了。王二是大哥嘛!车马上到。"

刘先生不走,看样子不信车能来。过一会儿车真从外边开进来了,学生欢呼着往上冲。刘老头气得脸通红,手抖成七八只。我赶紧给他圆面子:"老先生,小马送我们担着风险呢!有人准给他穿小鞋。这可是为了咱们系的事……"

老头马上吼起来:"你放心,绝不让马师傅吃亏,我去找校长,问问他有车藏起来是什么作风!"

参观回来,学生全变了样,三五成群窃窃私语。我们拍了好几盒胶卷。我把班长叫来,关照几句:"你把这片子送去制幻灯片,先放你这儿保存。谁借也别给,记住啦?除了农三乙,他们参观植物园,可能不满意。你要是把幻灯片借给外班看,下回我再不带你们出去。"

"老师,我们班对你最忠心。乙班人老说你坏话,我们班绝没这样人。这幻灯片我说不借,就说曝光了。"

"好,就依你。他们说我什么了?"

那些坏话无非是说我上课时衣冠不整,讲到得意忘形时还满嘴撒村,他不说我也知道,但是还想听一听。回到了学校,校长又叫我去一趟。怎么这么多麻烦?我简直有点儿烦了。

校长问我总务处长藏车的事——其实他知道得比我还多。总务处长想用大轿车送外单位的人去八达岭游玩,被我搅了。校长对此击节赞赏,对我大大鼓励了一番。但是我打不起兴致:我不过是个教员罢了,不想参与上层的事情。下午带同学去植物园,这班人对我有意见:"老师,甲班人说配种站里有头驴,看上去有五条腿,中间一条比其他的长五倍。他们吹牛吧?"

"别听他们胡扯。这是科学,不是看玩意儿。不过那驴是有点个别。"

"老师你偏心!我们也要去配种站参观!"

"别闹了。它们需要休息。现在是什么季节?人家是打了针才能表演的。"

"再打针!多打几针!"

"呸!这又不是机器。有血有肉,和人是一样的。打你几针试试?你们少说几句坏话,我让甲班把幻灯片拿给你们看。"

"老师,别听他们挑拨离间!二军子说你坏话,我们开了三次班会批他。他们班唐小丽说你上课吃东西,还说了许老师许多坏话。说许老师等于是说你。你以为他们班好,上大当了!"

这种话我已经听腻了。所以我这样想:说我坏话就是爱我,说得越多的越甚。到了植物园,我把学生交给带参观的副研究员,自己溜出去看花草。这一溜不要紧,碰上我师傅刘二了。

我师傅是个奇人,长得一对牛蛋(公牛的蛋)也似大眼,面黑如锅底,疙疙瘩瘩不甚平整。他什么活都会干,但是 1975 年我进厂给他当徒弟时,他什么活都不肯干。他本是育婴堂带大的孤儿,讨了农村老婆,在乡下喂了几口猪,心思全在猪身上。嘴上说绝不干活,车间主任、班组长逼急了也练几下子,那时节他哼一支小调,曲是东北红高粱的调子,词是自编的。我在一边给他帮腔,唱完一节他叫我一声:"我说我的大娘呀!"我应一声"哎"。我们俩全跑调儿,听的人没有不笑的。

刘二之歌有多少节我说不清,反正一回有一回的词儿。一唱就从小唱起,说自己是娼子养的,不走运。接下来唱到进工厂走错了门。我们厂是1958年街道上老娘们儿组织起来的,建厂时他15岁,进来当了个徒工。然后唱到街道厂不涨工资,拿了十几年的二十六块五。然后唱到老婆找不到。谁也不跟街道厂工人,除了瘸子拐子,要找个全须全羽的万不可能。没奈何去找农村的,讨了个老婆是懒虫。说是嫁汉嫁汉,穿衣吃饭,躺在炕上不起来不说,一顿要吃半斤猪头肉。然后唱到我的两位世兄,前奔儿后勺,鼠眉之极,见了馒头就目光炯炯。这两个儿子吃得他走投无路,要挣钱没路子,干什么都是资本主义(这会儿有人喝止,说他反动了——那是1975年),只剩了一条路养猪。从这儿往后,全唱猪。猪是他的衣食父母。一个是他的爹,长得如何如何,从鬃毛唱到蹄子,他是如何地爱它,可是要卖钱,只好把它阉了。另一个是他娘,长得如何美丽,正怀了他一窝小兄弟,不能亏了它的嘴。否则他弟弟生出来嘴不够大没人买。于是乎要找东西给猪吃,这一段要是没人打断可以唱一百年。刘二唱他打算如何如何,捡菜帮子如何如何,一百多个历险记。唱了好久才唱到他爹娘也不能光吃菜,这不是孝养爹娘的做法,他要去淘人家的泔水。那几年农业学大寨,家家发一口缸,把泔水蓄起来支农。天一热臭气冲天,白花花的蛆满地爬,北京城里无人不骂。我师傅也骂,他不是骂泔水缸,而是骂这政策绝了他爹娘的粮草。于是乎唱到半夜去偷泔水。他和我(我有时帮他的忙)带着作案工具(漏勺和水桶),潜近一个目标,听的人无不屏住了呼吸,我师傅忽然不见了。他老人家躲在工作台下边,叫我别做声。这时你再听,有个人从厂门外一路骂进来,是个老娘们儿。另一路骂法,也是有板有眼,一路骂到车间门口。这是泔水站的周大娘,骂的是刘二。她双手叉腰,卡着门口一站,厉声喝道:"王二,你师傅呢?叫他出来!"我说师傅犯了猪瘟,正在家养病,她就骂起来,骂一段数落一段,大意是居民们恨他们,怪他们带来了泔水缸。他们如此受气,其实一个月只挣二十五块钱。三九天蹬平板喝西北风。泔水冻了,要砸冰,这是多么可怕的工程。热天忙不过来,泔水长了蛆,居民们指着鼻子骂。总之,他们已经是气堵了心了。接下来用咏叹调的形式表示诧异:世界上居然还有刘二这种动物,去偷泔水。偷泔水他们还求之不得呢,可这刘二把泔水捞走了还怕人看出来,往水缸里投入巨石泥土等等,让他们淘时费了很多力量。别人欺负他们也罢了,刘二还拿他们寻开心,这不是丧尽天良又是什么。继而有个花腔的华彩乐段,请求老天爷发下雷霆,把刘二劈了。车间主任奔出来,请她去办公室谈,她不去,骂着走了。我师傅从工作台下钻出来,黑脸臊得发紫,可是装得若无其事,继续干活儿。

我常常劝我师傅别去偷泔水,可以去要,就是偷了也别在缸里下石头。他不听,据说是要讲点体面。当时我不明白,怎么偷还要体面?现在想明白了:泔水这东西只能偷,不能要,否则就比猪还不要脸。

我师傅为人豁达,我和他相识多年,只见过他要这么点体面。这回我见他的样子,我说了你也不信。他穿一身格子西服,手指上戴好粗一个金戒指,见面敬我一根希尔顿。原来他从厂里停薪留职出来,当了个包工头。现在他正领着一班农村来的施工队给植物园造温室。他见了我有点发窘,不尴不尬地问我认不认识甲方单位(即植物园)的人。

我说认识一个,恐怕顶不了用。说着说着我也害起臊来,偷泔水叫人逮住也没这样。问候了师娘和两位世兄,简直找不出话来谈,看见我师傅穿着雪白的衬衫,越看越不顺眼,我猜他穿上这套衣服也不舒服。

我猜我师傅也是这么看我。嘿,王二这小子居然也当了教师,人模狗样的带学生来参观!其实我不喜欢现在的角色,一点也不喜欢。

四

晚上到家时,我情绪很坏,下了班以后,校长又叫我去开教务会。与会者乃是各系主任、教务长等等,把我一个室主任叫去实属勉强。再说了,我从来也不承认自己是室主任。全校人都知道我是什么玩意儿!在会场上的感觉,就如睾丸叫人捏住了一样。

洗过澡以后,我赤条条走到阳台上去。满天都是星星,好像一场冻结了的大雨。这是媚人的星空。我和铃子好时,也常常晚上出去,在星空下走。那时候我们一无所有,也没有什么能妨碍我们享受静夜。

我和铃子出去时,她背着书包。里面放着几件可怜的用具:麻袋片、火柴、香烟(我做完爱喜欢抽一支烟)、一小瓶油,还有避孕套。东西齐全了,有一种充实感,不过常常不齐全。自从有一次误用了辣椒油,每次我带来的油她都要尝尝才让抹,别提多影响情绪了。

尽管如此,每次去钻高粱地还是一种伟大的幸福。坐在麻袋上,解开铃子的衣服,就像走进另外的世界。我念着我的诗:前严整后凌乱,最后的章节像星星一样遥远。铃子在我身下听见最后的章节,大叫一声把我掀翻。她赤条条伏在地上,就着星光把我的诗记在小本子上。

我开始辨认星座。有一句诗说:像筛子筛麦粉,星星的眼泪在洒落。在没有月亮的静夜,星星的眼泪洒在铃子身上,就像荧光粉。我想到,用不着写诗给别人看,如果一个人来享受静夜,我的诗对他毫无用处。别人念了它,只会妨碍他享受自己的静夜诗。如果一个人不会唱,那么全世界的歌对他毫无用处;如果他会唱,那他一定要唱自己的歌。这就是说,诗人这个行当应该取消,每个人都要做自己的诗人。

我一步步走进星星的万花筒。没有人能告诉我我在何处,没人能告诉我我是什么人,直到入睡,我心里还带着一丝迷惘。

五

没有课的日子我也得到学校里去,这全是因为我是生物室主任。坐在空荡荡的实验室里打瞌睡,我开始恨校长和他的知遇之恩。假如他像我爸爸和我以前的师长一样,把我看成不堪造就之辈,那我该是多么幸福!忽然我妈打电话来,叫我去吃午饭。这是必须要去的。不然她生我这儿子干吗?我立刻就上路。

33年前,发生了一件决定我终身的大事。那天下午,我妈在协和医院值了个12小时的长夜班,走回家去,关于那个家,我还有一点印象,是在皇城根一条小胡同里,一间明朝兴建的半大小瓦房。前面房子太高,那房子里完全暗无天日。我妈妈穿着印花布的旗袍,足蹬高跟鞋,小心翼翼地绕过小巷里的污水坑。她买了一小点肉,那分量不够喂猫,但是可以做一顿炸酱面。她和我爸爸吃完了那顿炸酱面,就做出了那件事情。

我最不爱吃炸酱面,因为我正是炸酱面造出来的。那天晚上,他们用的那个避孕套(还是日本时期的旧货,经过很多次清洗、晾干、扑上滑石粉)破了,把我漏了出来。事后拿凉水冲洗了一番,以为没事了,可是才过了一个月,我妈就吐得脸青。

也许就是因为灌过凉水,我做噩梦时老梦见发大水;也许就是因为灌过凉水,我还早产了两个月,我出世时软塌塌、毛茸茸,像个在泔水桶里淹死的耗子。我妈妈见了就哭,长叹一声

91

道:"我的妈!生出了个什么东西!"

我到东来顺三楼上等我妈,这是约定的老地方。我不能到医院去。因为王二的事迹在那儿脍炙人口。我在那儿的早产儿保温箱里趴了好几个月。当时的条件很差,用的是一种洋铁皮做成的东西,需要定时添加热水。有一回不慎灌入了一桶滚水,王二差点成了涮羊肉。我到医院时,连那些乳臭未干的实习医生都敢叫我"烫不死的小老鼠"!

我妈定期要和我说一阵悄悄话,这是她二十年来的积习。这事要追溯到二十多年前我上小学三年级的时候。我和我爸爸住在那个小院里,我妈妈住在医院的单身宿舍。我归我爸爸教育,他的方针是严刑拷打,鸡毛掸子一买一打。一方面是因为我太淘气,另一方面因为我是走火造出来的,他老不相信我是个正经东西。

为了破坏课桌的事,老师写了一封信,叫我带回家。那信被我全吃了,连信皮在内,好像吃果丹皮一样。第二天老师管我要回信,我说我爸爸没写,她知道我撒谎,又派班长再带一封信去,我领了一帮小坏蛋在胡同口拦截,追杀了五里方回。最后老师自己来了。她刚走,我爸爸就拎着耳朵把我一顿狠抽,打断了鸡毛掸,正要拿另一根,妈正好回来。她看见我爸爸揪着耳朵把我拎离了地(我的耳朵久经磨炼,坚固异常),立刻惨呼一声,扑过来把我抢下来。接着她把我爹一顿臭骂。我爸爸说这样做是因为"这孩子像土行孙,一放下地就没影儿",我妈不听,她把我救走了。

我妈救我到医院,先送我到耳科,看看耳朵坏了没有。大夫对我的耳朵叹为观止,认为这不是耳朵,乃是起重机的吊钩。然后她到房产科要了一张单人床,把我安顿在她房间里。发我一把钥匙,和我约法三章:一是可以不上学,她管开病假条,但是考试要得 90 分以上;第二是如果不上学,不准出去玩,以防被人看见;第三是钱在抽屉里,可以自由取用,不过要报账,用途必须正当。如果没有意见,这就一言为定。违反约定,就把我交给我爸爸管教。我立刻指天为誓道:"倘若王二有违反以上三条的行为;情愿下地狱或者和爸爸一块儿过。"我妈大笑,说她真是糊涂,有这么大一个儿子,自己还一个人过。

我住下来,在女宿舍二楼称王称霸。好多年轻的阿姨给我买零食,听我讲聊斋。白天我经常不在,和夜班护士上动物园了。如此过了一个冬天,觉得女儿国里的生活也无趣,要鼓捣点什么。我妈马上给我找了好几个家庭教师,今天学书法,明天鼓捣无线电,后天学象棋。晚上我妈看医书,我在地上鼓捣玩意儿。累了大家聊一会儿,我把每位教师的毛病都拿来取笑。我妈听了高兴,把我的脸贴在她乳房上,冬天隔了毛衣犹可,夏天太刺激,我把她推开,她挑起眉毛叫道:"哟!摆架子了!你忘了你叼着这儿嚓了。跟你爸爸学的假正经。好好,不跟你玩了。看会儿书!"

我的象棋没学成,原因是我师傅不喜欢我的棋风。他老人家是北京棋界的前辈。擅长开局、布局、排局,可惜年老了,血气两衰,敌不过我那恶毒凌厉的棋风。所以他来和我妈说:"这孩子天分没得说,可是涵养不够,杀气太盛。让他再长两年,我再给他介绍别的老师。"他一走,我妈就问我,是不是在人家家里捣蛋了,这老先生涵养极好,怎么容不下我?我告诉她,我看出老头有个毛病:他见不得凶险的棋局,一碰上手指就打颤。所以我和他对局时专门制造险恶气氛,居然创下了十二局全胜的纪录。我妈妈听了大笑,说我一肚子全是鬼!每次我干了这样的葛事告诉她,她都打个榧子,说:"嘿,这儿子,怎么生的!"

我在我妈那儿住了三年,头两年还爱把我干的事儿告诉她,听她喝彩,后来就不乐意了。我长大了,生理上发生了变化,最后一个夏天,我看到女宿舍里那些阿姨穿着短裤背心,背上就起鸡皮疙瘩。我也不乐意我妈在屋里脱那么光。有时候她不戴乳罩,我就抗议:"妈!你穿上点儿!"那时候我妈大腿纤长,乳胸饱满,如二十许人,我实在不乐意和她住在一起。我开始要有自己的隐私,上中学时考了个住宿的学校搬了出去。

从那以后,我们俩之间爆发了长达二十年的间谍战。她想方设法来探我的隐私,我想方设法去骗她。我不记得什么时候在她面前说过实话。

我妈妈现在也老了,明眸皓齿变成了老眼昏花和一口假牙,丰满的乳房干瘪下去,修长的双腿步态蹒跚。我妈妈超脱了肉体,变成一个漂亮老太太。我爱我妈,我要用我的爱还报她对我三十二年的厚爱,不过我还是要骗她。

我妈问我为什么星期天不回家,我说是忙。她说再忙也得回家,因为家里那套四室一厅的住宅是以四个人的名义要下来的,现在里面只住了老两口,别人知道了要有意见。这简直不成个理由。我说忙得回不了家也不是理由,其实是我要躲我爸爸的痰气。夫子曰:人之患在于好为人师——到底不愧是夫子,好大的学问!我搞我的化学,我爸爸搞他的数学,井水不犯河水,他非要问我数学学得怎样。我要说不会,他就发火,说是不学数学能成个什么气候?我要说会呢,那更不得了,他要出题给我做。忙了一星期,回家去做题!这叫什么家,简直是地狱。我妈也知道是这么回事,就说:"你躲你爸爸,可别连我也躲呀!再说你爸爸关心你,你这么计较就不对了。"

"我没计较。妈,爸爸是虐待狂。他就喜欢看我做不出题出冷汗。其实不是我做不出,是他编的题目不通。我都不好意思说。我要是胡编几道题,他也做不出。让他尝尝这拉不出屎的滋味,你看了一定不忍心。"

"算了算了,就当陪他玩玩,你何必当真?他这人这样干了一辈子,我都改造不了,别说你了。"

"他老想证明我一文不值。我说我真一文不值,他还是不干,真不知怎么才能让他满意。他想证明我不如他的一根鸡巴毛。这有什么?三十几年前我还是他射出的一个精虫哩……"

我妈笑了："别胡扯！和你妈说这个，是不是太过分？和你说正经事儿。你什么时候生孩子？我想抱孙子。"

这是个老问题。"妈，我一定生，现在忙，要做大学问，当教授。现在教授香，一分就分一大套房。可是小助教呢？惨啦。我一个同学分到清华，孩子都九岁了，三口人挤一间小房子。三十几岁的人，性欲正强烈，结果孩子到学校里去说：爸爸妈妈夜里又对×了。臊得人家了不得。现在在办公室，趁大家去吃午饭，锁上门急急忙忙脱裤子。办公桌多硬呀！能干好吗？"

"你跟我说这个干什么？咱们家又不是没地方！"

"是呀。可房子是爸爸的，又不是我的。那房子多好！水磨石地镶铜条，我看着眼红，也想挣一套。等房子到手，就生儿子！"

"别胡扯。等你把房子挣下来，我都老死了。"

"说真的，我看我也不像个当爹的料。瞧你把我生的，没心没肺。再说了，人家没出世就被你灌了凉水，现在做梦老梦见发大水……生个儿子没准是傻子！"

"别拿这个打掩护，我是干什么的？生孩子我是专家。生吧！不好算我的。"

"我还要造炸药，当了大教授，哪有工夫养孩子？爸爸对我是一种刺激。我非混出个人样儿不可！"

我妈妈忽然狡黠地一笑，说道："你别想糊弄我，你的事情我全知道。你呀，要真像所说的那样倒也奇了！"

我妈说得我心里怦怦直跳：她又知道了我什么事情？自打我上了初中，她无时不在侦察我，我爸爸分了房子，我妈每周到矿院度周末。我自己有个小房间，门上加了三道锁。我妈居然都能捅开，而且捅过一点儿也不坏，简直是妙手空空。我知道她有这种手段，就把一切都藏起来，戒掉了写日记的习惯，重要的东西都留在学校里，可还是挡不住她的搜索。

那时候，星期六回家简直是受罪，回去要编谎骗我妈，还要和我爸爸抬杠，只要我妈不在家，他就跃跃欲试地要揍我。后来我长了老大的个子，又有飞檐走壁之能，他揍我不着了，就改为对我现身说法。我爸爸有一段光荣历史，从小学到中学从来都考第一名，又以第一名考进了清华。要不是得一场大病，准头一名考上官费去留洋。按我妈的话来说，我爸爸是一部伟大的机器，专门解各种习题。

我爸爸还说，他现在混得也不错，住的房子只有前辈教授才住得上。在矿院提起他的大名，不要说教授、学生，连校工都双挑大指。他说："你妈老埋怨我打你，你只要及上我的百分之一，我绝不动你一指头！"

我爸爸自吹自擂时，我妈坐在一边冷笑。吃完饭我回自己屋去，我妈就来说悄悄话："别听你爸爸的，他那个人没劲透了。你自己爱干啥就干啥，首先要当个正直的人，其次要当个快乐的人。什么走正路，争头名，咱们不干这事，你是我的儿子！"

光说这些没什么，她还要扯到不相干的事上去，每次都把我说个大红脸。"我给你洗裤衩，发现一点问题。你感觉怎么样？"

我立刻气急败坏地喊起来："谁让你给我洗裤衩？裤衩我会洗！"

"别这样，妈是大夫，男孩子都有这个阶段，是正常的。要是旧社会，你就该娶媳妇了。"

"呸！我要媳妇干什么？她算是什么东西！"

星期一早上我去上学，我妈去上班。我骑自行车，她也骑上一辆匈牙利倒轮闸和我一路走。那还是奥匈帝国时期的旧货，老要掉链子，骑到医院肯定是两手黑油。可她非要骑车上班不可，为的是路上继续盘问我，可是我把话扯到别的地方去。

"妈，你为什么不和爸爸离婚？"

"干吗要离婚？"

"你要是早和他离了，我也少挨几下打。"

她笑得从车上跳下去。到了"文化革命"里，她终于知道了我的事情:我和许由玩炸药的事败露了,我被公安局拘了进去。这验证了我爸爸对我的判断:我是个孽子,早晚要连累全家。

我妈妈始终爱我。她对小转铃说,人生是一条寂寞的路,要有一本有趣的书来消磨旅途。我爸爸这本书无聊之极,叫她懊悔当初怎么挑了这么一本书看。她羡慕铃子有了一本好书,这种书只有拿性爱做钥匙才能打得开。我和小转铃好的事知道的人很少,她居然能打探出来,足见手段高明。我妈妈喜欢小转铃,她说铃子"真是个好女孩";可是我最后还是搞上了二妞子。这个事里多少有点和我妈抬杠的意思。

我认为无论是二妞子还是小转铃都不会背叛我,所以很自信地说:"妈,你知道我什么了?"

"你和你爸爸到底不一样。你是我生的嘛!"

"怎么啦?"

"写诗呀,你的诗文我全看过,写得真他妈的带劲。你还说,活着就是要证道,精彩。你还不知道道是什么,告诉你,道就是你妈,是你妈把你生成这样的!"她啪一声打个榧子,转瞬之间,年轻时倾国倾城的神采又回到脸上来。我觉得全身的血都往头上涌,差一点中了风。写诗乃是我的大秘密,这种经历与性爱相仿:灵感来临时就如高潮,写在纸上就如射精,只有和我有性关系的女人才能看,怎么能叫我妈见到?我顿时觉得自己成了煺毛的鸡,连个遮屁眼的东西都没有了。桌子上火柴、香烟、筷子噼里啪啦落了一地,我急红了脸吼出来:"小转铃这坏蛋!下次见面宰了她。妈,她把我稿子给你了?还给我吧!"

"稿子还在她那儿,我复印留了底。你想要,拿钱来换,影印费300元!"

"太贵了,半价怎么样?算了算了,反正看进你眼里也拔不出来了。你再别提我写的东西,那不是给人看的,行不行?尤其不能给爸爸看,你给他看了我就自杀。"

"好,不给他看。真怪了,这又不是什么坏事情,你躲我干吗？你还写了什么？拿来给我看看。"

从我妈那儿回来，我下了一个大决心，从今以后再不写诗，也不干没要紧的事，我也要像我爸那样走正路，争头名。我的确是我妈生的，这一点毫无问题。我也爱我妈，甚至比爱老婆还甚。但是我一定要证明，我和她期望的有所不同。

六

第二天轮到生物室卫生值周。以前卫生值周我是不理睬的，任凭厕所手纸成山。如今不同了。我不能叫人挑了眼去。我提前到校，叫起许由来，手持笤帚开始工作。

这楼里大小三十个单位，每单位轮一次卫生值周。轮到校长室，校长亲自去刷洗厕所。这是因为学校里人心浮动，校长想收买人心。如今王二想走正路，说不得也要来一回。扫完了厕所，到化学实验室讨了几瓶废酸，把厕所的便器洗得光可鉴人。后来一想，光刷了厕所不成，人家不知是谁干的。我弄来几幅红纸写了大幅的标语，厕所门上贴一张：

"欢迎您来上厕所！生物室宣。"

小便池上方贴的是："请上前一步——生物室郑重邀请。"

厕所门背后是："再见。我们知道您留恋这优美的环境，可现在是工作时间。何日君再来？生物室同人恭送。"

隔间的标语各有特色。男厕所里写着："大珠小珠落玉盘"，"一片冰心在玉壶"。女厕所里写着："花径不曾缘客扫，蓬门今始为君开"。还有额匾："暗香亭"。要说王二的书法，那是没说的。我写碑就写过几十斤纸，眼见厕所像个书法比赛的会场，谁知道校长一来就闯进生物室板着脸喝道："厕所里的字是你写的？"

"是呀。您看这书法够不够评奖？"

"评个屁！高教局来人检查工作，限你十分钟，把这些字全

　　　　古旧的房子老是引起我的遐想，走着走着身边空无一人。这是一个故事，一个谜，要慢慢参透。

刷了！"

贴时容易洗时难。还没刮洗完，高教局的人就来了，看着标语哈哈大笑，校长急得头上青筋乱蹦。等那帮人走了，校长叫我去，我对他说："校长，不管怎么着，厕所我是洗了。总得表扬几句吧？"

"表扬什么？下回开会点名批评。"

"这他妈的怎么整的！您去看看，厕所刷得有多白！算了，我也不装孙子了。以前怎么着还怎么着吧。"

"不准去！坐下。刷厕所是好事，写标语就不对了。将来校务会上一提到你，大家又会想起今天的事，说你是个捣蛋鬼！你呀，工作没少做，全被这些事抵消了。今后要注意形象。回去好好想想，不要头脑冲动！"

从校长室出来以后，我恨得牙根痒痒，让我们刷厕所，又不准有幽默感，真他娘的假正经。铃声一响，我扛着投影仪去上课。我想把形象补救过来，课上得格外卖命。这一节讲到微生物的镜下形态。讲到球菌，我蹲下去鼓起双腮；讲到杆菌，就做一个跳水准备姿势；讲到弧形菌，几乎扭了腰；讲到螺旋菌，我的两条腿编上了蒜辫子，学生不敢看；讲到有鞭毛的细菌可以移动，我翩翩起舞；讲到细菌分裂，正要把自己扯成两半儿，下课铃响了。满地是粉笔头，一滑一跤。我满嘴白沫地走回实验室，照照镜子，发现自己像只螃蟹，一拨头发，粉笔末就像大雪一样落下来。刚喘过气来，医务所张大夫又来看我。他说农学系有人给他打电话，说王老师在课上不正常。他来给我量体温，看看是不是发高烧。我把张大夫撵出去，许由又朝我冷笑，我把他也撵出去。自己一个人坐着，什么都不想。

我忽然觉得恶心，到校园里走走。我们的校舍是旧教堂改成。校园里有杂草丛生的花坛，铸铁的栏杆。教学楼有高高的铁皮房顶。我记不清楼里有多少黑暗的走廊，全靠屋顶一块明瓦照亮；有多少阁楼，从窗户直通房顶。古旧的房子老是引起我的遐想,走着走着身边空无一人。这是一个故事,一个谜,要慢慢参透。

首先,房顶上不是生锈的铁皮,是灰色厚重的铅。有几个阉人,脸色苍白,身披黑袍,从角落里钻出来。校长长着长长的鹰钩鼻子,到处窥探,要保持人们心灵的纯洁。铸铁的栏杆是土耳其刑桩,还有血腥的气味,与此同时,有人在房顶上做爱。我见过的那只猫,皮毛如月光一样皎洁,在房顶上走过。

你能告诉我这只猫的意义吗?还有那墙头上的花饰?从一团杂乱中,一个轮廓慢慢走出来。然后我要找出一些响亮的句子,像月光一样干净……正在出神,一阵铃响吵得我要抽风。这个故事就像小王二一样,埋在半夜里的高粱地里了。

我正好走在大电铃底下,铃声就在我头顶炸响。学生呐喊着从楼里冲出来,往食堂飞奔——这是中午的下班铃。我忽然下定决心:妈的,我回家去。中午饭也不吃了!

走上大街,看见有人在扫地,我猛然想起今天是爱国卫生日,全城动员,清扫门前三包地段。今天又是班主任与学生定期见面的日子。按学校的统一规定,我该去给学生讲一节德育课,然后带他们去扫地。这对我也是个紧要关头,如果现在溜回家去,以后再也别想当个正经人。

我犹豫了一会儿,还是回学校去。其实这不说明我有多大决心走正路,争头名,而是因为我觉得下了那么大决心,只坚持一上午,未免不好意思。吃饱喝足又睡了一觉,我该到班上去。首先找到代理班主任团委书记小胡,问了一点情况,然后就去了。

我教四门课,接触两个系八个班,农三乙我最不喜欢。这班学生专挑老师的毛病。教授去上课犹可,像我们这样的年轻教师去上课,十次有九次要倒霉。派我做这班的班主任,完全是个阴谋。但是这节德育课我还得讲呀!

一进教室我就头疼,上午说我发高烧的,就是这帮家伙。现在他们直勾勾地看着我,千夫所指,无疾而死,这节课下来不知

要掉多少头发。我走上讲台,清清喉咙:

"同学们,男同学和女同学们,也就是男女同学们。我站在这里,看着大家的眼睛,就像看捷尔仁斯基同志的眼睛,我不敢看。不说笑话。从同学的眼睛里,我看出两个问题。第一,你们想问:王老师不是发高烧吗,怎么没死又来了?对不对?班长回答。"

班长板着脸说:"有同学向医务室打电话,说王老师有病,不代表全班意见,班委开会认为,王老师的课讲得比较活,不是什么问题。打电话的同学我们已经批评他了。"

"很好。老师的努力得到同学的肯定,别提多快乐。第二个问题,你们想问:这家伙现在来干什么?下节微生物是星期四。我要告诉你们,我是你们的班主任。前一段忙,经上级批准,由胡老师代理。从今天开始,我正式接任,今天的题目是道德教育。……班长,什么问题?"

"老师,你备课了吗?"

我拼命咽下一句"去你妈的",说出:"当然备了。虽然没拿教案,可我全背下来了,老师的记性你可以放心,请坐。今天第一次由我来上德育课,我觉得应该沟通沟通,同学们对我有什么意见请提出来。"

"老师,你是党员吗?"

"不是,正在争取。谢谢你提了这个问题。"

"老师,你是否研究生毕业?"

"不是,本科。年龄大了,不适合念研究生。按上级规定,本科毕业可以教基础课。还有什么?提具体点儿。"

"老师,你为什么说我们是冻猪肉?"

"我说过这话吗?我只说到了这个班就像进了冷库,你们见了我就像见了吊死鬼。好好,我收回冷库的话。还有什么?"

他们说不出什么来了,我把脸一板:

"同学们,我的缺点你们都看见了。你们是优秀班集体,实质怎么样?是不是捧出来的?考试作弊,我亲眼所见。班上丢了东西,用班费补上,不捉贼。歪风邪气够多了。我是你们的班主任,我宣布立即整风。先把贼捉出来,考试作弊也要大整。还有,你们对本系教师毕恭毕敬,专挑外系教师的眼。这叫什么呢?看人下菜碟!明天我就把外系任课老师召来开会,写个意见报校长。我知道有人指使你们,我怕他们也不敢支持学生整老师。我知道有的年轻女教师上了你们的课,回去就哭。教师描眉怎么啦?资产阶级?帽子不小啦。你们是学生还是政治局?这班四十多人要进政治局,也不知中央什么看法。……什么学生?公然调戏老师!哭什么,不准哭!"

我继续大骂,把恶气出足,然后宣布分组讨论,班干部上前开会。这几个人走过来,乖极了,净说好话。

"老师,我们怎么得罪你了? 这么整我们?"

"谈不上得罪,为你们好。"

"老师,我们错了,你原谅我们吧!"

"原谅不敢当,班风还是要整!"

拿这种架子,真有一种飘飘欲仙的快感。等把那帮孩子整到又要哭出来,我才松了口:

"好吧,老师当然要原谅同学了。可是你们为什么要和老师作对? 老实说出来!"

这事不问我也明白,无非是有人看我们这些外校调来的人不顺眼。可恨的是朝学生吹风,说我作风有问题,可能乱搞男女关系。我把脸板下来说:

"这是放狗屁。我自会找他们算账。只要你们乖乖的,我绝不把你们扯进去,以后这种话听了要向我汇报,我是班主任。现在,少废话,上街扫地!"

我带学生上街,军容整齐,比别的班强了一大块。我亲自手持竹笤帚在前开路。直扫得飞沙走石,尘头大起。扫了一气,我把笤帚交给班长,交代了几句,就去找校长汇报。一见面他就表

扬我今天德育课上得不错,原来他就在门外听着。我把从学生那儿听来的话一说,他连连点头:

"好,这些人太不像话,拉帮结派,这事我要拿到校长办公会上去说。小王呀,这么工作就对了。像早上在厕所贴标语,纯属胡闹。"

"报告校长,说我作风有问题,这叫无风不起浪,老姚这老小子也得整整,他净给我造谣!"

"老姚的情况不同,这个同志是很忠诚、很勤奋的。他能力低一点,嘴上又没闸。学校里案子多,他破不了心急,乱说几句,你别往心里去。还有个事儿要和你商量:昨晚上他巡夜摔伤了,你知道吗?"

"不知道,要是知道了,还要喝两盅。这种人乃是造大粪的机器,还当什么保卫科长。你和我商量什么?"

"他伤得不轻,胯骨脱了臼,医院要求派人陪床。老姚爱人陪白天,咱们派人值夜。"

"这是医院的规矩,咱就派人吧。不过,这事和我有什么关系?"

"有关系。老姚是校部的,你们基础部也是校部的,校部的小青年都不肯陪老姚,你来带个头好不好?你一去,别人谁也不敢说不去。"

我叫起来:"别×你那亲爱的……"我本想说"×你妈"。又想到是校长,就改了口:"我的意思是说,我很尊敬您的妈。你说说看,凭什么叫我去看护他?"

"瞧你这张嘴!对我都这样,对别人还了得吗?我和你说,现在上面要学校报科研项目,咱们也不能没有。我们准备成立个研究所,把各系能提得起来的项目往一块儿凑凑。你搞炸药恐怕还得算主要的一个,先搭个架子,怎么样?"

"不怎么样,我能在这楼里造炸药吗?"

"谁让你在这儿做实验?实验还去矿院做,咱们只是要个名义,有了名义就可以请求科研经费。将来我们也要盖实验楼,买仪器设备,这都是进一步的设想了。所长的位子嘛,只能空一阵子,副所长我准备让你当,因为只有你有提得起的项目。这可提了你好几级,将来评职称、出国进修你都优先。看你的样子好像不乐意,真不识抬举!"

"我没说不乐意呀!"

"可光我想提你不成。你想别人怎么看你!像你现在这样子,我提也白搭。从现在到讨论定所的领导班子,还要几个星期。你得有几样突出表现,才能扭转形象。眼前这老姚的事,简直是你的绝好机会。叫你去你还不去,你真笨哪!"

"照你这么说,我还真得去了。我爸爸病了,我要去陪,我妈还说用不着我。这老姚算个什么东西,居然要抢我爸爸上风!他拉屎我还要给他擦屁股,真跌份儿!我什么时候去?"

"今晚上就找不着人,你去吧。明天我派许由。你们俩去了,别的坏小子都肯去了。"

学好真不容易,除了和学生扯淡,还得给老姚擦屁股,而且我还要感谢老姚摔断了腿,给我创造了机会。回到实验室,我给老婆打电话,说我不回去了。她二话没说,咔嚓一下把话筒搁下。我又对许由说这事儿,他默默地看了我好半天,才冒了一句:"王二,你别寒碜我啦。"吃完了晚饭,我就出发上医院。

七

老姚要是不给我造谣,就是个很可爱的老头儿,他长着红扑扑的脸儿,上面还有一层软软的茸毛,一副祖国花朵的嫩相,他有几根长短不齐的白胡子,长得满脸都是。此人常年戴一顶布帽子,鼻梁上架上了个白边眼镜,在校园里悄悄地走来走去,打算捉贼。我们学校里贼多极了,可他就是捉不到。一般机关单位的保卫科也都很少能捉到贼,主要起个吓阻作用,可我们的老姚不但不能吓阻，自己还成了贼的目标。只要他一不注意，洗脸的毛巾就到浴室里成了公用的，大家都拿它擦脚。老姚把它找回来，稍微洗洗再用，结果脸上长了脚癣。偷他毛巾的就是他的助手王刚。王刚这小子太不像话，老姚摔伤了他也不去看着。说是丈母娘从外地来北京，他要去陪着，其实他丈母娘来了有半年了，他纯粹是找借口。

老姚自己捉不到贼，就发动群众帮他捉。无论是全校大会、各系的会，甚至于各科的会，他都要到会讲话，要求大家提高警惕，协助捉贼。他又是个废话篓子，一说就是一个钟头还没上正题，所以大家开会都躲着他。我们基础部开会，就常常躲到地下室，还派人在门口放哨，一见老姚来了，立刻宣布休会。他还做了十几个检举箱到处安放，谁也不往箱里投检举信，除了男厕所里那一个，有人做了仿古文章："老姚一过厕所之坑，纸篓遂空。"简直是亵渎古人！

这些都是他的事，不是我的事。只可恨他捉不到贼还顺嘴胡说。学校里一丢东西，他就怀疑是校工里小年轻的偷了。这也不能说没有道理，他有公安局公布的数字为证：去年全市刑事犯罪者80%是青少年，青年工人又占到第二位，占第一位的青年农民我们学校里没有。他又进一步缩小怀疑圈，认为锅炉房那几个管子工年龄最小，平时又吊儿郎当不像好人。一丢东西，他就说他们几个偷的。人家怎肯吃这种哑巴亏？正好厕所下水道堵了，用竹片捅不开。管工弟兄们刨开地面，掏出一大团用过的避孕套，有几十个。这帮人就用竹竿挑着进了保卫科，往办公桌上一摔，摔得汁水四溅，还逼着他立即破案，否则下水道再堵了，就叫老姚去刨地。然后老姚就来破避孕套的案。他也不知怎么就想到学校里还有生物室，拿了那些东西来找我化验。正好一进门，听到许由和我开玩笑，说那些东西里有我一份。这可不得了，老姚当了真，到处去讲我作风有问题，谣言这东西是覆水难收，到现在我还背着黑锅。平时我恨不得掐死他，现在他住医院我去看护,你看我是不是吃错药了?

我到医院去,向门房打听老姚。人家说记录上无此人,可能已经拖走了。我知道这医院不怎么样,可是一下午就把老姚治死,也太快了点儿。再问时,人家问我什么时候送来的,我说早上送来的。他又问我们认不认识院长大夫,我说都不认识。他说那准是躺在急诊室里。要是不赶紧托人找关系,病人还要在急诊室里一直躺下去。我去找急诊室,顺着路标绕来绕去,一直走到后门边上,找到一间房子门上挂着急诊室的牌子,可是怎么看这房子都是太平间。看来原来的急诊室在翻盖,急诊病人向死人借位子。我在门前欲进又退,心里狂跳不止,和第一次与铃子搭话时的心境相仿。

我第一次和铃子搭话,预先找过无数借口,可是都觉得不充分,不足以掩饰我要搞她的动机:那年头男女青年要不是为了这样的目的,可以一辈子不搭话。同理,今天我来看着老姚,也没法掩饰我要装好人、往上爬的动机。我和他非亲非故,平时还有些宿怨,我来干吗?

从小学我就会挖苦先进的小同学,那些恶毒之辞现在不提也罢。现在我骑虎难下,前进一步,我骂人的话全成了骂自己,要是走了呢?呸!更不成个体统。

我开始编些借口。我要这么说:"姚大叔,校长叫我来照看你。"这话就和旧社会新房里新郎说过的一样。他和个陌生女孩待在一起,不好意思,就这么说:"父母之命,媒妁之言……"你看他多干净,其实过一会儿,他就要操人家。新郎倌的话是自欺欺人,我的话也是自欺欺人,我身后又没有两个武装警察押送,要是不乐意,可以不来呀!

我还可以说:"老姚,听说你病了没人照看,我心里不安。我们80年代的青年,照顾有病的老人是我的本分。"这话很好,怎奈我不是这样的人,不合身份。还有一种说法比较合理:"老姚,咱们是同事,我又年轻,该着我来。"不过王刚怎么不来说这话?

算了算了,不想这么多,我先进去,到时候想起什么说什么。

一进急诊室,吓了我一跳。这是间有天窗的房子,天花板上一盏水银灯,灯光青紫,照得底下的人和诈尸的死人一般无二。有若干病人直挺挺躺在板床上,那床宽不过二尺,一头高一头低,板子薄得叫人担心。这床看着这么眼熟!小时候我住在医院里,经常钻地下室。有一次钻到太平间里,就看见了这样的床。

盛夏里我看见过一个年轻的女尸躺在这种床上,浑身每个毛孔都沁出一团融化的脂肪,那种黄色的油滴像才流出的松脂一样。现在躺在床上的人谁也不比她好看,尤其是屋子正中那一位。她是个胖老太太,好像一个吹胀的气球,盘踞在两张床拼起的平台上。她浑身的皮肤肿得透亮,眼皮像两个下水袋,上身穿医院的条子褂,下面光着屁股,端坐在扁平便器上,前面露出花白的阴毛,就如一团油棉丝。老太太不停地哼哼,就如开了的水壶。已经胀得要爆炸了,身上还插着管子打吊针,叫人看着腿软。幸亏她身下老在哗哗地响,也不知是屙是尿,反正别人听了有安全感。其他病人环肥燕瘦各有态,看架势全是活不长的。

这屋子里的味儿实在不好,可说是闻一鼻子管饱一辈子。屎尿、烂肉、馊苹果、烂橘子汇到一块儿,我敢保你不爱闻。声音也就不必细讲,除了几位倒气的声音,还有几个人在哼哼。顶难听的是排泄的声响。我向门口陪床的一个毛头小伙打听是否见过一个断了腿的红脸老头儿,他说在里面。我踮脚一看,果然,老姚和他老婆在里面墙角,那边气味一定更难闻。我先不忙着进去,先和脸前这小伙子聊一会儿。我敬他一支烟,他一看烟是重九牌的,眼睛就亮了。

"你在哪儿买的?"

"云南商店呗。您这是陪您的哪一位?"

"姥姥呗,喉癌,不行了。哥儿们,云南商店在哪儿呀?"

"大栅栏,去了一打听谁都知道。啊呀,这地方这么糟糕,您还不如把她拉回去。"

"家里有女的,害怕死人。这一屋子差不多都是要死的,家里放不下,弄到医院又进不了病房,躺在这儿捯气儿。我们快了,空出地方来你们可以往这边搬,空气好多了。"

那位姥姥忽然睁开眼,双手乱比画。这个老太太浑身成了红砖色,嘴里呼出癌的恶臭,还流出暗红色的液体。她像鲇鱼一样张口闭口,从口形上看她在大呼要回家。那位毛头小伙低头和她说:"姥姥,您忍一忍,这儿有这玩意儿(小伙子用手捏捏老太太鼻子上的氧气管),您插上舒服一点呀!"

老太太嘴乱动,意思是说你们的话我全听见了,她要还能发声,一定要把这不孝的外孙大骂一顿。可惜她只能怒视。她还用充满仇恨的目光扫了我一眼,吓得我赶紧走开。看看这一屋子人,都是叫那些怕见死人的女人轰出家门的,直叫人发指!女人呀女人,是她妈的毒蛇!

走到老姚面前,我正要搜索枯肠,编一句什么话,老姚的老婆倒把我的话头抢过去了。

"你就是学校派来陪床的吧?怎么不早来!老姚给你们学校守夜,摔断了腿,就这么对待他?老实告诉你,不成!赶紧把他送到病房里去!"

她这么咄咄逼人,把我气坏了:"姚大嫂,这话和我说不着,你去找我们校长好不好?"

"明天我就去,这叫怎么一回事?你们学校这么没起子?老姚一个党委委员,病了就往狗窝里送?"

这话很有道理。我要是病了,也要躺在这狗窝里,应该支持老姚老婆去找领导大打一架。我说:"你去闹吧,这年头撑死胆大的饿死胆小的。你去闹了以后,学校兴许能把老姚送到北大医院去。"

她走了,老姚睁开一只眼看看我,又闭上了。他和我没话可讲。我拍拍他的腿说:"要尿叫我一声啊!"就闭目养神。过了一会儿,只觉得气味和声音太可怕。一睁眼,正看见几个人把个病人往外送，是个老得皮包骨的老头子，已经死掉了。我想到外边走走，老姚一把扯住我，气如游丝地说："别走！我一个人躺着害怕！"

真他妈的倒霉，我又坐下，忽然想起李斯的名言：人之不肖如鼠也！这是他老人家当仓库保管员时的感慨。他是说，有两种耗子。粮库里的老鼠吃得大腹便便，官仓几年不开一次，耗子们过得好似在疗养，闲下来饮酒赋诗，好不快活。可是厕所里的老鼠吃的是屎，人上厕所就吓得哇哇叫，真是惨不忍睹。于是他就说：人和他妈的耗子一样。混得好就是仓房鼠，混得不好就是厕所鼠。这话讲得有勇气！基督徒说，人是天主的儿女；李斯说，人和耗子是一个道理。说起来还是我们的祖先会写文章，能说明问题。我一贯以得道高人自居，从来没在耗子的高度上考虑问题。可是面对这个急诊室，真得想一想了，说这里是茅坑一点也不过分。要是我到了垂危时，也挺在这么一个木板床上听胖老太太哗哗响，这是什么滋味？就算我是诗人，可以把它想象成屋檐滴水(有这么一支吉他曲，美不胜收)，可是隔一会儿就有山洪暴发之声，恶臭随之弥漫，想象力怕也无法将之美化。那时候每喘一口气就如吞个大铁球，头晕得好似乘船遇上了八级风，还要听这种声音，闻这种气味，我这最后一口气怕也咽不下去。我的二妞子(她已经白发苍苍)俯在我身上泪如泉涌，看我这惨相，恨不得一刀捅死我，又下不了手，这种情景我不喜欢，还是换上一种。

再过 50 年，王二成了某部的总工程师，再兼七八个学会的顾问，那时候挺在床上，准是在首都医院的高干病房里。我像僵尸一样，口不能言，连指尖也不能动，沙发床周围是一种暗淡的绿光，枕头微微倾斜，我看见玻璃屏后的仪器。我的心在示波器上跳动。

一个女护士走进来，她化了妆，面目姣好，是那种肉多的女人。乳房像大山，手臂肉滚滚。她解开我的睡衣，把它从我身上拽出去。啊呀王二,你怎么成了这个样子?胸膛上的皮皱巴巴,肚皮深陷下去。腿呀腿,就如深山中的枯木,阴毛蓬蓬,没几根黑的。那话儿像根软软的面条。我不明白,一米九〇的身高,老了怎么缩得这么短?女护士用一根手指把我掀翻过身来,在我背上按摩。这可是女人的手!王二老到85,也是个男人。可是就是反应不起来。她又把我翻起来,按摩我的胸前、手臂。心狂跳起来,可是身体其他部分木然不动。只有尿道发热,一滴液体流出来。她按摩完毕,忽然发现我身体的异常,"咦"了一声。嘻嘻,谁让你拨弄我?王二还没死。那女人拿出一个棉球,把我龟头擦干净。然后把它轻巧地弹入废纸篓。王二,你完了!脸也臊不红,实在是太老了。她给我穿上衣服,就出去了。我猛然觉得活够了,就想死,示波器上的心脏不跳了,警报声响成一片。白衣战士们冲进来,在我手上、腿上、胸上打针,扣上氧气面具,没用了!仪器上红灯亮了。一个时钟记下时间。几名穿毛料中山装的人进来,脱帽肃立。12点57分27秒,伟大的科学家、社会活动家、中国科学界的巨星王二陨落了。然后干部们退出:护士们一齐动起手来,脱下睡衣,把我掀翻过去,掰开屁股,往直肠里塞入大团棉花。这感觉可真逗!然后又掀翻过来,往我身上狂喷香水,凉飕飕的,反正她们不怕我着凉。一个漂亮小护士把我那话儿理顺,箍上一条弹力护身,另有几个人在我肚皮上垫上泡沫塑料。然后把上身架起来,穿衬衣,腿上套上西装裤。上身穿上上衣,打上领带。嘿!这领带怎么打的?拴牛吗?你给你丈夫打领带也这样?任凭我大声疾呼,她浑然无觉。又来了个提皮箱的中年人,先给我刮脸,又往我嘴里垫棉花,这可不舒服。快点!我要硬了!涂上口红,贴上假眉毛。棺材抬进来,几个人七手八脚把我往里抬,西式棺材就是好,躺着舒服。在胸袋里插上一朵花,胸前放上礼帽。再往手里放一支手杖,拿了到阴间打人。嘿嘿,王二这叫气派!同志们,这就叫服务!现在可以去出席追悼会了!

脑袋嘭一下撞在木板床上，我又醒过来。我困极了，恨不得把老姚从板床上揪下来，自己睡上去。起来看看周围的人，全都睡了，就连那个胖老太太也坐在便盆上睡了。就在我打瞌睡这一会儿，屋里又少了好几个人。门口那个和我一块儿抽过烟的小伙子和他姥姥都不见了，那个女人现在在天国里。我再也坐不住了，到院子里走走。

夜黑到发紫，星星亮得像一些细小的白点。在京郊时我常和铃子钻高粱地，对夜比一般人熟悉得多。这是险恶的夜，夜空紧张得像鼓面，夜气森森，我不禁毛发直立。

在这种夜里，人不能不想到死，想到永恒。死的气氛逼人，就如无穷的黑暗要把人吞噬，我很渺小，无论做了什么，都是同样地渺小。但是只要我还在走动，就超越了死亡。现在我是诗人。虽然没发表过一行诗，但是正因为如此，我更伟大。我就像那些行吟诗人，在马上为自己吟诗，度过那些漫漫的寒夜。

我早就超越了老鼠，所以我也不向往仓房，如果我要死，我就选择一种血淋淋的光荣。我希望他们把我五花大绑，拴在铁战车上游街示众。当他们把我拖上断头台时，那些我选中的刽子手——面目娟秀的女孩，身穿紧绷绷的黑皮衣裙，就一齐向我拥来，献上花环和香吻。她们仔仔细细地把我捆在断头桩上，绕着台子走来走去，用钢刀棍儿把皮带上挂的牛耳尖刀一把把钢得飞快，只等炮声一响，她们走上前来，随着媚眼送上尖刀，我就在万众欢呼声中直升天国。

我又走回急诊室，坐在板凳上打盹。早上八点钟，老姚的老婆才来换我，我困得要死，回家太远了，就骑车上学校，打算在实验室里打个盹。

走在大街上，汇入滚滚的人流，我想到33年前，我从我爸爸那儿出来，身边也有这么许多人，那一回我急急忙忙奔向前去，在十亿同胞中抢了头名，这才从微生物长成一条大汉。今天我又上路，好像又要抢什么头名，到一个更宏观的世界里去长大几亿倍。假如从宏观角度来看,眼前这世界真是一个授精的场所,我这么做也许不无道理,但是我无法证明这一点。就算真是如此,能不能中选为下一次生长的种子和追名求利又有什么关系?事实上,我要做个正经人,无非是挣死后塞入直肠的那块棉花。

我根本用不着这么做,我也用不着那块棉花,就算它真这么必要,我可以趁着还有一口气,自己把它塞好,然后静待死亡。自己料理自己的事,是多么大的幸福!在许由那张臭烘烘的床上躺下时,我还在想:我真需要把这件事想明白,这要花很多时间,眼前没有工夫,也许要到我老了之后。总之,是在我死之前。

似水流年

王二年表：

1950 年出生。

1966 至 1968 年，"文化革命"。住在矿院，是一名中学生，目睹了贺先生跳楼自杀和李先生龟头血肿。

1968 年，和许由在地下室造炸药玩，出了事故，大倒其霉。先被专政，后被捕，挨了很多揍。

1969 至 1972 年，被释放。到云南插队。认识陈清扬。

1972 年至 1977 年，在京郊插队。与小转铃交好。与刘先生结识。刘老先生死。后来上调回城，在街道厂当工人。

1977 年至 1981 年，上大学。

1981 至 1984 年，毕业，三十而立。与二妞子结婚。

1985 至 1990 年，与旧情人线条重逢，很惊讶地发现她已嫁了李先生。出国读学位。丧父。离婚。回国。

1990 年，40 岁。

一

岁月如流，如今已到了不惑之年。我现在离了婚，和我母亲住在一起。小转铃有时来看我，有时怄了气，十几天都不露面。

如今我基本上算是一个单身汉。

我住的是我父亲的房子，而我父亲已经不在了。我终于调进矿院来，在我父亲生前任教的学校教书。住在我家对面的是我的顶头上司李先生。李先生的夫人，是我的老同学，当年叫线条。线条在"文化革命"里很疯，很早就跑出来，和男孩子玩。现在提这些事不大应该，但是我想，线条不会见我的怪，因为她就是和我玩的。也可以说，我们俩是老情人。

至于李先生，更不会见怪，因为他不在乎这些事。除此之外，他和我的交情非常好。他从海外回大陆，第一个能叫上名字的人就是我。他还是个不善交际的人，直到现在，除了夫人之外，也就是和我能聊聊。我不知他在国外的情况，反正在中国，能说说心事的，也就是一个线条，一个王二。这实在不算多。用李先生的话说，别人和他没有缘。我也把李先生当个朋友。我向来不怕得罪朋友，因为既是朋友，就不怕得罪，不能得罪的就不是朋友，这是我的一贯作风。由这一点你也可猜出，我的朋友为什么这么少。

我现在没有几个朋友了。许由找了个出国劳务的活，到中东去修公路。陈清扬见不着。小转铃说，我对线条旧情不断，还说我是癞蛤蟆想吃天鹅肉。她简直是个醋葫芦。我爱上了李先生老婆。李先生不知道，还说我和他有缘，该着做朋友。

李先生说，和我有缘，这种缘分起源于 23 年前一个冬日的早上。那时我是一个 17 岁的中学生，个子像现在一样高，比今天瘦很多，像竹竿一样。头上戴狗皮帽，身穿蓝制服罩棉袄，脚下穿大头皮鞋，这身打扮在当时很一般。我身上的衣服不大干净，这在当时也很一般。我那顶帽子是朋友送的，而他也不是好来的，不是偷来就是抢来的，这在当时也很一般。当年的中学生，只要不是身体单薄性情懦弱，有谁没干过几件坏事，抢几顶帽子实在一般——我就这个样子走到矿院的大操场上去看大字报。在 1967 年大字报已没有了轰动效应，但是还有不少东西可

116

看。某先生早年留学日本时去嫖妓,想赖嫖资;某教授三年困难下矿山,吃招待饭时偷了馒头藏在怀里;某书记当年贪污了党的经费,给自己打了一个银烟盒等,颇为有趣。看这种东西很容易入迷,不知不觉自己也变成了坏蛋。假如再有"文化大革命",这种东西我绝不看了。在当年我有一个习惯,就是每天要把全院的大字报看一遍。矿院很大,大字报很多,所以不能全看完。有些我只看看标题,有些览其大略,有些有趣的我仔细看。就是这样,还得起早贪黑。一大早我就到了大操场上,而大操场早被席棚隔成了九宫八卦之型。我在八卦之中走动,起得早了,没碰见人。转了几个圈后遇上了第一个人,他躺在地上像条死鱼。这就是李先生。

把时间推到 23 年前,李先生刚从香港回内地,过冬的衣服都是临时置办的。他身穿一件蓝色带风帽的棉大衣,北京人叫棉猴的那种东西,又小又旧,也不知是谁给他的。李先生个子小,那棉猴比他还小。可见是小孩子穿过的东西。棉猴下是粗呢裤管,这是他从海外带回来的东西。粗呢裤下是一双又肥又大的塑料底棉鞋,这是他在北京买的。李先生胡子拉碴,戴一副瓶子底也似的眼镜。我见时他就是这副样子倒在地上,半闭着眼睛,不见黑眼珠,浑身打着哆嗦,很像前几天跳楼的贺先生刚着地时的样子。但是仔细看时颇有不同,贺先生的脑子当时是洒出来的,而李先生的脑子还在脑壳里面,这是最主要的不同之点。贺先生从楼上跳下来时,我不在现场,是后来得到消息赶去的。虽然去得很快,也错过了不少场面。据说贺先生刚落地时,还在满地打滚,这场面我就没看见。据说贺先生的手还抓了两把,我也没看见。贺先生死时的景象,我几乎都没看见,只看见他最后抽抽了两下。这使我很没有面子。所以看见李先生倒在地下,我大为兴奋。虽然我拿不准他死了没有。

假如我知道李先生没死,只不过是晕了过去,那么我肯定会去救他。虽然我当时很瘦,但是"文革"前的孩子重视体育,所以都有一把力气，李先生又不重，我把他扛走没什么问题。但是当时我以为他有可能已经没救了，在这种情况下，就该保护现场，等待警察。既然我拿不准他死没死，还有第三种办法：我去喊几个人来，看看他死没死。这个办法我最不乐意。设想李先生已死，我又离开了现场，别人再撞上了，那时我再说我是第一个到达现场之人，谁还肯信？就算信了，对我更不好，他们会说，王二叫死人吓跑了。如今到了不惑之年，我不怕人家说我胆小了。经过了插队，当工人，数十年的时间，所到之处人都说我胆子非常大，胆大心黑，色胆包天，胆大妄为等等。偶尔有人说一句王二胆小，我也不觉得有什么。可是在当时，我就怕人说我这个。因此我采取了第四个办法，站在当地不动，看李先生是越抽越厉害还是越抽越硬邦。假如是后者，我就嚷嚷起来。假如是前者，我就过去扛他。谁知他很快就睁开了眼睛，坐起身来，这叫我大失所望。我转过身去，准备走了。

在李先生看来，那天早上的事就没这么轻松。当时他从香港赶来参加"文化革命"(后来他说，这是他这辈子犯的最大的错误)，头天晚上刚到矿院，早上就来贴大字报。谁知和别人起了争执，遭人一脚踢成了重伤，晕倒在地。醒来一看，大出意料：原来没躺在医院里，也没人围着他。踢他的人也不见了。只有一个半桩孩子在一边看着，而且那孩子有姗姗离去之势。所以他急忙叫我回去搀他一把。李先生说，当时他伤处极疼，没人架一把一步也走不动。而我却摇头晃脑，好半天才走过去，可把他急坏了。所以等他能够上，就一把搂住了我的脖子，再也不敢放，生怕我也跑了。结果到了医院，我脖子上被箍出了一溜紫印。在这种情况下，我当然不肯再搀他回去，抽个冷子就跑掉了。这下又苦了李先生，他根本不认识回去的路，花了几倍的工夫才回到了矿院。

对于这件事我还有些补充。当时我不认识李先生，不知他是矿院的人。假如认识，抢救的态度会积极一点。我也不知他是被人摆平的，还以为他是在抽羊角风。假如知道，抢救的态度也会积极一点。做了这两点辩护之后我也承认，当时我对死人特别有兴趣，对活人不感兴趣。李先生说，他对我当时的心情能够理解。有件事他不能理解，就是那一脚踢得委实厉害。只要再踢重一点，他就会变成我感兴趣的人。

李先生挨那一脚的事是这样的：1967年大家都想写些大字报贴出去，然后看见别人在自己写的东西面前交头接耳，议论纷纷，这和我今天想发表作品的心情是一样的。顶叫人愤怒的是，自己辛辛苦苦写了一夜，才贴出去就被人盖掉。所以都在大字报上写着：保留五日，保留十日。无奈根本没人给你保留。那年头为这种事吵嘴、动手的事也不知有多少。李先生的大字报正贴在司机班一伙冒失鬼好不容易讪出的大字报上，而且被本主当场逮到，又住了脖子和他理论，和他又理论不清。因此照他裆下踢了一脚，人家怎么也想不到他会让人踢个正着。当时我们院谁不知道司机班那伙人？只有李先生不知道。所以连挨揍的准备都没有。这一脚踢出麻烦来了，眼见得李先生脸色也变了，眼珠子也翻了，软软地挂在人家手上。人家也怕吃人命官司，赶紧把他放在地上跑掉了。谁又能想到他还有救呢？假如送他上医院，万一他又没救了呢？

现在我们院的人都在背后叫李先生龟头血肿，包括那些没结婚的小姑娘。她们说，李先生原是日本人，姓龟头，名血肿。这是不对的。李先生从未到过日本。他叫这个名字，是因为他挨了一脚后，十分气愤，就把医院的诊断书抄出来寻求公道，那诊断中有这样的字句："阴囊挫伤，龟头血肿。"他寻到的公道就是从此被叫做龟头血肿，一肿23年，至今还没消。

二

十八年后,我到当年李先生拿博士的学校里读书。李先生毕业后还在这儿任了两年教,所以不少人还记着他。人家对他的评价是:性情火暴,顽固到底,才华横溢。乍一听只觉得自己的英文出了问题:李先生性情火暴?他是最不火暴的呀!

李先生的才华横溢我倒是见过,那是在他被人龟头血肿了之后。他连篇累牍地写出了长篇大字报,论证龟头血肿的问题。第一篇大字报开头是这样的:李某不幸,惨遭小人毒手,业已将经过及医院诊断,披露于大字报。怎知未获矿院君子同情,反遭物议;兄弟不得不再将龟头血肿之事,告白于诸君子云云。

这篇大字报的背景是这样的:他把医院的诊断书画成大字报贴出来,就有些道学的人在上面批:这种东西也贴出来,下流!无耻!至于他怎么挨了人踢,却没人理会。所以李先生在大字报里强调:李某人的龟头,并非先天血肿,而是被人踢的。

李先生在大字报里说,他绝不是因为吃了亏,想要对方怎样赔罪才写大字报。他要说的是:龟头血肿很不好,龟头血肿很疼。龟头血肿应该否定,绝不要再有人龟头血肿。他这些话都被人看成了奇谈怪论。到这时,他回来有段日子了,大家也都认识他。在食堂里大师傅劝他:"小李呀,拉倒吧。瞧瞧你被人踢的那个地方,不好张扬。"李先生果然顽固,高声说:"师傅,这话不对。人家踢我,可不是我伸出龟头让他踢的!踢到这里就拉倒,以后都往这里踢!"

虽然没有人同意李先生的意见,但是李先生的大字报可有人看。他就一论龟头血肿,二论龟头血肿,三论四论地往外贴。在三论里他谈到以下问题:

"近来我们讨论了龟头血肿,很多人不了解问题的严重,不肯认真对待,反而一味嗤笑。须知但凡男人都生有龟头,这是不争的事实。龟头挨踢，就会血肿，而且很疼，这也是不争的事实。不争的事实，何可笑之有？不争的事实，又岂可不认真对待之？"他这么论来论去，直把别人的肚子都要笑破。依我看，这龟头血肿之名，纯粹是他自己挣出来的。

李先生论来论去，终于有人贴出一张大字报讨论龟头血肿问题，算是有了回应。那大字报的题目却是：龟头血肿可以休矣。其论点是：龟头血肿本是小事一件，犯不上这么喋喋不休。在伟大的"文化革命"里，大道理管小道理，大问题管小问题。小小一个龟头，它血肿也好，不血肿也罢，能有什么重要性？不要被它干扰了运动的大方向。100 个龟头之肿，也比不上揭批查。这篇大字报贴出来，也叫人批得麻麻扎扎：说作者纯属无聊。既知揭批查之重要，你何不去揭批查，来掺和这龟头血肿干吗？照批者的意见，这李先生是无聊之辈，你何必理他？既然理他，你也是无聊之辈。但是李先生对这大字报倒是认真答辩了。他认为大道理管小道理，其实是不讲理。大问题管小问题，实则混淆命题。就算揭批查重要，也不能叫人龟头血肿呀？只论大小重要不重要，不论是非真伪，是混蛋逻辑。他只顾论着高兴，却不知这大小之说大有来头。所以就有人找上门，把他教训了一顿。总算念他是国外回来的左派，不知不罪，没大难为他。要不办起大不敬罪来，总比龟头血肿还难受。李先生也知道利害，从此不再言语。这龟头血肿之事，就算告一段落。

流年似水，转眼就到了不惑之年。好多事情起了变化。如今司机班的凤师傅绝不敢再朝李先生裤裆里飞起一脚弹踢，可是当年，他连我们都敢打。院里的哥们儿，不少人吃过他的亏。弟兄们合计过好几回，打算等他一个人出来时，大家蜂拥而上，先请他吃几十斤煤块，然后再动拳脚。听说他会武功，我们倒想知道挨一顿煤雨后，他的武功还剩多少。为了收拾这姓凤的，我们还成立了一个"杀鸡"战斗队，本人就是该战斗队的头。我曾经三次带人在黑夹道里埋伏短他，都没短到。凤师傅干过侦察兵，相当机警,看见黑地里有人影就不过来。第四次我们用弹弓把他家的玻璃打坏了几块,黑更半夜的他也没敢追出来。经过此事,司机班的人再不敢揍矿院的孩子。

关于龟头血肿,我们矿院的孩子也讨论过,得到的结论是,李先生所论,完全不对。我们的看法是:世界上的人分两种,龟头血肿之人和龟头不肿之人。你要龟头不肿的人理解血肿之痛,那是完全不可能的。唯一的办法是照他裆下猛踢一脚,让他也肿起来。

有关李先生龟头血肿的事还可以补充如下:那些日子里北京上空充满了阴霾,像一口冻结了的粘痰,终日不散。矿院死了好几个人,除贺先生跳楼,还有上吊的,服毒的,拿剪子把自己扎死的,叫人目不暇接。李先生的事,只是好笑而已,算不了大事情。

三

流年似水,有的事情一下子过去了,有的事情很久也过不去。除了李先生龟头血肿,还有贺先生跳楼而死的事。其实贺先生是贺先生,和我毫无关系。但是他死掉的事嵌在我脑子里,不把这事情搞个明白,我的生活也理不出个头绪。

贺先生死之前,被关在实验楼里。据我爸爸说,贺先生虽然不显老,却是个前辈。就是在我爸的老师面前,也是个前辈。到"文化革命"前,他虽还没退休,却已不管事了。用他自己的话来说就是:"我一辈子的事都已做完,剩下的事就是再活几年。"我爸爸还说,贺先生虽然是前辈,却一点不显老,尤其是他的脑子。偶尔问他点事,说得头头是道,而且说完了就是说完了,一句多余的话也没有。据此我爸爸曾预言他能活到很多当时五十岁的人后面。他被捉进去,是因为当过很大的官。然后他就从五楼上跳下来了。

　　贺先生从楼上跳下时，许由正好从楼下经过。贺先生还和许由说了几句话，所以他不是一下就跳下来的。后来我盘问了许由不下十次，问贺先生说了什么，怎么说的等等。许由这笨蛋只记得贺先生说了："小孩，走开！"

　　"然后呢？"

　　"然后就是砰的一下，好像摔了个西瓜！"

　　再问十遍，也是小孩走开和摔了西瓜，我真想揍他一顿。

　　在我年轻时，死亡是我思考的主题。贺先生是我见过的第一个死人。我想在他身上了解什么是死亡，就如后来想在陈清扬身上了解什么是女人一样。不幸的是，这两个目标选得都不那么好。就以贺先生来说，在他死掉之前，我就没和他说过话。而许由这家伙又被吓坏了，什么都忘记了。你怎能相信，一个存心要死的人，给世界留下最后的话仅仅是"小孩走开"呢？

　　贺先生后来的事我都看见了。他脑袋撞在水泥地上，脑浆子洒了一世界，以他头颅着地点为轴，五米半径内到处是一堆堆一撮撮活像新鲜猪肺的物质。不但地上有，还有一些溅到了墙上和一楼的窗上。这种死法强烈无比，所以我不信他除小孩走开之外没说别的。

　　贺先生死后好久，他坠楼的地方还留下了一摊摊的污迹。原来人脑中有大量的油脂。贺先生是个算无遗策的人(我和他下过棋，对此深有体会)，他一定料到了死后会出这样的事。一个人宁可叫自己思想的器官混入别人鞋底的微尘，这种气魄实出我想象之外。

　　虽然贺先生死时还蒙有不白之冤，但在他生前死后，我从没对他有过不敬之心。相反，我对他无限崇拜，无限热爱。不管别人怎么说他(反动学术权威，国民党官僚等等)，都不能动摇我的敬爱之心。在我心中，他永远是那个造成了万人空巷争睹围观的伟大场面的人。

四

前面提到李先生说过，取道香港来参加革命工作是个错误，这可不是因为后来龟头血肿起了后悔。起码他没对我说过不革命的话。他说的是不该走香港。在港时他遇上了一伙托派，在一起混了一些时日，后来还通信。到了后来清理阶级队伍，把他揭了出来。

李先生的托派嘴脸暴露后，我和线条在小礼堂见过他挨打。那一回人家把他的头发剃光，在他头上举行了打大包的比赛，打到兴浓时还说，龟头血肿这回可叫名副其实。线条就在那回爱上了他。23年前，线条是个黄毛丫头，连睫毛都发黄，身材很单薄，腰细得几乎可以一把抓，两个小小的乳房，就如花蕾，在胸前时隐时现。现在基本还是这样，所不同的是显得憔悴疲惫。她是我所认识的最疯最胆大的女人，尽管如此，我也没料到她会嫁龟头血肿。

现在应该说到李先生挨打的情形。那个小礼堂可容四五百人，摆满了板条钉成的椅子，我们数十名旁观者，都爬在椅子上看。李先生和参赛选手数人在舞台上，还有人把大灯打开了，说是要造造气氛。李先生刮了个大秃瓢，才显出他的头型古怪：顶上有尖，脑后有反骨，反骨下那条沟相当之深。这种头剃头师傅也不一定能剃好，何况在场的没有一个是剃头出身，所以也就是剃个大概，到处是青黑的头发楂。我在乡下，有一回和几个知青偷宰一口猪，最后就是弄成了这个样子。我和线条赶到时，他头上的包已经不少了，有的青，有的紫，有的破了皮，流出少许血来。但是还没赛出头绪，因为他们不是赛谁打的包大，而是赛谁打出的包圆。李先生头上的包有些是条状，有些是阿米巴状，最好也是椭圆，离决出胜负还差得远。李先生伸着脖子，皱着眉，脸上的表情半似哭，半似笑，半闭着眼，就如老僧入定。好几个人上去试过，他都似浑然不觉。直到那位曾令他龟头血肿的凤师傅出场，他才睁开眼来。只见凤师傅屈右手中指如风眼状，照他的秃头上就凿，剥剥剥，若干又圆又亮的疙瘩应声而起。李先生不禁朗声赞道：还是这个拳厉害！

线条后来对我说：那回李先生在台上挨打，那副无可奈何的样子真可爱！对此我倒不意外。李先生那样子，和 E.T. 差不多。既然有人说 E.T. 可爱，龟头血肿可爱也不足怪。线条还说，有一种感觉钻进心里来，几乎令她疯狂。她很想奔上前去，把他抱在怀里，用纤纤小手把那些大包抚平。这我也不意外，她经常是疯狂的。真正使人意外的是她居然真的嫁给了龟头血肿。

我也爱过李先生。在我看来，一个人任凭老大栗凿在头上剥剥地敲，脸不变色眉不皱，乃是英雄行为。何况在此之前，他曾不顾恶名，愤起为自己的龟头论战。虽然想法有点迂，倒也不失为一条好汉。所以当他被关在小黑屋里时，我曾飞檐走壁给他送去了馒头。线条说，要给李先生以鼓励，我也不反对。她给他的条子，都是我送去的。那上面写着："龟头血肿，坚持住！我爱你！"我想，哥们儿，你活着不容易。让我婆子爱爱你也无所谓。谁知到后来弄假成真，线条真成了龟头夫人！

五

那年贺先生从楼上跳下来，在地上抽了几下就不动了。然后不久，警察来验尸，把贺先生就地剥光。那时我站在人群的前列，脚下如穿了钉鞋，结结实实扎下了根，谁也挤不动。因此我就近目睹了验尸的全过程。等把贺先生验完，他已经硬了，因此剥下的衣服也穿不回去。警察同志们把裤子草草给他套到屁股上，把衣服盖在他身上，就把他搭上了车运走了。验尸中也没发现什么，只发现他屁股上有一片紫印。有位年轻的警察顺嘴说：他死了！当时我觉得简直废话。"他"当然死了，你没看见他脑子都出来了吗?然后马上想到这可能是术语。回去一查辞书,果然是的。那位小警察也没什么证据说是他死了,只不过那么多人瞪着眼看着,屁股上那么一大片淤伤,又黑又紫,不说点啥不好。最后结论当然是自杀。其实打在屁股上,不伤筋骨不害命,还是相当人道的。后来和贺先生关在一起的刘老先生出来,别人问他是谁打的,他也说不太清楚,因为谁想起来都去打两下,只单单把凤师傅点了出来,倒不说他打得狠,只说他戴黑皮手套,拎根橡皮管子,一边打一边摸,弄得人怪不好意思。

后来家属据此要告凤师傅,但是刘老先生已经中风死掉了,死无对证。贺先生死的情形就是这样,对此我有一个结论,觉得犯不上和凤师傅为难,因为不管怎么说,他也不是个大坏蛋。闹了一回红卫兵,他干这点坏事,不算多。闹纳粹时,德国人杀得犹太人几乎灭了种。要照这么算,凤师傅只打屁股,还该得颗人道主义的奖章。问题不在这里。问题也不在贺家大多数人身上。贺老妈妈七十多,又是小脚,只想到告状,不能怪她缺少想象力。贺家大公子五十多岁,也不能怪他没想象力。贺家小公子,和我同年,叫做贺旗。原来在院里生龙活虎,也是一条好汉。我真不知他是怎么了。

六

下乡时,线条没跟我去云南插队。她跟父母下了干校,其实是瞄着李先生而去。当然他们的情形不一样,下干校时,线条是家属,爱干不干,十分轻松。而李先生是托派分子,什么活都得干。后来不说他是托派了,干校是工人师傅主事,又觉得这龟头血肿不顺眼,继续修理。当地农村之活计有所谓四大累之说,乃是:

打井,脱坯,拔麦子,操屄。

除了最后一项,他哪一样都干过。再加上挑屎挑尿,开挖土

126

方,泥瓦匠,木匠小工;初春挖河,盛夏看青。晚上守夜,被偷东西的老农民揍得不善。幸亏是吃牛肉长大的,身体底子好,加之年龄尚轻,不到三十岁;要不线条准是望门寡。

现在系里的人说起李先生,对他下干校时的表现都十分佩服。说他一个海外长大的知识分子,能受得了这些真不容易。更难得的是任劳任怨,对国家、对党毫无怨言,真是好同志,应该发展他入党。但是李先生说,他背着龟头血肿的恶名,恐怕给党抹黑——还是等等吧。

线条说,李先生那时的表现真是有趣极了。叫他干啥就干啥,脸上还老带着被人打包时的傻笑。她觉得龟头血肿这大 E. T.简直是好玩死了。要不是干校里耳目众多,她早就和他搞起来了。

后来李先生自己对我说:"老弟,我们是校友,同行,又是同事,当年你还给我送过馒头,这关系非比寻常。所以,告诉你实话不妨。在干校的时候,我正在发懵懂,觉得自己着了别人的道儿。像我这样学科学方法的人,也有这种念头,实在叫人难以置信。但是想到我在大陆遇到的这些事,又是血肿,又是托派,又是满头大包,实在比迷信还古怪。还有一件更古怪的事:每天下工以后,床上必有一张纸条。所以我宁愿相信自己是得罪了人,正在受捉弄。第一个可疑分子就是我大学时同宿舍的印度师兄。有一回我嫌他在房间里点神香,就钻到厕所里弄点声音给他听,一连扳了七八下抽水马桶。这下把他得罪了,他就叫我做起噩梦来,一梦三年不得醒转。既然碰上了这样的非自然力,还是乖乖屈服为好,免得吃更大的苦头。"李先生在干校里的事就是这样。

李先生在下干校时,我在云南插队,认识了陈清扬,不再把线条放在心上,但是有时还想到贺先生的事。我想出了贺先生为什么临死时要叫小孩走开,这是因为在他死时,不喜欢有人看。

"文化革命"前，矿院有个俱乐部，夏天的晚上，从8点到11点，一直亮着灯，备有扑克、象棋等等。那里有吊扇，沙发上还铺了花边，既凉快，又宽敞。每天晚上我都到那里去下棋。有一天人家告诉贺先生说，王二的棋非常厉害。贺先生头发油黑（是染的），指甲修过，声音浑厚，非常体面。他的棋也好，却下不过我。但是他常来找我下棋，输了也不以为羞。

贺先生死时，头发半截黑半截白，非常难看。两只手别在后面，脖子窝着，姿势不自然。总的来说，他死时像个土拨鼠。贺先生肯定预见到自己死后的样子不好，所以不想让人看见。

贺先生的尸体被收走后，脑子还在地上。警察对矿院的人说："这些东西你们自己来处理。"矿院的人想了想说："那就让家属来处理好啦。"留下几个人看尸体，别人一哄而散。等到天色昏暗，家属还不来，那几个人就发了火，说道："爱来不来，咱们也走，留下这些东西喂乌鸦。"天将黑时起了风，冷得很。

在云南时，我又想起了贺先生的另一件事。验尸时看见，贺先生那杆大枪又粗又长，完全竖起来了。假如在做爱前想起这件事，就会欲念全消，一点不想干。

七

我在美国时，常见到李先生的印度师兄。他是我的系主任，又是我的导师。所以严格地讲，他既是我师父，李先生就是我师叔，线条就是我师婶。我和李先生称兄道弟，已是乱了辈分，何况我还对李先生说：线条原该是我老婆。不过在美国可不讲究这个。我早把导师的名字忘了，而且从来就没记住。他的名字着实难念，第一次去见他，我在他办公室外看了半天牌子，然后进去说："老师，您的名字我会拼了，能教教我怎么念吗？"每回去见他，都要请他教我念名字，到现在也不会念。好在我根本不认他是我师父——这样线条也不是我的师婶。

我不认这位印度师父，还因为他实在古怪，和你说着话，忽然就会入定，叫也叫不醒。上课时讲科学，下了课聚一帮老美念喇嘛教的经，还老让别人摸他的脑袋，因为达赖喇嘛给他摩过顶。虽然这么胡闹，学校还是拿他当宝贝。这是因为人家出过有名的书。照我看他书出得越多，就越可疑。李先生疑他和龟头血肿有关系，不是没有道理。

李先生告诉我说，他在大陆的遭遇，最叫人大惑不解的是在干校挨老农民的打。当时人家叫他去守夜，特别关照说，附近的农民老来偷粪，如果遇上了，一定要扭住，看看谁在干这不屑而获的事。李先生坚决执行，结果在腰上挨了一扁担，几乎打瘫痪了。事后想起来，这件事好不古怪。堂堂一个 doctor，居然会为了争东西和人打起来，而这些东西居然是些屎，shit！回到大陆来，保卫东，保卫西，最后保卫大粪。"如果这不是做噩梦，那我一定是屎壳郎转世了！"

八

后来我离开了云南，到京郊插队，这时还是经常想起贺先生。他刚死的时候，我们一帮孩子在食堂背后煤堆上聚了几回，讨论贺先生直了的事。有人认为，贺先生是直了以后跳下来的；有人认为，他是在半空中直的；还有人认为，他是脑袋撞地撞直了的。我持第二种意见。

我以为贺先生在半空中，一定感到自己像一颗飞机上落下来的炸弹。耳畔风声呼呼，地面逐渐接近，心脏狂跳不止，那落地的"砰"的一声，已经在心里响过了。贺先生既然要死，那么他一定把一切都想过了。他一定能体会到死亡的惨烈，也一定能体会死去时那种空前绝后的快感。

我在京郊插队时，我们家从干校回来过一次。和贺先生关过一个小屋的刘老先生也从干校回来，住在我家隔壁。我问刘老先生,贺先生有何遗言。刘老先生说:"贺先生死时我不在呀,上厕所去了。要是在,还不拉住他?"到了贺先生跳下去以后,脑子都撞了出来,当然也不可能有任何遗言。故而贺先生死前在想些什么后来就无法考证,也就没法知道,他为什么直了。

贺先生死那天晚上,半夜两点钟,我又从床上起来,到贺先生死掉的地方去。我知道我们院里有很多野猫,常在夏夜里叫春,老松树上还常落着些乌鸦,常在黄昏时哇哇地叫,所以我想,这时肯定有些动物在享用贺先生的脑子。想到这些事我就睡不着,睡不着就要手淫,手淫伤身体。所以我走了出去。转过了一个楼角,到了那个地方,看到一幅景象几乎把我的苦胆吓破。只见地上星星点点,点了几十支蜡烛。蜡烛光摇摇晃晃,照着几十个粉笔圈,粉笔圈里是那些脑子,也摇摇晃晃的,好像要跑出来。在烛光一侧,蹲着一个巨大的身影,这整个场面好像是有人在行巫术,要把贺先生救活,后来别人说王二胆子大,都是二三十岁以后的事。17岁时胆力未坚,遭这一吓,差点转身就跑。

我之所以没有跑掉,是因为听见有人说:"小同学,你要过路吗?过来吧。小心一点,别踩了。"我仔细一看,蜡烛光摇晃,是风吹的;对面的人影大,是烛光从底下照的。粉笔圈是白天警察照相画的。贺先生的脑子一点也没动。因此我胆子也大了,慢慢走过去。对面的人有四十多岁,是贺先生的大儿子。他不住院里,有点面生,但是认识。他披了一件棉大衣,脚下放了一只手提包,敞着拉锁。包里全是蜡烛。我问他:"白天怎么没看见你?"他不说话,掏出烟来吸。手哆里哆嗦,点不着火。我接过火柴,给他点上了烟。然后在他身边蹲下,说:"我和贺先生下过棋。"他还是不说话。后来我说:"已经验过尸啦。"他忽然说道:"小同学,你不知道。根本没验过。根本没仔细验过。"说着说着忽然噎住。然后他说:"小同学,你走吧。"

我慢慢走回家去,那天夜里没有月亮,但有星光。对于我这样在那些年里走惯夜路的人来说,这点亮足够了。我在想,贺先生家里的人到底想怎样?反正贺先生死了,再也活不了。但是想到贺先生家里那些人,我就觉得很伤心。

贺先生的儿女们在寒风里看守着那些脑浆,没有人答理他们,那些脑浆逐渐干瘪下去。到后来收拾的时候,有一些已经板结了。所以后来贺先生的脑子有很大一部分永久地附着在水泥地上了。告诉我贺先生遗言的刘老先生也死了。在刘老先生生前,我对他没有一点好印象。这老头子在棋盘上老悔棋,明明下不过,却死不认输。我不乐意说死人坏话,但我不说出来,别人怎能知道呢?他嘴极臭,正对着人说话时,谁也受不了。

有关贺先生直了的事,我还有一点补充。不管他是在什么时候直了的,都只说明一件事:在贺先生身上,还有很多的生命力。别的什么都不说明。

九

流年似水,转眼到了不惑之年。我和大家一样,对周围的事逐渐司空见惯。过去的事过去了,未过去的事也不能叫我惊讶。只有李先生龟头血肿和贺先生的事,至今不能忘。

那一年冬天,北京没一个好天,看不见太阳。那时候矿院是个一公里见方的大院子,其中三分之二的地方是松树林。那时候有好多人(革命师生,革命职工)从四面八方来到矿院,吃了窝窝头找不到厕所,在松林里屙野屎,屙出的屎橛子粗得吓死人。那时候,矿院的墙上大字报层层板结,贴到一尺厚,然后轰的一声巨响,塌下一层来。许由的奶奶活了78岁,碰上脑后塌大字报,被这种声音吓死啦。那时矿院里有好多高音喇叭,日日夜夜响个不停。后来我们的同龄人都学不好英文:耳朵不好,听不见清辅音。那时候烂纸特多,有很多捡烂纸的孩子,驾着自制的小车,在马路上做优美之滑行。那时有很多疯子被放出来,并且受到崇拜。那时我刚过了有志之年，瞪大了眼睛，把一切都看在眼里。

如果我要把这一切写出来，就要用史笔。我现在还没有这种笔。所以我叙述我的似水流年，就只能谈谈龟头血肿和贺先生跳楼，这两件事都没在我身上发生(真是万幸)，但也和我大有关系。

在结束这个话题之前，谈一点别的事情。我和许由造炸药，落到了保卫组手里，当时我身上有一篇小说的手稿，是我和我们院里的小秀才鸡头合著。王二署名不执笔，执笔的是鸡头。他犯了大错误，写小说用了真名。里面谈到了矿院诸好汉的名次，还提到了我们的各种丰功伟绩，飞檐走壁，抛砖打瓦之类。最不该的是把我砸凤师傅窗子的事都写上了，而后来我正是落到了凤师傅的手里，他把我的腰都打坏了。这件事情告诉我们：写小说不可以用真名，尤其是小说里的正面人物。所以在本书里，没有一个名字是真的。小转铃可能不是小转铃，她是永乐大钟。王二不是王二，他是李麻子。矿院不是矿院，它是中山医学院。线条也不是线条，她是大麻包。李先生后来去的地方，也可能不是安阳，而是中国的另一个地方。人名不真，地点不真，唯一真实的是我写到的事。不管是龟头血肿还是贺先生跳楼，都是真的，我编这种事干什么？

十

1972 年底李先生被发到河南安阳小煤窑当会计。河南的冬天漫天的风沙，水沟里流着黑色的水，水边结着白色的冰。往沟里看时，会发现沟底灰色的沙砾中混有黑色的小方块。这些小方块就是煤。水是从地下流出来的，地下有煤，所以带出了这种东西。一阵狂风过去之后，背风的地方积下了尘埃。在尘埃的面上，罩着黑色的细粉。这件事也合乎道理，因为风从铁路边上

早上他从宿舍到会计室去，路上见到了这些，觉得一切井然有序，不像在梦里。

煤场吹过来，就会把粉煤吹起来。早上他从宿舍到会计室去，路上见到了这些，觉得一切井然有序，不像在梦里。

李先生那个时候对一切都持将信将疑的态度。

李先生到会计室上班时，头上总戴一顶软塌塌的毡帽。这种帽子的帽边可以放下来，罩住整个面部，使头部完全暖和起来。这种感觉是好的。李先生喜欢，乐意，并且渴望一天到晚用毡帽罩住头部。因为河南冬天太冷，煤矿又在山上。虽然有煤烧，但是房子盖得不好，漏风，所以屋里也冷。但是科长看见他在屋里戴着毡帽，就会勃然大怒："你别弄这个鬼样子吓我好不好？"说着就会把他头上的帽子一把揪下来。这件事完全不合道理。

李先生去上班，身上穿蓝色大衣。这衣服非常大，不花钱就拿到了。这件事非常之好，虽然不合道理。给他这件大衣的是矿上的劳资科长，一个广东人。李先生见了他备感亲切，这是因为李先生所会的三种语言中，广东话仅次于英语。他就想和他讲粤语。劳资科长说："你这个'同机'不要和我讲广东话啦，别人会以为我们在骂他啦。"这非常合理，在美国也是这样子的。不能在老美面前讲中国话。广东科长给了他这件大衣，说是劳保。李先生问，何谓劳保？广东科长说："劳保就系国家对你的关怀啦。"这个话不大明白，李先生也不深问。劳保里还有些怪东西，橡胶雨衣、半胶手套、防尘口罩等等。李先生问了一句："我不下井，发我这些干什么？"旁边有个人就猛翻白眼说："想下井？容易！"李先生赶紧不言语了。在干校学习了两年，到底学会了一点东西。

李先生上班时也穿着这件大衣不脱。科长苦着脸看他，直到李先生被看毛了才说："很冷吗，你这么捂着？真的很冷？"遇到这种情形，李先生也不答话，只是走到窗前，仔细看看温度表。看完后心里有了底，就走回来坐下来。科长也跟着走过去，看看温度表，说道："15度。我还以为咱们屋是冷库呢！"

　　李先生知道,放蔬菜的冷库就是 15 度,谁说不冷? 但是他不说。在噩梦里,说什么就有什么。假如把这话说了出来,周围马上变成冷库,自己马上变成一棵洋葱也不一定。在干校里已经学会了很多,比如上厕所捏着鼻子,下午一定会被派挑屎,臭到半死。科长说 15 度不冷,李先生已有十分的把握——假如一时不察,顺嘴说出不满的话,大祸必随之而至。李先生暗想:"这肯定是我的印度师兄想把我变成洋葱!"

　　在 1973 年,李先生对他的印度师兄的把戏已谙然于胸,那就是说什么来什么,灵验无比。这个游戏的基本规则就是人家叫你干啥,不要拒绝;遇上不舒服不好受的事应该忍受,不要抱怨。只要严守这两条,师兄也莫奈他何。

　　李先生上班时脚上穿双大毛窝。他不适应北方气候,年年长冻疮。以前在美国,天也有冷的时候,那时不长冻疮。毫无疑问,这必是印度师兄搞的鬼。李先生认为,印度师兄这一手不漂亮。别的事印度人搞得很漂亮。比方说,龟头血肿,一个极可笑的恶作剧。满头起大包也想得好。有些地方师兄的想象力叫人叹为观止,包括叫他流落到河南安阳,中国肯定没有这么个地方。但是地名想得好:安阳。多像中国的地名啊! 我要是个印度人,准想不出这么个地名来。但是长冻疮不好,一点不像真的。将来见了我也不好解释。别的事都是开玩笑,出于幽默感,冻疮里没有幽默感,只有恶意。

　　李先生并不是死心塌地地相信眼前是一个噩梦或是印度人的骗局。那天早上到会计室上班,顶着很大的风。风里夹着沙粒,带来粗粝的感觉。说印度人能想出这样的感觉,实在叫人难以置信。风从电线、树枝、草丛上刮过,发出不同的声音。如果说,这声音是印度人想出的,也叫人不敢信。人类在一个时间只能想一件事,不可能同时造出好几种声音。如果说,这一切都是印度人的安排,那么也是借助了自然的力量。这就是说,眼前的一切,既有真实的成分,也有虚构的成分。困难的是如何辨认,哪一些是虚构,哪一些是真实。

那天早上李先生到会计室上班,科长不在,他有如释重负之感。那个科长非常古板,一天到晚地找麻烦。李先生不会打算盘,要算时总是心算。他的心算速度非常之快,而且从不出错。但是科长不但强迫他把算盘放在桌上,而且强迫他在算账时不停地拨算盘珠。所以他见到科长不在,就赶快把算盘收起来,他一见到这东西就要发疯。

如果算盘放在他面前,李先生就忍不住琢磨,这个东西到底有什么用处。在他看来,那东西好像是佛珠一类的东西,算账时要不停地捻动,以示郑重。但是这佛珠的样子,真是太他妈的复杂了,简直不是人想出来的。然后他把脚跷在桌上,舒舒服服地坐着,把今天早上的所见仔细盘算一番。他觉得只要科长不在,别的人也不在,只有他一个人的时候,一切都比较贴近于自然。而当他们出现时,一切都好像出于印度师兄的安排。这种安排只有一个目的,就是要把他逼疯。其实他也没干什么坏事,不过是多扳了几下抽水马桶而已。为了这点小事把他灭掉,这印度人也太黑了!

李先生后来说,他觉得那时候自己快发疯了。一方面,他不脱科学方法论的积习,努力辨认眼前的事,前因如何,后果如何,如何发生,如何结束,尽量给出一个与印度师兄无关的解释。另一方面,不管他怎么努力,最后总要想到印度人身上去。到了这时,就觉得要发疯:"想想看,我们俩同窗数年,感情不错,他竟如此害我!"唯一能防止他疯掉的,是他经常在心里长叹一声说:唉!姑妄听之吧。然后就什么也不想了。

那天早上有人到会计室来,告诉李先生,山下有人找。李先生锁上门,往山下走,老远看见矿机关那片白房子。当时他精神比较好,又恢复了格物致知的老毛病,想到:

这片房子在山的阳面,气候较好。比较干燥,冬天也暖和。而且是在山下,从外面回来不必爬山。把全矿的党、政、工、团放在那里,十分适宜。而全矿的大部分房子都在上面一条山沟里,又黑又潮,这也合乎道理,因为坑口在山沟里。你总不能让工人爬四百级台阶上来上班,这样到了工作现场(掌子面),累得上气不接下气,就不能干活了。所以这一个矿分了两个地方,是合乎情理,并不可疑。

山下的房子雪白的墙面,灰色的瓦面,很好看,这也合乎道理。因为那是全矿的门面嘛。但是走近了一看,就不是那么好。雪白的只是面上的一层灰。灰面剥落之处,裸露出墙的本体,是黄泥的大块(土坯——王二注)。仰头一看,屋檐下的椽子都没上漆,因为风化之故,木头发黑。窗上玻璃有些是两片乃至三片拼出来的,门窗上涂的漆很薄,连木纹都遮不住。这也不难解释,矿上的经济状况不是太好。

有关矿上的经济情况,矿长知道得应该是最多。他说:"同志们,要注意勤俭节约。我们是地方国营嘛。"地方国营是什么,相当难猜,但也不是毫无头绪。在一些香烟和火柴盒上,常见这字样。凡有了这四个字的,质量就不好,价格也不贵。在美国也是这样,大的有名的公司,商品品质好,卖得也贵;小的没名的公司,东西便宜,货也不好。在超级市场里有些货是白牌,大概也是地方国营。可以想见地方国营的煤矿,经济上不会宽裕,办公的房子也就很平常。

就是不知道地方国营是什么意思,李先生也能猜出矿的经济状况。井下还是打钎子放炮,有两辆电瓶车,三天两头坏。坏时李先生就不当会计,去帮着修电瓶车。李先生说:"我可不会修电瓶。"可是人家说:"管你会不会,反正你是矿院下来的,没吃过猪肉,总见过猪跑吧。在一边蹲着,出出主意。"这是因为电瓶车坏了,井下的煤就得用人力推出来。要是大电机坏了,连医务室的大夫也得到一边蹲着去。她百无聊赖,就给大家听听肺。试想一个矿,雇不起工程师,把会计和医生拉去修电机,这是何等的困境。矿里还有三台汽车,有一台肯定在美国的工业博物馆里见过。这件事想不得,一想就想到印度师兄身上去。

李先生走到矿上会议室门前时,精神相当稳定,这是因为早上格物致知大获成功。像这样下去,他的心理很快就会正常,不再是傻头傻脑的样子。假如是这样,线条见他不像 E.T.,也许就不会喜欢他。不喜欢就不会嫁,这样现在我可能还有机会娶她为妻。然而岁月如流,一切都已发生过了。发生过的事再也没有改变的余地。

十一

李先生走进会议室,这是一间大房子,里面有好大一个方桌。桌边上坐着两个人。一位是副矿长。另一位是个女孩子,穿件军大衣,敞着衣扣;里面穿着蓝制服,领口露出一截鲜红的毛衣。她的皮肤很白,桃形脸,眼睛水汪汪;嘴巴很小,嘴唇很红,长得很漂亮。这件事不难理解:矿上来了个漂亮女孩子,说是来找人,副矿长出来陪着坐坐,有什么不合理的?但是她来找我干吗?仔细一看,这姑娘是认识的。在矿院,在干校都见过。但是不知她叫什么名字。那女孩抬头看见李先生,就清脆地叫了一声:"舅舅!"李先生就犯起晕来:怎么? 我是她舅舅? 我没有姐妹,甥从何来?副矿长说:"你们舅甥见面,我就不打搅了。"李先生心想:你也说我是她舅舅? 线条(这女孩就是线条。这两人以舅娶甥,真禽兽也! ——王二注)说:"叔叔再见。"等他出了门,李先生就问:"我真是你舅舅?"线条出手如电,在他臂上狠拧了一把,说:"我操你妈! 你充什么大辈呀你! 我是线条呀!"李先生想:外甥女操舅舅的妈,岂不是要冒犯外祖母吗? 姑妄听之吧。

然而线条这个名字却不陌生。在干校时,每天收工回来,枕头下面都有一张署名线条的纸条子。这是线条趁大家出工时溜进去塞的,以表示她对李先生的爱慕之心。有的写得很一般:

139

龟头血肿,我爱你! ——线条。

有的写得很正规:

亲爱的龟头血肿:你好!
我爱你。
此致
无产阶级文化大革命的敬礼!
线条

有的写得很缠绵:

我亲爱的大龟头:我很想你。你也想我吗? ——线条。

有的写得极简约,几乎不可解:

龟.血:爱。条。

李先生见了这些条子,更觉得自己在做梦。

对于线条的为人,除了前面的叙述,还有一点补充。此人什么话都敢说,"文化革命"里,除了操,还常说一个字,与逼迫的逼字同音不同形。当了教授太太后,脏字没有了,也只是不说中文脏字。现在在我院英语教研室工作。有一回给部里办的出国速成班上课,管学生(其实是个挺大的官)叫 silly cunt。那一回院里给她记了一过。还叫她写检查。她检讨道:"我是怕他出国后吃亏,故此先教他记着。该同志出国后,准有人叫他 silly cunt,因为他的确是个 silly cunt!"院长看了这份检查,也没说什么。大概也是想：姑妄听之吧。

线条说，在干校时她已爱上了李先生，但是没有机会和他接近。后来李先生被分配到了河南，她就尾随而去。当然，这么做并不容易，但正如她自己所说，有志者事竟成。她靠她爸爸的老关系到安阳当了护士，然后打听到龟头血肿的所在地，然后把自己送上门去。这一切她都做了周密的计划，包括管李先生叫舅舅。最后他们俩终于到了一个没人的地方，这是在矿山的小山沟里。这也是计划中的事。她突然对准龟头血肿说："我要和你好！"这是计划中关键的一步。说完了她抬起头来，看李先生的脸。这时她发现李先生的表现完全在意料之外：他把眼闭上了。这时她开始忐忑不安：龟头血肿这家伙，他不至于不要我吧？

李先生说，他琢磨了好半天，觉得此事是个圈套。这十之八九是印度师兄的安排。怎么忽然跳出个漂亮女孩子来，说她要跟我好？他琢磨了好半天，决定还是问问明白。于是他睁开眼睛，说道："什么意思？"问得线条很不好意思，很难受。她发了半天的窘才说："什么意思？做你老婆呗。"

不少人听说我会写小说，就找上门来，述说自己的爱情故事。在他们看来，自己的爱情可以写入小说，甚至载入史册。对此我是来者不拒。不过当我把这些故事写入小说时，全是用男性第一人称。一方面驾轻就熟，另一方面我也过过干瘾。但是写李先生的爱情故事我不用第一人称，因为它是我的伤心之事。线条原该是我老婆的，可她成了龟头血肿夫人！

线条说了"做你老婆呗"，心里忽然一动。说实在的，以前她可没想过要做龟头血肿夫人。她想的不过是要和李先生玩一玩，甚至是要要要李先生。可是李先生说你可要慎重时，她就动了火，说："就是要做你老婆！你以为我不敢吗！"因此悲剧就发生了。李先生又说："这事可不是开玩笑。"线条就说："我真想抽你一嘴巴。"李先生就想：姑且由之吧。

后来李先生说:"在我这一方面,当然不会发生问题。"别的没有说。线条则凶巴巴地说:"我这一方面更不会发生问题。"忽然她惊叫起来:"不得了,十一点半了。我得去赶汽车。"原来从安阳来的就是这一班车。早上开过去,中午十二点开回来。如果误了,等两天才有下一班。她赶紧告诉李先生怎么去找她,还告诉他去时别忘了说,他是她舅舅。说完了这些话,就跑步去赶车。为了跑得快一点,还把大衣脱下来,叫李先生拿着。线条就这么跑掉了。如果不是这件大衣,什么事都不会发生。因为李先生觉得忽然跳出一个大姑娘要做他老婆,恐怕是个白日梦。他对世界上是否存在线条都有怀疑。在这种情况下,他不敢冒险跑到安阳去。假如坐了三个多钟头的长途车到了安阳,结果发现是印度师兄的恶作剧,他就难免要撒癔症。有了这大衣就有了某种保证,使他敢到安阳去。找到线条固然好,找不到线条也不坏,可以把大衣据为己有。

李先生说到当日的情形时指出,那个自称要做他老婆的小姑娘,和他说了没几句,就忽然不见了。等他跑出山沟,只见一个人影正以极快的速度向公路绝尘而去,而远处的公路上一辆客车正在开来。过了一秒钟,就起了一阵风沙,什么都看不见(李先生高度近视,戴两个瓶子底——王二注);再过一秒钟,风沙散去,连人带车什么都没了。这些事活脱脱像白日见鬼。那时他不知道线条是四八百、一千五的好手,而且她还有骤然开始飞奔的暴走症。关于前一点,不但有她过去历年在中学生运动会上的成绩为证,而且可以从体形上看出来。她的体形不像黄人,也不像白人,甚至不像黑人,只像电视里体育节目中奔在长跑跑道前面的那种人。假如晚生 20 年,人家绝不会容她跑到河南去胡闹,而是把她撵到运动场上去,让她拿金牌升国旗——这些事比龟头血肿重要。

关于后一点,虽然暴走症是我杜撰的,但线条的确因为在我们院里滥用轻功,引起了很大议论。现在她已经是 40 岁的女人,正是老来俏的时候,她却不穿高跟鞋。夏天她穿不住运动鞋,就穿软底的凉鞋。头发剪得不能再短,不戴任何首饰(首饰不但影响速度,而且容易跑丢了,造成损失——王二注)。在学校的草坪上和人聊天,忽然发现上课的时间已到,于是她把绸上衣的下襟系在腰间,把西装裙反卷上来,露出黑色真丝三角裤,还有又细又长肌肉坚实绝不似半老徐娘所有的两条腿,开始狂奔。中国教员见了这副景象,个个脸色苍白。那些西装革履手提皮箱的外籍教员见了,却高叫道:李太太——fucking——good! 一个个把领带往后一掉,好像要上吊似的,就跟在后面跑起来。

在这一节里,我们说到了线条对李先生初吐情愫的情形,谈到了她把大衣放在李先生手里,跑步去追汽车。由此又谈到线条有暴走的毛病。夏天她暴走之时,两条玉腿完全出笼。这还不能完全说明问题,最能说明问题的是我俩一块儿去游泳。在这里要作些说明。她从水池里爬上来——在池沿上用双臂支撑——然后爬上岸。真正说明问题的是支撑那一瞬间。那一瞬间我看见的是由上到下流畅的线条,这些线条从 17 岁以来就没有变。如果仔细分辨,可以看出乳房大了一点。但这也是往好里变。线条那两个乳房,原来不够大。考虑到她是属于苗条快速的类型,还是嫌小;现在则无可挑剔了。我不能相信像她这样的女人会一辈子忠于龟头血肿,而且我们俩从 17 岁就相爱,居然没做过爱,这事实在不对。所以我就说:假如你想红杏出墙的话,可别忘了我呀。

十二

线条听了这话,愣了一下才说:"假如你的话只是称赞我美,那我很高兴,一定要请你吃一顿。到了 40 还能得到这样的赞美,真是过瘾。假如还有别的意思的话,我要抽你一个嘴巴。

当然,假如你不在意的话。要是你在意就不抽。二十多年的老友,可别为一个嘴巴翻脸。你到底是哪种意思?"我当然不想挨耳光,就说:"当然是头一种意思啰。不过我也想知道这是为什么。"她说:"不为什么,只不过是因为早就下了决心,除龟头血肿,一辈子不和别的男人睡觉。"

线条这家伙就是这样,干的事又疯又傻。她自己也知道自己的所作所为是发疯,但是依然要发疯。这是因为她觉得疯一点过瘾。这种借酒撒疯的事别人也描写过,比如老萧(萧伯纳——王二注)就写过这么一出,参见《卖花女》(又名《匹克梅梁》——王二注);卖花女伊丽莎白去找息金斯教授,求他收她为学生一场。在场人物除上述二人,还有一个老妈子别斯太太,一个辟克林上校。别斯太太心里明白,一个大学教授,收个没文化的卖花女当学生是发疯,而且是借酒撒疯。因为那姑娘虽然很脏,洗干净了准相当水灵。所以她对上校说:"先生,您别唆着我们东家借酒撒疯!"息金斯听了说道:"人生是做吗?!可不就是借酒撒疯吗?想撒疯还撒不起来哪!借酒撒疯,别斯太太,你可真哏!"

编辑先生会觉得这段话里错字特多。其实不然,那息金斯的特长是会讲各路乡谈,一高兴就讲起了天津话。题外的话说得太远了。我说的是线条的事,她一辈子都在借酒撒疯。

以下的事主要是线条告诉我的。她从煤矿回来,只过了两天,龟头血肿就跟踪而至,送还大衣。那天线条的同宿舍的舍友也在。不但在,而且那女孩还歇班。外面刮着极大的黄风,天地之间好似煮沸了的一锅小米粥一样。这种天气不好打发别人出去。何况已经说了,龟头血肿是她舅舅,来了舅舅就撵人出去,没这个道理。线条只好装成个甜甜的外甥女,给龟头血肿削苹果。然后带他去吃饭,到处对人介绍说:"我舅舅!"别人说:"不像。"线条就说:"我也不像我妈。"别人说:"太年轻。"线条说:"这是我小舅舅。"别人又说:"你怎么对舅舅一点不尊重?"线条说："我小舅在我家长大,小时候一块儿玩的。"到了没人的地方就对李先生瞪眼,说:"你刚才臭美什么? 你以为我真是你外甥女? "

到了下午李先生回矿, 线条送他出来时才有机会单独说话。线条叫他下礼拜天黑以后来,那一天同屋的上夜班。来的时候千万别叫人看见。然后她就回去等下星期天。李先生着实犹豫去不去,因为要想在晚上到安阳,只能坐火车,下车九点了。鬼才知道线条留不留他住。没有出差证明,住不上旅馆,在候车室蹲一夜可就糟了。李先生南国所生,最怕挨冻,要他在没生火的房子里待一夜,他宁可在盛暑时分挑一天大粪,而且他对这件事还是将信将疑。但是李先生还是来了。线条说起这件事,就扁扁她那张小嘴:"我们龟头对人可好啦。"

线条说,李先生和她好之前,保持了完全的童贞。男人的这种话,他一说你就一听,反正没有处女膜那回事。但是线条对此深信不疑。据李先生自己说,在和线条好之前,只和高一年的一位女同学 date 了几次,而且始终是规规矩矩的。这件事我在美国调查过,完全属实。我的这位师姑和我的老师不是本科的同学,也不是硕士班的同学。当时是 70 年代以前,试想一个美国女孩,假如不是长得没法看,怎么当上了理科的博士生?她又矮又肥,两人并肩坐时,还会放出肥人的屁来,可以结结实实臭死人。李先生说:"我也嫌她难看。但我怎么也不忍伤了一个女孩子的心,所以不能拒绝她。"

其实李先生是个情种,他对线条的忠诚是实,我不便加以诋毁。但是别的女人要是做出可怜的样子来勾引他,他就靠不住了。我知道他教的研究生班里,有个女孩子漂亮得出奇,也笨得出奇。考试不及格时哭得如雨打梨花。等到补考时,李先生对我说:"你给她辅导一下。"然后假装不经意,把题全告诉了我。我自己把它们做了出来,把答案给了那女孩,说:"背下来。假如再不及格,你就死吧。"她就这样考了 60 分。根据这个事实可以推导出,假如有个女人对李先生说:"你不和我性交我就死!"他一定把持不住。

李先生成为革命者也是因为他心软,不但见不得女人的眼泪,而且见不得别人的苦难。他老念格瓦拉的一句话:"我怎能在别人的苦难面前转过脸去?"他就这样上了师姑的钩。后来该师姑又哭着说:"你就是个黑人,我也不跟你吹。"怎奈黄的和白的配出来,真是太难看!其实黄白混血,只是很小时不好看。大了以后,个顶个地好看,就如皮光缩肚的西瓜,个个黑籽红瓤。师姑的说法以偏概全,强词夺理,李先生居然就信了,白闻了不少臭屁。现在该师姑在母校任教,嫁了个血统极杂的拉美人。生了一些孩子,全都奇形怪状。

现在要谈到线条与李先生幽会的事。为了保持故事的完整,本节的下余部分将完全是第三人称,没有任何插话。

李先生第二次到线条那里的日子,不但是星期天,而且是12月31日。那天刮起了大风。风把天吹黄了,屋里的灯光蓝荧荧。线条住的房子是一座石板顶的二层洋楼,原来相当体面,现在住得乱七八糟,有七八家人,还有女单身宿舍,所以就把房子改造了一下,除原有的大门外,又开了一个门,直通线条一楼住的房间,那房子相当大,窑洞式的窗子,在大风的冲击下,玻璃乒乒响。和她同屋的人上夜班,黄昏时分走了。

如前所述,线条住的房子很大,有三米来宽,八九米长。这大概是原来房主打台球的地方。整个安阳大概也只有这么一座够体面的洋房,但是原来的房主早就不在了。后来的房主也不知到了哪里。但是这间房子里堆着他们的东西,箱子柜子穿衣镜等等,占去了三分之二以上的地方,要不偌大的房子不会只住两个姑娘。屋子正中挂了一盏水银灯,就是城市里用来做路灯的那种东西,一般很少安在家里。这种灯太费电,而且太耀眼。但是在这里没有这些问题。因为这里是单身宿舍,烧的是公有的电;这里住了两个未婚姑娘,电工肯给她们安任何灯;丫头片子不怕晃眼。除了这些东西,就是两张铁管单人床。

傍晚时分线条就活跃起来。她打了两桶水放在角落里,又把床上的干净床单收起来,铺上一张待洗的床单。这是因为上次李先生来,在雪白的床单上一坐,就是一幅水墨荷叶。线条倒不在乎洗被单,主要的是,不能让人看出这房里来过人。故此她不但换了被单,而且换了枕巾。别人的床上也盖了一张脏被头。除此之外,她还换了一件脏上衣。这样布置,堪称万全。做完了这些事,她就坐下等待。天光刚刚完全消失(这间房子朝西,看得很清楚),大概是晚上八点。现在李先生刚下火车,正顶着大风朝这里行进。这段路平常要走 40 分钟,今天要一小时以上。线条站起来,走到窗前往外看。什么也看不见。她把窗帘仔细拉上了。

线条又回来,坐在床上等李先生。听着窗外的风声,她想到,李先生来一趟太不容易了。下回我到矿上去找他。但是这一回也不能让她安心。于是她在床下待洗的衣服堆里拣了一件脏衬衣,走到穿衣镜面前,透过上面的积尘,久久地看着自己。她拣了一块布,把镜子擦了擦,就在镜前脱起衣服来。在把那件脏衬衣穿上之前,她看着镜子说了一句话:"这么好的身体交给龟头血肿去玩,我是不是发了疯?"

晚上李先生走到线条门前时,他比她预见的要黑得多。这是因为李先生到火车站去,经过了煤场。当时正好有一阵旋风在那里肆虐。走过去以后,李先生的模样就和从井下刚出来时差不多了。然后他又从火车上下来,走了很远的路,几乎被冷风把耳朵割去。虽然人皆有好色之心,但是被冷风一吹,李先生的这种心就没了。他想的只是:我要是不去,那女孩子会伤心。

李先生当时不但黑,而且困得要死。时近年底,矿上挖出的煤却不多,还不到任务的三分之一。所以矿上组织了会战,把所有的人都撵下井去,一定要在新年到来之前多挖些煤出来。开头是 8 小时一班,后来变了 12 小时一班,然后变成 16 小时一班,最后没班没点,都不放上井来,饭在下面吃,困极了就在下面打个盹。如此熬了 36 小时(本来想熬到新年的,那样可以打破会战纪录)之后,因为工人太累,精力不集中,出了事故,死了一个人。矿领导有点泄气,把人都放上来。李先生推了 30 小时的矿车,刚上来洗了澡,天就到了下午。他在火车上打了一会盹,完全不够。所以他站在线条门前时,睡眼惺忪。

晚上李先生到来之前,线条坐在床上想:龟头血肿虽然好玩,这一回可别玩得太过分。虽然她说过,要做龟头血肿的老婆,但是要是能不做当然好啦。这种心理和任何女人逛商店时的心理是一样的:又想少花钱,又想多买东西。更好的比方是说,像那些天生丽质的少女:又想体会恋爱的快乐,又不想结婚。然而她的心理和上述两种女人心理都不完全一样。龟头血肿之于线条,既不是商店里的商品,也不是可供体会快乐的恋人,而是介乎两者之间的东西。

李先生进了线条的门,迷迷糊糊说了声:"你这里真暖和。"然后他打了个大呵欠,又说:"你好,线条。圣诞快乐,新年快乐,上帝保佑你。"他实在是困糊涂了,说话全不经过大脑。假如经过了大脑,就会想到:我们这里是无产阶级革命派的天地。假如有上帝,他老人家也不管这一方的事,正如他老人家管不了霍梅尼。

十三

晚上李先生到来之后,线条让他洗了脸,又叫他刷牙。李先生带着姑且由之的态度,照做了。此时她看着李先生那张毛扎扎的嘴,心里想:"万一他要和我接吻,我就拒绝好啦。不必叫他刷牙。"后来听见外面风响,又想到他今天来是多么地不容易。所以他要接吻也不好拒绝的,让他刷刷吧。现在李先生连牙缝里都是煤,被他亲上几下就成了蜡染布啦。

线条的这些想法,都以"够意思"为准则。"文化革命"里我们都以"够意思"为准则。这话就如美国人常说的"be reasonable",但是意思稍有区别。美国人说的是,要像一位诚实的商人一样,而我们说的是:要像一个好样的土匪。具体到线条这个例子,就是她要像一位好样的女土匪对男土匪那样对待李先生。

对于线条的够意思,还有如下补充。1968 年夏天,正兴换纪念章(纪念章三个字怪得很。当时还没死嘛,何来纪念?——王二注),海淀一带,有几处人群聚集,好像跳蚤市场。线条常到那些地方去。除了换纪念章,那儿也是拍婆子的地方。有人对线条有了拍拖之心,就上前纠缠。线条嫣然一笑,展开手中的折扇。扇面上有极好的两个隶字(我写的——王二注):"有主"!那时是 22 年前,线条是个清丽脱俗的小姑娘,笑起来很好看。

假如对方继续纠缠,线条就变了脸,娇斥一声:"王二,打丫的!"王二立刻跳出来,揪住对方就打。假如对方有伙伴,王二也有伙伴,那就是许由。许由一出场,就是流血事件。他是海淀有名的凶神。然后我们送打伤的人上医院,如果伤得厉害,以后还要请吃饭。这就是够意思了。

李先生刷牙时,线条正在想,自己要够意思。但是她也想到了,够意思也要有止境。这个止境是个含混的概念。假如他想动手动脚,一般是不答应。但是也有答应的可能,所以线条做了这种准备。假如李先生想要她的贞节,那就决无可能。他敢在这事上多废话,就打丫的。当时线条决定和男人玩,但要做一辈子处女。她以为这样最为过瘾。

李先生洗漱完了,他们到床上坐下。原来线条坐着自己的床,李先生坐别人的床,后来她叫李先生过来,坐在她身边。这是因为她看出李先生很疲惫。那被头只能垫住李先生的屁股,万一他往后一倒,就全完了。然后她就研究起李先生来。第一个研究成果是:李先生是招风耳。第二个研究成果是:李先生的毛孔里都是煤。她正要告诉李先生这些事,李先生却说:我想躺下睡一会儿。说着他就朝一边歪去,还没躺倒就睡着了。线条后来说："当时我真想宰了他(谋杀亲夫！——王二注)！"

李先生倒下后，打起呼噜来。线条简直想哭。可是她马上就镇定下来：妈的，你睡吧。老娘先来玩玩你！她给他脱了鞋，把他平放在床上，解开他胸前的衣扣和腰带，把手伸了进去，摸着了一大堆破布片(单身汉的衬衣——王二注)。后来她这样形容自己初次爱抚情人的感觉道：把龟头血肿捆在一根木棍上，就是一个墩布。

然而龟头血肿不完全是墩布。把手伸得更深，就摸到了李先生的胸膛。那一瞬间线条几乎叫出来，当然，摸久了也稀松平常，但是第一次摸感觉不一样。李先生的胸上有疏疏落落的毛，又粗又硬，顺胸骨往下，好像摸猪脊梁。这还得是中国猪，外国猪的鬃毛不够硬，不能做刷子。不管李先生的胸毛能不能做刷子，反正线条摸着心花怒放。她一路摸下去，最后摸到了一样东西，好像个大海参。这一下她停下来，想了好半天，终于想到李先生的外号上去。于是她咬着自己的手指说：乖乖，这哪里是器官，分明是杀人的凶器。

一摸到这个地方，李先生就醒了。刚才他在做梦，梦见在矿上，从矿井里出来去洗澡，澡堂里一锅黑泥汤。好多工人光着屁股跳到泥塘里去，其实他梦的全是真实所见的事，只是他当时不敢相信自己的眼睛，到现在还不敢相信自己的眼睛。怎么能在一个房顶下，看见了那么多男性生殖器。所以他怀疑自己在做梦，而且怀疑自己是同性恋者。只有满足上述两个条件，才会看见这种东西。

李先生说，他从睡梦中醒来，感到线条在摸他，倒吓了一跳。那时他看到线条小脸通红，脸上笑盈盈。他刚从梦中醒来，所以觉得，眼前的事不是梦，而且他也不希望是梦。这是他的似水流年，不是我的。岁月如流，就如月在当空，照着我们每一个人，但是每个人的生活都不一样。

后来线条叫李先生做了庄严保证：保证不做进一步的非分

之想,保证在线条叫他停的时候停下来等等,线条就准许他的手从衣襟底下伸进去。这已经是第二次幽会时的事,和上次隔了一星期。线条说,李先生的手极粗,好像有鳞甲一样。但是透过他的手,还是感到自己的腰很细,乳房很圆,肚皮很平坦。她对这些深为满意。除此之外,感觉也很舒服(但是有些惊恐),这比在班上聊大天好玩多了。

与此同时,我在云南偷农场的菠萝。半夜三更一声不响地摸进去,砍下一个,先放到鼻子下闻闻香不香。要是香的,就放到身后麻袋里;不香就扔掉。我们俩如出一辙,都不走正路。走正路的人在那年月里,连做梦都想着天下三分之二的受苦人。可是我说:这些受苦人我认得他们是谁吗?再说了,他们受苦,我不受苦?那晚上我一脚踩进了蚂蚁窝,而且我两只脚都得了水田脚气,趾缝里烂得没了皮。那些蚂蚁一齐咬我,像乱箭穿心一样疼。

我们三人里,李先生感觉最好,可是他却想入非非,觉得眼前的感觉不可靠。人要是长了这个心眼儿,就有点不可救药。当他的手掌从线条乳房上掠过时,感到乳头有点凉冰冰,于是他又动了格物致知的心思:这东西是凉的,对头吗?

李先生迷迷糊糊,手往下边伸去。线条动作奇快,一下子挣脱出来,还推了李先生一把,说道:"你好大胆!"李先生说:"对不起,对不起!我不是这个意思。"线条却说:"管你什么意思,反正人家(同宿舍的河南小姑娘)快下班了,你该走了。"

十四

"文化革命"来到之时,有些人高兴,有些人不高兴。刘老先生对我说过,一开头他就想自杀。因为他见那势头,总觉得躲不过去。但是他想到在峨嵋酒家还能吃到东坡肘子,又觉得死了太亏。他属于不高兴者,线条属于高兴者,因为那一年我们上初三,她各科全不及格。她爸爸说:"考不上高中,你给我到南口林场挖坑去。"当时就是这么安置考不上高中者的。妈妈则说:"这院里全是书香门第,还没人去挖坑呢。"她叫老头到附中讲讲去。老头则说:"我是党委书记,怎能干这种事?"那年头天下三分之二的受苦人和党性原则都和真的似的。老妈妈实在怕丢人,就找我给线条补功课。实在补不动,差得太远。我王二不但是坏蛋,而且有怜香惜玉之心,所以订下计划,要点如下:

一、线条要考的高中,不是外面的学校,只是本校高中;因此只须参加毕业考,及格就能上。

二、毕业考试上厕所的次数不限。

三、男厕和女厕之间,我已打了一个小洞。

虽然有此万全安排,线条仍然吓到要死。到临考前一星期,她告诉我,已经把月经吓了回去。到临考前三天又告诉我,开始掉头发。但是临考前一天,她把我从床上叫起,口唱革命战歌。原来根据革命需要,中学停课不考试了。

我怎么也想不到线条后来不但考上了大学,而且考上了研究生。我们学校要是来了有大学问的洋人作讲座,翻译非她不成。那些老外开头只以为她不过是个漂亮女人罢了,聊起来才发现,不管是集合论、递归论、控制论、相对论、新三论老三论,线条无不精通。不但精通,而且著作等身(和李先生联名发表)。那些洋人只好摇头说道:"我们国家像李太太这样有才的女人也有,但是长得都不像女人。"

现在我们院里的人都说:"这有什么奇怪?她是龟头血肿夫人嘛。"好像在李先生的精液里,含有无数智力因素,灌溉了线条的智力之花,此说是不对的。有三天前她和小转铃的话为证,地点是在我家的客厅里:

线:铃子,你们还有吗?

铃:什么东西?

线:什么东西?老公干老婆用的东西嘛。橡皮的! condom!

我的妈,得了失语症了!(这是英文好的人才得的毛病,不是谁想得就得得了的。——王二注)

铃:(不好意思)有是有,全是特号的。

线:那才好哪。我们龟头那玩意可大了!肯定不比你们王二的小。

铃:他不是"我们"。他对我不好!

线:那你治治他,买小号的,两次他就老实了。

由上述对话可知,他们是用避孕套的,智力传染之说可以休矣。我讲这事的目的是要说明,线条原是个性早熟、智力晚熟的家伙,嫁给龟头血肿之前的线条,和以后的线条不一样。

撵走了李先生,线条还有很多事要干。首先是要把床上的脏床单换下来。然后是刷洗李先生喝水的杯子,藏起李先生用过的牙刷和毛巾,因为上面都有煤。然后从隐秘的地方拿出一块很大的白毛巾。她把所有的衣服全脱光,站到镜子前面去。镜子里站着一位白皙、纤细的少女(有关这个概念,我和线条有过争论。我说她当时已经 21 岁,不算少女。她却说,当时她看起来完全是少女。如果不承认这一点, 她毋宁死。我只好这样写了——王二注)。该少女眼睛水汪汪,皮肤洁白,双腿又直又长。腰非常细,保证玛丽莲·梦露看了都要羡慕。在小腹上,有很小一撮阴毛。虽然面积很小,但是很黑很亮。线条对此非常自豪。她说这一点非常重要,假如没有的话,就不好看,太多太乱,也是不好。她后来和李先生出国时,租了很多录像带,在录像机上定格比较,发现很多大名鼎鼎的脱星,在这一点上还不如她远甚。只有一位克瑞斯透,在 19 岁拍的片子里,曾有过如此美丽的腹部(我没看见,不能为她作证——王二注)。

线条还说,在这个美丽的躯体上,有极美的装饰,就是一道道黑色。这位美丽的少女,有绝美的黑色嘴唇。乳房上有黑色的斑纹,小腹上有几条细的条。初看似信手拈来,细看才发现那种惊人的美。要问此美从何而来?这是龟头血肿涂上的煤黑。线条用毛巾蘸了凉水,把黑印一一拭去。然后她洗了脸,漱了口,刷了牙,穿上衣服,出了门,要把脏水倒掉。这个走道黑糊糊的,线条又不像王二那么胆大。所以当她听见呼呼的声音时,着实吓得够戗。

线条说,那个走廊里没有灯,可是也没什么地方可以藏人。听见这声音可把她吓坏了。于是她放下了水桶,悄悄溜了回去,拿了一个大电筒出来。这东西不但可以照亮,还可用来打架,她拿这个东西循声而去。结果找到一段楼梯下,有一块小得不得了的空间。在那块空间里,李先生正以娘胎里的姿势睡觉呢。他那件劳保大衣放在外面,没带进去,这是因为里边塞不下了。线条一看,登时勃然大怒,想道:龟头血肿! 不是叫他找大车店睡觉去吗?她想立时把李先生叫起来暴打一顿,然后叫他滚蛋,再也别来。假如这样做了,不但大快人心,而且我现在还有机会。

但是线条没有这么做。她作了另外的决定,所以现在她的户口本上户主一栏上写着李先生的名字。线条那一栏里写着:李某某之妻。这十足肉麻。作了这个决定之后,她就完全堕落了。

在似水流年里线条作了这样的决定,要做龟头血肿之妻,永不反悔。对此我完全不能理解。但是,只要李先生不死,这事不会改变。虽然岁月如流,什么都会过去,但总有些东西发生了就不能抹杀。

十五

李先生听见线条说:你对我干什么都行,他就想起我那位胖师姑来,师姑过去老和他说这话,他只是不懂。到吹了以后,师姑告诉他,那话的意思就是:make love to me! 后来他想,幸亏没听懂。听懂了还能不答应? 答应了还能不兑现? 每回一想到兑现,就会眼前发黑,要晕死过去。

　　因为有过上述经历,那天李先生听了这话,马上就反应过来了。他直言不讳地说:"咱们做爱吧。"线条一听,小脸挣得通红,厉声说:"你倒真不傻!"然后想了想,又说,"那就做吧。"

　　李先生和线条后来约定了在煤矿附近山上的庙里做爱。时间就定在春天停暖气的那一天。

　　李先生决定相信线条,把自己理智的命运押在她身上。1973年的3月15日中午12时,他就到那破庙里去。为了验证一切,他非常仔细地记下了所有的细节。他受的是英式教育,故此像英国人那样一丝不苟,像英国人一样长于分析,像英国人一样难交往,交上以后像英国人一样,是生死朋友。

　　李先生说:那个破庙在山顶上,只有十平米的正殿。围墙里的草有齐腰深,房顶上的草像瀑布一样泻下来。庙里的门框、窗框、供桌等等一切可搬可卸的木头,都被人搬走了。正殿里有一小堆碎砖瓦,还有一个砖砌的供台,神像早没了。他想过,这会是个什么庙。照道理,山顶上的应该是玉皇庙,这是因为山离天较近,虽然是近乎其微的一点。作为中国人,他在海外读过有关民间风俗的书。但是在这座庙里,得不到一点迹象来验证这是玉皇庙的说法。而且也得不到一点验证它不是玉皇庙的说法。在这里,什么验证都得不到。因为没有神像,没有字迹,什么都没有。正因为如此,李先生对这庙的存在才坚信不移。

　　李先生还说:那个庙里的墙该是白的,但是当时很多地方是黑的。房顶露洞的地方,下面就是一片黑。这是因为年复一年漏进来的雨水,把墙上的白灰都冲走了。墙皮剥落的地方也是一片黑。墙上有的地方长起了青苔,有的地方发了霉。地上是很厚的泥。泥从房顶上塌下来,堆在地上。在房顶露洞的地方,椽子龇牙咧嘴地露出来。那些椽子朽烂得像腐尸的肢体一样,要不也会被人拆光。地上的泥里还混有石子,石子的周围,长着小草,小草也是黑色的。院子里长着去年的蒿子,它们是黄色的。房上泻下的草也是黄色的。风从门口吹进来,从房顶的窟窿吹出去,所有的草都在摇,映在房子里的光也在摇。但是线条没有来。李先生爬到香台上往外看,透过原来是窗子的洞,穿过墙上的窟窿,可以看到很多地方,但是看不见线条。他又退回院子里,从门口往外看,只看见光秃秃的石山和疏疏落落的枯草,还是见不到线条。但是线条一定在这里,李先生刚决定要找一找,线条就像奇迹一样出现了。她从庙后走出来,把大衣拿在手里,小脸上毫无血色,身上甚至有点发抖,怯生生地说:"龟头,你不会整死我吧?"

线条则说:当时确实害怕了。虽然从来不知什么叫害怕,以后也不知什么叫害怕。当时害怕的滋味现在也说不出来,只觉得心里很慌,这感觉有点像1967年我带她爬实验楼,从五楼的一个窗口爬出来,脚踏半尺宽的水泥棱,爬到另一个窗口去。但是爬窗口比这回的感觉好多了。

李先生说:线条把大衣铺在平台上,自己坐上去,说道:"你什么话也别说,也别动我。一切让我自己来。好吗?"说完了这些话,就坐在那里,半天没有动。

线条说:李先生果然什么都没说。

李先生说:后来线条抬起头来,想朝他做个鬼脸,但是鬼脸僵死在脸上了,好像要哭的样子。她哆嗦着解开制服的扣子,然后把红毛衣从头顶上拽下去。那一刻弄乱了头发,就用手指抚了好半天。她穿了一件格子布衬衣,肩头开了线。然后她就像吃橄榄一样,一个一个地把扣子解开。那时的时间好像会随时停止一样。然后她又把乳罩解下来。那东西是细白布做的,边上缀着花边。然后她把裤子(包括罩裤、毛裤和线裤)一下都脱下来,钻到大衣里,坐在供台上发呆。

线条说:那一回好像我把自己宰了。

线条说:李先生露出那杆大枪来,真是吓死人。

线条还说:最可怕的是第一次,只觉得小肚子上一热,就被他把下身弄得很脏。后来知道,所谓的做爱,原来还没有完。然后只好像要生孩子一样,拼命用手把腿分开。经过了这些事以后,就再也不想爱别人。

十六

在似水流年里,有件事叫我日夜不安。在此之前首先要解释一下什么叫似水流年。普鲁斯特写了一本书,谈到自己身上发生过的事。这些事看起来就如一个人中了邪躺在河底,眼看潺潺流水,粼粼流光,落叶,浮木,空玻璃瓶,一样一样从身上流过去。这个书名怎么译,翻译家大费周章。最近的译法是追忆似水年华。听上去普鲁斯特写书时已经死了多时,又诈了尸。而且这也不好念。

照我看普鲁斯特的书,译作似水流年就对了。这是个好名字。现在这名字没主,我先要了,将来普鲁斯特来要,我再还给他,我尊敬死掉的老前辈。

似水流年是一个人所有的一切,只有这个东西,才真正归你所有。其余的一切,都是片刻的欢娱和不幸,转眼间就已跑到那似水流年里去了。我所认识的人,都不珍视自己的似水流年。他们甚至不知道,自己还有这么一件东西,所以一个个像丢了魂一样。

现在该谈谈刘老先生的事。要说这事,还有很多背景要谈,首先要谈刘老先生的模样。当时,他还没死,住在我家隔壁。那时他一头白发,红扑扑的脸,满脸傻笑。手持一根藤拐棍,奔走如飞,但是脚下没根,脚腕子是软的,所以有点连滚带爬的意思,如果不在我家吃饭,就上熟人家打秋风,吃到了好菜回来还要吹。他还是一个废话篓子,说起来没完,晚上总要和我爸爸下棋到 12 点。照我看是臭棋,要不一晚怎能摆 20 盘。

刘老先生内急时,就向厕所狂奔,一边跑一边疯狂地解裤腰带。有一次,一位中年妇女刚从女厕出来,误以为刘老先生是奔她去的,就尖叫了一声,晕了过去。

其次要谈谈地点——矿院。当然,它也可能不是矿院。那时矿院迁到了四川山沟里接着办(毛主席说了,大学还要办),可是矿院的人说,那山沟里有克山病,得了以后心室肥大。主事的军宣队说:"你们有思想病,所以心室肥大;我没有思想病,所以不肥大。"刚说完这话,他也肥大了。于是大家拔腿跑回了北京,原来的校舍被人占了,大家挤在后面平房里,热热闹闹。我爸我妈也跑回来,我正在京郊插队,也跑了回来,带着小转铃。一家人聚在一起,共享天伦之乐。

谁知乐极生悲,上面派来了一批不肥大的军宣队。通知留守处,所有回京人员,必须回四川上班,不回者停发工资。只有肥大到三期或者老迈无能者例外。后来又来了一条规定,三期和老迈者只发将够糊口的工资,省得他们借钱给没病的人。出这主意的那位首长,后来生了个孩子没屁眼,是我妈动手术给孩子做了个人工肛门。这个故事告诉我们,随着医学的发展,干点缺德事不要紧,生孩子没屁眼可以做人工肛门,怕什么?

然后就该谈时间,那是在不肥大的军宣队来了之后,矿院的人逐渐回到四川去。我爹我娘也回去了。我爸我妈走后两天,刘老先生就死了。在他死之前,矿院后面的小平房里只剩下三个人,其中包括我、小转铃、刘老先生。这对我没什么不好,因为我爸爸妈妈在时不自由,他们不准我和小转铃睡一个床。

十七

我始终记着矿院那片平房。那儿原不是住人的地方。一片大楼遮在前面,平房里终日不见阳光。盖那片平房时就没想让里面有阳光,因为它原来是放化学药品的库房。那里没有水,水要到老远的地方去打;也没有电,电也是从很远的地方接来;也没有厕所,拉屎撒尿要去很远的地方,这个地方就是远处的一个公共厕所。曾经有一个时候,矿院的几百号人,就靠一个厕所生活。就因为这个原因,这个厕所非常之脏,完全由屎和尿组成,没有人打扫,因为打扫不过来。

库房里的情况也很坏。这房子隔成了很多间,所有房间的门全朝里,换言之,有一条走廊通向每一个房间。这房子完全不通风。夏天住在里面的人全都顾不上体面。所以,我整天都看见下垂的乳房和大肚皮,走了形的大腿,肿泡眼。当然,库房里也有人身上长着好看点的东西,可是都藏着不让人看见。

除此之外,还有走廊里晾的东西!全是女人的小衣服。这种东西不好晾到外面,只好晾在走廊里自家附近,好像要开展览会。我倒乐意看见年轻姑娘的乳罩裤衩,怎奈不是这种东西。走廊里有床单布的大筒子,还有几条带子连起来的面口袋。假如要猜那是什么东西,十足令人恶心,可又禁不住要猜。最难看的是一种毡鞋垫式的东西,上面还有屎嘎巴似的痕迹。所以我认为一次性的月经棉是很伟大的发明,有时它可以救男人的命。中年妇女在中国是一种自然灾害,这倒不是因为她们不好看(我去过外国,中国的中年妇女比外国中年妇女长得好看——王二注),而是因为她们故意要恶心人!

我听说有人做了个研究,发现大杂院里的孩子学习成绩差,容易学坏,都是因为看见了这些东西,对生活失去了信心。我没有因此学坏,这是因为我已经很坏,我只是因此不太想活了。

在我看来,与其在这种环境里活着,还不如光荣地死去。像贺先生那样跳楼,造成万众瞩目的场面,或者在大家围观中从容就义。每天晚上睡觉之前我都给自己安排一种死法,每种死法都充满了诗意。想到这些死法,我的小和尚就直挺挺。

临刑前的示众场面,血迹斑斑酷烈无比的执行,白马银车的送葬行列,都能引起我的性冲动。在酷刑中勃起,在屠刀下性交,在临终时咒骂和射精,就是我从小盼望的事。这可能是因为小时候,这样的电影看多了(电影里没有性,只有意识形态,性是自己长出来的——王二注)。我爸爸早就发现我有种寻死倾向,他对我很有意见。照他的说法就是:"你自己要寻死我不管,可不要连累全家。"照我看,这是十足恶心的说法。要是他怕连累,就来谋杀我好啦。

我爸我妈对小转铃没有意见。首先,她是书香门第的女孩子(我爸有门第观念)。其次,她长得很好看。最后,她嘴甜,爸爸妈妈叫个不停。弄得我妈老说:"我们真不争气,没生出个好点的孩子给你做女婿(这是挑拨离间——王二注)。"小转铃就说:"爸爸妈妈,够好的啦。"这话像儿媳对婆婆说的吗?可是你见过婆婆非要和媳妇睡一个房间的吗?我爸和我睡在一起,他打呼噜。我提出过这样的意见:"你们两位都不老,人说三十如狼四十如虎,五十赛过金钱豹。现在妈是虎,爸爸是金钱豹,你们俩不敦伦,光盯着我们怎么成。最好换换,你们睡一间,我们睡一间。"我妈听了笑,我爸要揍我。不管怎么说,他们只管盯死了我们,不让我们干婚前性交的坏事。直到他们回四川,还把我们交给刘老先生看管。

十八

刘老先生我早就认识,早到他和贺先生关在一个屋里时,我就见过他。那时我和线条谈恋爱,专拣没人的地方钻,一钻钻上了实验楼的天花板,在顶棚和天花板的空里看见他在下面,和贺先生面对面坐着。贺先生黑着脸坐着,而刘老先生一脸痴笑,侧着脸,口水从另一边滚落下去,他也浑然不知。有时举起手来,用男童声清脆地说:"报告!我要上厕所!"人家要打他,他就脱下裤子,露出雪白的屁股,爬上桌子,高高地撅起来。刘老先生就是这么个人,似乎不值得认真对待。我爸爸和刘老先生攀交情,我很怀疑是为了借钱。

160

　　我爸爸走时已是冬天，别人都回四川去了。他们不仅是因为没有钱，还因为留守处的同志天天来动员。但是谁也不敢到我家里来动员，因为他们都怕我。这班家伙都和我有私仇，我既然还活着，他们就得小心点。我爸爸能坚持到最后，都是因为我的关系。但是我们也有山穷水尽的时候，不但把一切都吃光当净，还卖掉了手表和大衣，甚至卖光了报纸。能借钱的全搬走了，不能搬走的全没有钱。库房里空空荡荡，到了好住的时候，可是我们二老没福消受了！

　　我爸爸虽然一直看不起我，但是那时多少有点舐犊之情：到了那般年纪，眼看又没什么机会搞事业了(后来他觉得可以搞事业，就重新看不起我甚至嫉妒我——王二注)，看见眼前有个一米九的儿子，一个漂亮儿媳——一双璧人，有点舍不得离开，这可以理解。但我心里有点犯嘀咕：你们这么吃光当净，连刘老头的钱也借得净光，走了以后叫我们怎么过嘛。当然，这话我也没说出来。

　　我爸爸临走时，要我管刘老先生叫刘爷爷。操他妈，我可折了辈了。他还朝刘老头作揖说："刘老，我儿子交给你，请多多管教。这畜生不学好不要紧，不要把小转铃带坏，人家可是好女孩。"刘老先生满口答应。我爸还对小转铃说："铃子，把刘爷爷照顾好。"小转铃也满口答应(我爸爸向刘老先生借过不少钱，有拿我们俩抵债的意思)。临了对我说："小子，注意一点，可别再进(监狱——王二注)去。"说完这些话他们就走了。矿院派了一辆大卡车，把他们拉到火车站，不让人去送。我的二老一走我就对刘老先生说："老头，你真要管我？"老先生说："哪能呢，咱们骗他们的。王二呀，咱们下盘棋，听贺先生说，你下一手好棋！"

　　刘老先生要和我摆棋，我心里好不腻歪。你替我想想看：我和小转铃有好几个月没亲热了。好不容易我爸走了，我妈也走了，你再走出去，我一插门，就是我的天下。虽然大白天里她不会答应干脱裤子的事，起码摸一把是可以的吧。可恨刘老头没这眼力见儿,我也不好明说,恨死我啦。

我恨刘老先生,不光是因为他延误了我的好事,而且因为他是贪生怕死之辈。他经常找我量血压,一面看着水银柱上下,一面问:高压多少?

没多少,一百八。

可怕可怕。铃子,给我拿药。高压一百八! 低压多少?

没多少,一百六。

低压高! 不行我得去睡觉。醒了以后再量。

拿到一纸动脉硬化的诊断,就如接到死刑通知书一样。听说吃酸的软化血管,就像孕妇忌口一样,买杏都挑青的。吃酸把胃吃坏了,要不嘴不会臭得像粪缸一样。其实死是那么可怕吗? 古今中外的名著中,对死都有达观的论述:

吕布匹夫! 死则死矣,何惧也? ——《三国演义》,张辽。

死是什么?不就是去和拿破仑、恺撒等大人物共聚一堂吗? ——大伟人江奈尔·魏尔德。

弟兄们,我认为我死得很痛快。砍死了七个,用长矛刺穿了九个。马蹄踩死了很多人,我也记不清用枪弹打死了多少人。 ——果戈理,塔拉斯·布尔巴。

(以上引自果氏在该书中描写哥萨克与波兰人交战一场。所有的哥萨克临死都有此壮语,所以波兰人之壮语当为:我被七个人砍死,被九个人刺穿,也不知多少人用枪弹打死了我,否则波兰人不敷分配也! ——王二注)

怕死?怕死就不革命!怕死?怕死还叫什么共产党员! ——样板戏,英雄人物。

死啦死啦的有! ——样板戏,反面人物。

像这类的话过去我抄了两大本。还有好多人在死之前喊出了时代的最强音。"文革"中形式主义流行,只重最后一声,活着喊万岁的太一般,都不算。我在云南住医院,邻床是一个肺癌。他老婆早就关照上啦:"他爹,要觉得不行,就喊一声,对我对孩子都好哇。"结果那人像抽了疯，整夜不停地喊："毛主席万岁！"闹得大家都没法睡。直到把院长喊来了，当面说："你已经死了，刚才那一声就算！"他才咽了气。想想这些人对死亡的态度，刘老先生真是怕死鬼！

我和刘老先生摆起棋来，说实在的，我看他不起，走了个后手大列手炮局。看来刘老先生打过谱，认得，说一声："呀！你跟我走这样的棋！"我轻声说："走走看，你赢了再说不迟。"听我这么说，他就慌了。大列手炮就得动硬的，软一点都不成。他一怯，登时稀里哗啦，二十合就被杀死了。他赞一声："好厉害！"再摆，摆出来又是大列手。一下午五个大列手，把刘老先生的脑门子都杀紫了！

刘老先生吃了很多大列手炮局。打过谱的都知道，这是杀屎棋的着法。到晚上他又来和我下，真可恨。我早想睡啦，但也不好明说。我当然走列手炮！他一看我又走列手炮，就说："王二，你还会不会别的？"我说："什么别的？"他说："比方说，屏风马。"我说："好说，什么都会。不过你先赢我这列手炮再说。"他说："你老走这个棋不好。"我说："怪，你还管我走什么棋？"刘老先生委委屈屈地走下去，不到十五回合又输了。老头长叹一声道："看来我得拜你为师了。"我说："我哪敢教您老人家。"刘老先生被气跑了。

时隔 20 年后，我也到了不惑之年。对刘老先生的棋力我有这样的看法：他的棋并不坏。和我爸下，一晚能下二十盘，那是因为我爸的棋太臭。而和我下时，假如我告诉他：他输棋是因为走了怯着，他可以多支持些时候。我当时能知道这些道理，但是我一心要和小转铃做爱，所以想快点打发他走。假如我能知道他第二天就要死了，真该把做爱的事缓缓，在棋盘上给他点机会。

刘老先生经常挂着拐棍坐在椅子上打瞌睡，口水流在前襟上。

163

十九

　　我所认识的人里，就数刘老先生馋。当时他和我们搭伙，我们俩也很馋。像这种问题很容易解决(可以多买些肉来煮)，但是我们没有钱，刘老先生也只领 40 块钱生活费，除了吃还有其他花费，所以这问题也就不好解决了。如前所述，我爸爸他们没走时，就把一切吃光当净，连废报纸都卖了，所以我们除了白菜，也就是一点广东香肠。小转铃想，王二一米九的个子，在性生活里又会有些支出，和她吃得一样多恐怕不够。所以她尽量少吃。但是头天晚上，刘老先生到了餐桌上状如疯魔，运筷如飞，把香肠全夹走了。虽然我从小没受礼教的影响，但是和老头抢东西吃的事还干不出来。所以我只好瘪着半截肚子和小转铃做爱，对刘老先生深为不满。

　　我现在知道了，刘老先生当时已到了非肉不饱之年，而且他前半生都在吃牛排。清水煮白菜吃下去完全不消化，机米饭吃下去也毫无用处，这样的饭菜是对他肠胃的欺骗。在他生命的最后时刻，他无时无刻不在饥饿中。从另一方面看，刘老先生打了一辈子光棍，也未听说他有任何风流韵事。到了那个年头，他也不搞什么学问了，一切一切都在嘴上。但当时我对此尚不能体会。我觉得糟老头贪吃简直该死。

　　现在我还知道刘老先生晚饭吃了一顿熬白菜，到口不到肚，后半夜生生饿醒了。他在家里翻箱倒柜，只找到一块榨菜，就坐在那里以榨菜磨牙，直到天明。天一亮他就奔到菜市场买菜：我们的菜金全在他手里，他买菜我们做，就是这么分工。

　　那晚上刘老先生走了后，我隔着墙叫小转铃过来，她不肯。我就说："我生气了，我不理你了，我不跟你好了。"说到最后一句，她过来了。我和她亲热了一番，她就要走。我让她别走。她说："你妈再三嘱咐，叫我别跟你睡。我都答应了。"我知道小转铃答应人的事死也要坚持,但是还是不死心。劝说了一番,她居然同意不走,和我做爱。那时我好不得意:连小转铃都为我破了诺言,可见我的魅力!心里一美,小和尚挺得像铁一样,可是过一会儿就不美了。小转铃坚持要给我套避孕套,还说:"这是你妈嘱咐的!"原来我妈让小转铃答应了不和我睡还不放心。她说:"少男少女的事我还不知道吗?现在答应,未必能坚持住。记住,一定要套套子,别的措施全靠不住!王二粗心,这事你来做。你可一定要答应我!"小转铃最后答应的是给我套套子,不是不和我睡。她要是答应了不和我睡,那晚上只好手淫了。

这件事使我对我的爹娘怀恨在心。什么都管,管到了套套子!我最恨我爸爸,因为肯定是他的主意。我也恨小转铃,因为她不听我的,听我妈的。所以我最后没跟她结婚。

我现在明白了我爸我妈为什么对我性生活这么操心。当时我是 23 岁,小转铃还未成年。万一走了火,她怀了孕要做人流,还得开介绍信。别的地方开不出来,只有我们公社能开。你替我想想吧,假如发生这样的事,我会怎样?我爸爸妈妈死命看住我,心还不够狠,心狠就该把我阉掉。我现在明白小转铃最爱我,想和她结婚,她却不干了。

那晚上的事我还有些补充,干之前,我编了个小故事,说到我将被砍头。窗外正给我搭断头台,刽子手在门外磨刀,我脖子上已被画上了红线,脑后的头发已经剃光了。人们把小转铃叫来,给她一个筐,让她在里面垫上干草:"别把脸磕坏了,这可是你的未婚夫!"准备接我的脑袋。而她终于说动了狱卒,让我们在临刑前半小时待在一起。小转铃哭起来:"那你就快点干吧,套子套好了。"每听到一种新死法,她就哭起来。当我用到第二个避孕套时(说我将被绞死——王二注),就听见隔壁刘老先生闹,一直闹到第四个避孕套 (那回是我被开膛挖心——王二注)。第六个避孕套时他出去了,当时已经天明。那夜一共就是六个,因为刘老先生骚扰,所以那一夜不是很开心。

　　第二天早上他从外面跑回来敲我的门时，我们俩还没起床。当时我正以极大的兴趣抚摸小转铃的乳房。而小转铃的乳房乃是我一生所见乳房里最好的一对：形状是最完备的半球形，皮肤最洁白，乳头又小又好看。假如世界上有乳房大赛，她绝对有参赛的资格。小转铃对性生活的其他方面毫无兴趣，只对此事有兴趣。通过胸前的爱抚达到高潮，是她享受性乐趣的唯一途径。这种事情不容易搞成，可遇不可求的，那天她兴趣极大(戒欲两个月，贞女如小转铃都会有变化)，头枕双臂，双眼紧闭，脸色潮红，马上就要来了。就在这时刘老先生来砸门，乒乒乓，所以去开门时我说了：这老鸡巴头子真该死啦。

　　打开门以后的第一观感是：这老头像喝了子母河的水，怀孕了。他的肚子上圆下尖，秃顶周围的白毛全竖了起来，脸上露出了蒙娜·丽莎似的微笑。然后他就像分娩一样艰难地从肚皮下拉出一只填鸭来。看到他这样做作，我也不禁惊喜道："这是你偷的吗？"他听了大惊道："偷？怎么能偷？偷东西是要判刑的嘛，是买的。"我也顾不上向他解释知青的理论"偷吃的不是偷"，也顾不上问他为什么要把鸭子藏在衣服底下，这些都顾不上问。我只问他花了多少钱。他说很便宜，五块钱。我说混账，像你这么花，下半月只好吃屎啦。他听了这话，也觉得不好意思。这时小转铃跑出来说："王二，怎能对刘爷爷这样？快道歉。"其实我也不是在乎这五块钱，我只嫌刘老头没出息。你猜他为什么把鸭子藏在怀里？最怕留守处那几个把大门的说他贪嘴。他是回城治病的，怕人家说他没病，一天吃一只大肥鸭。说到底，是"文化大革命"里挨了几下打，把胆子打破了。

　　如果说到挨打，刘老先生简直不能和我相提并论，虽然当时我是那样年轻，而他已经老了。他一生所挨的打，也就是实验楼里那几下，数都能数出来。而我挨的打，绝不可能数清楚。我被专政时，凤师傅把我叫到地下室，屋顶亮着灯，四周站了很多人。他说道："你看好了，我们不打你。工宣队都进校了，我们不打人。"然后灯就黑了。等灯再亮时,我从地上爬起来,满头都是血。凤师傅笑着说:"我们没打你,对吧。你能说出谁打你了吗?"当然我说不出。我说的是:"操你妈!"然后灯又黑了,在黑暗里挨打,数都没法数。打我的就是留守处那班家伙,和打刘老先生的相同。可是我一点也不怕他们,连姓凤的都管我叫爷爷,我还怕谁?

现在到了不惑之年,我明白了,我挨的打,的确不能和刘老先生相提并论。因为我是那样的人,所以挨的揍里面,有很大自找的成分。刘老先生挨的打,没有一点自找的成分。我还年轻,还有机会讨回账来,可是刘老先生已经到垂暮之年,再不能翻本,每一下都是白挨。因此刘老先生当然怕得厉害。

刘老先生给自行车打气,对不准气嘴,打不进气,就气急败坏,把自行车推倒。

二十

早上刘老先生对我说:"昨晚上一宿没睡,就想两件事。一是要吃一只鸭,二是要向王二学棋,搞清楚为什么他的大列手炮我就是下不过。"我告诉他说:"这路列手炮,乃是一路新变化。公元 1966 年,天下著名的中国象棋名手,包括广东杨官麟、上海何顺安、湖北柳大华、黑龙江王嘉良等等十五人,齐集杭州城。大家说:上海胡荣华太厉害,一连得了好几届冠军,可恶!咱们得算计他一回。都说大列手是臭棋,就从这里编出变化来,让他一辈子也想不到,要他的命!于是想了七七四十九天,编出十五着来,邪门得厉害!"刘老先生听得眉飞色舞,嘴里喷喷哑出声来。小转铃就笑,说:"您别听王二臭编。"刘老先生说:"铃子,你不懂棋,别打岔!有这么回事!接着说,后来怎么了?"我说:"当时大伙约定,一人记一路变化。这路变化只有对胡荣华才能用,自己人之间不能用——铃子,你去收拾鸭子,你听不懂——但是后来谁也没用。胡荣华还是冠军！刘老,你懂棋,猜猜为什么?"

刘老先生想了半天,才迟迟疑疑地说:"刚才你说,何顺安?"

我说:"着哇!到底是老前辈!那厮是胡荣华同乡,专做奸细(要不是刘老先生一提,我还编不下去了呢——王二注)!比赛头一天,参加杭州棋会的每个棋手,都收到一封信,就写了一句话:车八平五。下署:知名不具!刘老,再猜猜,怎么回事?"他拍案叫道:"好个胡荣华!真真厉害!何顺安只会一变,其他十四种变化肯定记不全。老胡见不能取胜,就把大列手第一步写下,给人家寄去,人家一看,你知道我们要走列手炮!就不敢走了。这是死诸葛惊走活仲达之计!你一定会这十五路变化,难怪下不过你。这大列手好大的来历,教给我吧。"我说:"教也可,一路一块钱。"他说:"便宜!"

人老了就像小孩一样,此话不虚,刘老先生搬来棋盘,裁好了纸,削好了铅笔准备记谱,圆睁怪眼,上下打量我。我心里痒痒,真想在他头上打一下。才走了一步,刘老先生就高声唱道:"车八平——五!"举手就记谱。把我笑得打跌,连棋盘都打翻了。

后来我告诉他,没有这路变化,是我编着骗他的,他很不高兴。转眼之间又高兴了,因为想起了鸭子。人老了就这么天真,事事都在别人意料中。刘老先生对着那可怜的鸭子的尸体,出了很多主意要把它分成几部分。一部分香酥,一部分清蒸,一部分煮汤,一部分干炸,那鸭子假如死而有灵,定然要问刘老先生这是为什么。假如我死了,有人拿我的四分之一火葬,四分之一土葬,四分之一天葬,四分之一做木乃伊,我也有此疑问。但是我们的厨房里只有酱油膏,所以只能红烧。刘老先生说,红烧鸭要烧到稀烂才好吃,要烧到天黑。刘老先生把菜金花了个精光,只买了一只鸭。所以中午只好挨饿了。刘老先生说,好饭不怕晚。但是他老去揭那炖鸭子的锅,说是看了也解馋;他那副馋相叫人不敢看。炖鸭的香味飘到屋里,刘老先生坐不住,走来走去,状如疯魔。到晚上还有一白天,他血压又高,肯定挨不过。所以小转铃把我叫出去,给了我一点钱,叫我带他去吃午饭。她还说,她不饿。于是我对刘老先生说:"老头,陪我去逛逛。"我骑一辆男车,他骑一辆女车,出了矿院的门。然后我对刘老先生说:"我还有一点钱,够咱俩去新街口吃一顿羊肉泡馍。"只听"夸"的一声,刘老先生连人带车倒在地上。我连忙停车回头,只见刘老先生从地上爬起来,口角流涎,说道:羊——肉泡馍!!

我请刘老先生吃了泡馍。因为早上我骂了他,有点内疚。后来他就死掉了。他到底没吃到那只鸭。当天晚上我吃那只鸭,第一口就吐了,小转铃也吃不下,最后倒掉了。鸭子的肉又黏又滑,吃时的感觉实在可怕,我到现在也不爱吃鸭子。

和刘老先生吃泡馍时,我和他谈起了贺先生。老头的脸色登时大变,说道:"吃饭,吃饭,别谈这些事,怪害怕的。"我说:"谈谈何妨,老头,你怕什么?"他说:"别提死人。"我说:"真笑话,你这么一大把年纪,还怕死吗?"老头很天真地说:"谁不怕?"我说:"怕就能不死吗?老头,你看看你吃的东西,乃是羊杂碎。全是胆固醇。吃下去动脉硬化,离死就不远了。"那老头的样子真好看,手都抖起来了。

后来刘老先生大起胆子(他说,回家喝点醋,能解——王二注),告诉我贺先生死之前的事,都不大有趣。贺先生跳楼前只说:"告诉我家里人,别太伤心了。"没有说过像20年后又是一条好汉之类的话,甚至也没说:"让我儿子给我报仇。"那时我想,像刘老先生这种没劲的人,说出的事都没劲。

吃完饭,我叫刘老先生回家,自己在外面遛到天黑方回。我活得很没劲,好像一个没用的人。人到了这步田地,反而会满脑子伟大的想法。那时我想:假如发生了战争就好了。

活得没劲的人希望发生战争,那是很自然的想法。我们那一代人,都是在对战争的期待中长大的。以我为例,虽然一不怕疼,二不怕死,但是在和平年月里只能挖挖坑,而中国并不缺少挖坑的人。

在和平年月里,生活只是挖坑种粮的竞争。虽然生得人高马大,我却比不过别人。这是因为第一,我不是从小干惯了这种活计;第二,我有腰疼病,干农活没有腰不成。所以我盼望另一种竞争。在战场上,我的英勇会超过一切人。假如做了俘虏,我会偷偷捡块玻璃,把肚子划破,掏出肠子挂到敌人脖子上去。像我这样的兵员一定大为有用。但是不发生战争,我就像刘老先生一样没用。

到现在我明白了,掏出肠子挂到别人脖子上,那是很糟糕的想法。自己活得不痛快,就想和别人打仗。假如大家都这么想,谁也别想过好日子了。而且我也明白,刘老先生怕死,那是再自然也没有的事,他在世上什么都没有了,只有最后的日子。

刘老先生在厕所里撒尿,经常尿到自己裤子上。

二十一

刘老先生死了以后我常想,我老了以后,可能和刘老先生一样。

刘老先生活着时,我老在背后说,没骨气的人就是活得长。贺先生和刘老先生比,一个在天上,一个在地下,贺先生大义凛然,从楼上跳下去,刘老先生挨了两下打就把胆子吓破了,但他死时我还是着了急。我从外面回来时,小转铃对我说:"去看看刘老先生怎么了,躺在那里打呼噜,叫也不答应。"我到他房里一看,他流了很多哈喇子,翻开眼皮一看,眼珠子不动。我转过身来就打小转铃一凿栗:"你是死人吗? 快找车,送老头上医院! "

据小转铃说,刘老先生回来时,骑车骑得飞快,头上见了汗。回来就看鸭子,看到鸭子已经炖烂,摩拳擦掌,口水直流。后来说感到不舒服,要回去睡,告诉王二,回来给他量血压。王二回来,不量血压,先打小转铃一凿栗:"老头都这样了,还等我回来吗?"

小转铃也不是省油的灯。我蹬平板三轮送刘老先生上医院,她坐在后面胡搅蛮缠:"好哇,你敢打我!我非打回来不可。"我说:"刘老先生中风了。以后好了,也是歪嘴耷拉眼,你看看他嘴歪了没有。"我这么说是要分散她的注意力。到了医院里,把刘老先生推进急诊室。过了一会儿就遮着白布推出来。有个大夫对我说:"老先生已经逝世了。"我说:"你别逗了。我们送来那会儿,还打呼噜呢,你跟别人说去。"

可是那大夫说:"请您节哀,总共就送进去一个。"我登时瞪起眼来,说:"胡扯!刚送进去,你还没给他看!"他就说:"令尊来的时候,呼吸已经停止了。你别揪我领子好不好!快来人!救命哪!"

这时来了一群白大褂,可是我只对那个急诊大夫紧追不舍。后来出来一个穿制服的,喝道:"不准乱闹!你是哪单位的?我找你们领导!"我说:"你们他妈的找去!老子是知青!"那人一听又缩了回去。

刘老先生的事是这么结束的:最后医院的院长出来,请我和小转铃到办公室坐。他说:"人总是要死的,这是不可避免的现象。所以有些危重病人,我们救不活。既然对我们的抢救措施有怀疑,做个尸检好吗?我们不但要对病人负责,也要对我们的大夫负责。"那时我已经清醒了,说道:"我和这死人没关系,你等矿院留守处来找你们吧。"说完就和小转铃回家了,路上我和小转铃说,他是叫鸭子馋死的。

当晚我和小转铃在一起,谈到刘老先生的好多事,均属鸡毛蒜皮。比方说:走廊里黑,又堆了很多东西,刘老先生走进来时看不见,就拿藤棍乱打,打得那棍像狗咬过一样。刘老先生贪嘴,拿香肠在煤炉上烤着吃,叫我们碰上啦。他怕我们说他,老脸臊得通红,圆睁怪眼立在那里说:"你们谁敢说我一句,我就自杀！不活了！"他怎么忽然死了呢？这事真逗哇。我们应该干一回纪念他。

我们想起刘老先生好多事，都很逗，除了一件。有一回我爸爸告诉我：刘老先生并不笨，矿院的老人都知道，此人绝顶地聪明。他是故意装出一副傻样，久而久之弄假成真。所以我就去问他："老头，干吗不要脸面？"他马上回答："顾不上了！"

后来我下了床，走到窗口去，看见外面黑夜漫漫，星海茫茫。一切和昨夜一样，只是少了一个刘老先生。忽然之间我想到，虽然刘老先生很讨厌，嘴也很臭，但是我一点也不希望他死，我希望他能继续活在世界上。

流年似水，日月如梭。很多事情已经过去了。在 1973 年元旦回首 1967 年底，很多事情已经发生，还有一些事将要发生。无论未发生和已发生的事，我都没有说得很清楚。这是因为，在前面的叙述中，略去一条重要线索。这就是在我身上发生了很多变化。有些变化已经完成，有些变化正在发生。前面说过，刘老先生告诉我贺先生的遗言，我听了当时很不以为然。但那天夜里我和小转铃干到一半停下来，走到窗前，想起这话来，觉得很惨。看到外面的星光，想起他脑子前面的烛火，也觉得很惨。刘老先生死了，也很惨。对这些很惨的事，我一点办法也没有，所以觉得很惨。和小转铃说起这些事，她哭了，我也想哭。这是因为，在横死面前无动于衷，不是我的本性。

我说过，在似水流年里，有一些事叫我日夜不安。就是这些事：贺先生死了，死时直挺挺。刘老先生死了，死前想吃一只鸭。我在美国时，我爸爸也死了，死在了书桌上，当时他在写一封信，要和我讨论"相对论"。虽然死法各异，但每个人身上都有足以让他们再活下去的能量。我真希望他们得到延长生命的机会，继续活下去。我自己也再不想掏出肠子挂在别人脖子上。

二十二

流年似水,转眼到了不惑之年。我觉得心情烦闷,因为没碰上顺心的事。而且在我看来,所有的人都在和我装丫挺的。

线条在装丫挺的,每天早上上班之前,必然要在楼道里大呼小叫:"龟头,别把房子点着!按时吃药!"

回来时又在楼下大叫:"大龟头!快下来接我,看我拿了多少东西!"

李先生也装丫挺的,推开门轰隆轰隆冲下去。这简直是做戏给人看。要不是和他们是朋友,我准推门出去,给他们一个大难堪:"李教授、李夫人,你们两口子加起来够 90 岁了,还在楼道里过家家,肉麻不肉麻?"

我和线条,交情极为深厚。上初二时,到了夏天,我常和线条到玉渊潭去游泳。那时她诧异道:"王二,你怎么了?裤衩里藏着擀面杖,不硌吗?"

我说:"你不懂,因为你不读书。我有本好书,叫《十日谈》,回去借给你看看。重要地方我都夹了条子。你只看《送魔鬼下地狱》和《装马尾巴》两篇就够了。"

她说:"这些话越听越不明白,最好找个没人的地方脱下来给我看看。"于是找到了没人的地方,脱了给她看。线条见了惊道:"王二,你病啦!小鸡鸡肿到这个样子,快上医院看看吧!"

当然,我没去医院。晚上把书借给她。线条还书时,满面通红地说:"王二,你该不是现在就要把那魔鬼送给我吧?"

"怎么?你反对?"

"不是反对。我是说,就是要把它送给我,也得等我大一大。现在硬要送给我,我可能就会死掉啦!"

自从我把小和尚给她看过之后,线条的成绩就一落千丈,中英文数理化没一门及格的。因为给别的女孩讲过马尾巴,被老师知道了,操行评语也是极差。要不是我给她打小抄,她早就完蛋了。这线条原是绝顶聪明一个女孩,小学的老师曾预言她要当居里夫人的。他们可没想到,该居里夫人险些连高中也考不上。

线条自己说,上初二初三时,她被一个噩梦魇住了,所以连音乐都考不及格。那时候她觉得除了嫁给王二别无出路,可王二那杆大枪……噩梦醒了以后,嗓子眼都痒痒。

如今我与线条话旧,提起这件事,她就不高兴,说道:"王二,你也老大不小的啦,还老提这件事! 不怕你不高兴,你那杆枪和我老公的比,只好算个秫秸秆啦。"

我马上想到,女人家就是不能做朋友,不说小时候我给她打过多少小抄,考试时作过多少弊,只说后来我在京郊插队,忽然收到一封电报:"需要钱线条。"我就把我的奥米伽手表卖了,换了 200 块钱,给她寄去了。

我自己会修表,知道手表的价值。那块奥米伽样子虽老,却是正装货。所有的机件都镀了金,透过镜子一看,满目黄澄澄。全部钻石都是天然的,无一粒人造的。后来到美国,邻居是个修表的老头,懂得机械表,我对他说有过一块这样的表,他就说:"你要真有,就给我拿来,五百一千好商量。要是没有,就别胡扯吊我胃口。我血压高,受不了刺激。"那块表除了是机械工艺的结晶和收藏的上品,还是我爸爸给我的纪念品。我妈认识联合国救济署的人,所以家里不缺吃的。这块表是我爹拿一袋洋面换的。要是寻常年景,他也买不起这样的表。只为线条一句话,我就把这表卖了,20 年来未曾后悔过,直到她说我是秫秸秆才后悔了!

我对线条说:"这辈子再也不交朋友,免得伤心。"线条就说:"至于的吗?好吧好吧,秫秸秆的话收回了。可是你也太腻歪了。我老公和你是何等的交情,我和小转铃又是好朋友。你追我干吗? 小转铃不是挺好的吗?"

李先生和我交情好,我也不想甩了小转铃,这些我全知道。怎奈我就是想抱她一抱,难道她不该让我抱一抱?所以我说她装丫挺的。

小转铃也和我装丫挺。每次我要和她做爱,她就拿个中号避孕套给我套上。我的小和尚因此口眼歪斜,面目全非,好像电影上脸套丝裤去行劫的强盗。于是我就应了那些野药的招贴:"(专治)举而不坚,坚而不久!"这也很容易理解。假如一位一米九的宇航员,被套入一米六的宇航服,他也会很快瘫软下去。为此我向小转铃交涉:"铃子,这套子太小了。"

"没办法。全城药房只有这一种号。"

这医药公司也装丫挺的。我们这个年龄的人都会背这两句诗:"太平世界,寰球同此凉热。"可也没听说寰球同此长短的。我知道计生委发放避孕药具,各种尺寸全有。小转铃说:

"王二,咱们将就一点吧。你知道不知道,我已经离了婚,是个单身女人?"

其实真去要,也能要来。可是小转铃说:她单位正要评职称。假如人家知道她在和一个尺寸37毫米的家伙睡觉,会影响她升副编审。为了副编审,就给男人套中号,是不是装丫挺的?

其实我自己也可以去要,我们单位也在评职称,而且我也是个离了婚的单身男人。我去要37毫米的套子,势必影响到我升副教授。所以我也得装丫挺的。

连我妈也在装丫挺的。我让她去搞一些特号,她说:"王二呀,我丧了偶,也是单身女人!"

我说:"妈,您快70岁了,谁会疑到您?再说,您教授已经到手了,还怕什么?不好意思说是给儿子要,就说要了回家当气球吹。"

"呸!实话跟你说,能要来,就是不去要。你还欠我个孙子呢!"

我的生活就是这样,到了 40 岁,还得装丫挺的。我就像我的小和尚,被装进了中号,头也伸不直。小的时候,我头发有三个旋(三旋打架不要命——王二注),现在只剩了一个,其他的两个歇掉了。往日的勇气,和那两个旋儿一道歇光。反正去日无多,我就和别人一样,凑合着过吧。

我现在给本科生上数学分析课。早几年用不了一秒钟的积分题,现在要五分钟才能反应上来,上课时我常常犯木,前言不搭后语,我也知道有学生在背后笑我。有个狂妄的研究生当面对我说:"听说您是软件机器,我看您不像嘛。"

我答道:"机器? 机器头顶上有掉毛的吗? "

还有个更狂的研究生说我:"老师,我觉得您讲话老犯重复。"

我说:"是吗? 一张唱片用的时候久了,也会跑针的。"

还有一个女研究生对我说:"老师,听说您是有名的王铁嘴,真是名不虚传。"

这话我倒是爱听。但她在背地里说:"这家伙老了以后一定嘚啵嘚啵嘚,讨厌得要命。"

我妈跟我说的却是:人就是 40 岁时最难过。那时候脑子很清楚,可以发现自己在变老。以后就糊里糊涂,不知老之将至。

叔本华说:人在 40 岁之前,过得很慢,过了四十岁,过得就快了。

咱们孔夫子说的是:四十而不惑,五十知天命,六十耳顺,七十从心所欲不逾矩。好像越活越有劲,真美妙呀! 可不逾矩以后又是什么? 所以我恐怕他是傻高兴了一场。

除了别人说我和说 40 岁的话,我还发现自己找不着东西;刚看过一本书,击节赞赏,并推荐给别人看,可是过了几天,忽然发现内容一个字也记不起来了。而过去我是出了名的一目十行、过目不忘。这对我倒是一件好事:以前只恨书不够读,现在倒有无穷阅读的快乐。因为以上种种,在这不惑之年,我却惶惶不可终日,对什么都失去了兴趣,成天想的是要和线条搞婚外恋。更具体地说,是想和她干,当然,也不想干太多。我的身体状况是这样的:一周一次有余,二次勉强。所以干一两次就够了。

我和线条谈这件事,是在矿院学生办的咖啡馆里,说着说着情绪激动,嚷嚷了两次。一次是因为说到秫秸秆,还有一次是谈到李先生和小转铃。我说,他们知道了又有什么呢?小转铃爱我,李先生爱你,一定会原谅我们。现在一想到你,我就会直。所以有一件事可以肯定:假如现在不干,到直不起来时一定会后悔。有海涅的悲歌为证:

在我的记忆之中,
有一朵紫罗兰熠熠生辉。
这轻狂的姑娘!我竟未染指!!
妈的,我好不后悔!!!

我读过的诗里,以此节为最惨。线条说:"这儿有我的学生,就站在吧台后面。你要是一定要嚷嚷,咱们到外面去。"

我和线条出了咖啡馆,在外面漫步。外面漫天星斗。我马上想起了 23 年前,也是仲夏时节,我和线条半夜里爬到实验楼顶上,看到漫天星斗,不禁口出狂言:假如有 100 个王二和 100 个线条联手,一定可以震惊世界!

时至今日,我仍不以为这是狂言。200 个一模一样的怪东西聚在一起,在热力学上就是奇迹,震惊世界不足为奇,不震惊世界反而不对头。比方说,200 名歌星联袂义演,一定会震惊世界。100 个左独眼和 100 个右独眼一齐出现,也会震惊世界。100 个 17 岁的王二和 100 个 17 岁的线条联手,那就是 200 名男女亡命徒,世界安得不惊也?

　　那天晚上在实验楼顶,除了口出狂言,我还干了点别的事,对女人的内衣有了初步的了解。我的手从她上衣下伸了进去,解开了背后乳罩的挂钩,然后那东西就如护胸甲,松松散散挂在外衣和皮肤之间,以后探手到她胸前,就如轻骑入阵,十分方便。我发觉女人的乳房比其他部分温度要低,摸起来就如两个小苹果一样。除此之外,还说了些疯话:我们生在这亡命的时代,作为两个亡命之徒,是何等的幸福!真应该联手做一番事业!

　　那天夜里我说道:在这世界上要想成一番事业,非亡命徒不可。比如布鲁诺这厮,在宗教法庭肆虐之时提倡日心说,就是十足的不想活了。他被烧死了。作为一个男人,被烧死不足为奇,但他还熬了无数的酷刑,实在可钦可佩。教廷说,只要他承认曾受魔鬼之诱惑,可以免遭刑罚。砍头、上吊、喝毒药,可随便他挑。临死前还可玩个妓女,嫖资教廷报销。但他选择了一条光荣的荆棘之路,被吊上拷问架去。两根绳子,一根捆手,一根捆脚,咯咯一叫劲,把他活活地拉长。原本一米六十的身高,放下来时被拉到三米七八。火刑处死之时,刽子手用杈子把他挑到柴堆上,盘成一堆(像蛇一样——王二注),放火烧掉。布鲁诺真好汉也!还有圣女贞德,被捕后,只消承认与魔鬼同谋,就可先吊死再烧。但她不认,选择了被活着烧。年轻姑娘的皮嫩,烧起来最难煞。根据史籍记载,那一天贞德身着亵衣,腰束草绳,被引到火刑柱旁,铁链拦腰束定。这时她发现,柴堆上面还铺了一层油松松针。这种搞法缺德得很。贞德见此,只微微皱眉,对刽子手说:"愿上帝宽恕你。"这贞德真是个好样的娘们儿!一点火时,松针上火苗猛蹿上去,把头发眉毛亵衣一燎而光,还烧了一身燎浆大泡!把个挺漂亮的姑娘烧得像癞蛤蟆,还要忍受慢火的烘烤。人家在她对面放了镜子,让她看着自己发泡。只见那泡泡一个个烤到迸裂,浆水飞溅,而贞德在火焰中,双手合十,口中只颂圣母之名,直到烤成北京烤鸭的模样,一句脏话也没骂。烤成烤鸭的模样,她就熟啦,圣母之名也念不出来了。在我看来,贞德比布鲁诺伟大。因为王二可以做布鲁诺,做不了贞德。我要被烤急了,一定要骂操你妈。圣女要是骂出这话,一切就都完了。

我对线条说:"老天爷会垂青我们,给咱们安排一场酷刑,到那时你我可要挺住,像个好样的爷们儿和好样的娘们儿!"

而线条则说:她希望酷刑之前给五分钟上厕所。见到血淋淋的场面她就尿频。

23年之后,线条对我说:"现在机会到了!我们正可以联手做一番事业。"摆在我们面前的正是一场酷刑。我会秃顶,性欲减退,老花眼,胃疼,前列腺肿大尿不出尿来,腿痛,折磨了我一辈子的腰痛变成截瘫,驼背,体重减轻,头脑昏聩,然后死去。而她会乳房下垂,月经停止,因阴道萎缩而受欲火的煎熬,皱纹满脸,头发脱落,成为丑八怪,逐渐死于衰竭。这是老天爷安排的衰老之刑,这也是你一生唯一的机会,挺起腰杆来,证明你是个好样的!

线条所建议的是:在衰老到来之时,做一件值得一做的事,正如布鲁诺提倡日心说,贞德捍卫奥尔良一样。我们要在未来的痛苦面前,毫不畏缩,坚持到神志丧失的时刻:正如布鲁诺被拉成面条之前还在坚持日心说,贞德被烤熟之前口诵圣母之名一样。我们做这件事不是为了别人,只是为了证明自己是好样的!

线条建议的事情相当值得一做。起码我还没想出有什么事比这还值得做。她还说,挑选我来做这件事,不是因为我有做成这事的能力和资格,只是因为少年时期我们是同伴,曾经发誓要联手证明自己是英雄(雌)好汉(娘们儿)!

线条说,王二年轻时虽像一条好汉,但是到了40岁,却只想苟安偷欢,不似一条好汉。况且他还没经过任何考验,不能证明他是好汉。而王二则说:他出过斗争差,被人打背了过去。和刘二师傅偷过泔水（偷泔水比偷汽车更需要勇气——王二注），怎么还不算条好汉？如果王二不是条好汉，线条又有什么事情能够证明她是个好汉(娘们儿)？

线条说道：她爱上了龟头血肿。只此一条就能证明她是个好娘们儿。如果需要细节的话，那就是：她曾在河南安阳某地的一个破庙里，在寒冷和恐惧中，赤裸裸躺在砖砌的供台上，尽全力分开双腿，把贞操献给了李先生而不要任何保证。她还决定要在一生中倾全力去爱龟头血肿，其实李先生就像任何男人一样毫无可爱之处。只此一条她就可算通过了考验。

线条的这些鬼话，不过是强词夺理罢了，不值得深论。但是这些说法倒可以说明，她为什么到河南去跟了李先生。她说，她是按自己的方式，在光荣的荆棘路上走到如今(参见安徒生《光荣的荆棘路》——王二注)。现在她还提供机会，让我们联手去搏取光荣。这个光荣就是把我们的似水流年记叙下来，传诸后世，不论它有多么悲惨，不论这会得罪什么人。

我一直在干件事，可是线条说，我写的小说中只有好的事，回避了坏的事，不是似水流年的全貌，算不得直笔。如果真的去写似水流年，就必须把一切事都写出来，包括乍看不可置信的事，不敢写出这样的事情，就是媚俗。比如不敢写这样的事，就是媚俗：

现在矿院门口正在建房子，有些地方盖起半截来，有些地方正在挖地基。结果挖出几方黑土来。别的地方是黄土，就那几块是黑的。年轻的工人不能辨认，有人说是煤，有人说是沥青，有人说是窖藏炭化的粮食。为了考据到底是什么，有人还撅了一块，放在嘴里尝尝，到底也没尝出个味道来。这件事情我们就知道：既非煤，也非粮食，是人屙的屎。

在我们的似水流年里见过这样的事：我八岁那年，正逢大跃进，人们打算在一亩地里种出十万斤粮食，这就要用很多的肥料。新鲜的粪便不是肥料，而是毒药，会把庄稼活活烧死，所以他们就在操场上挖了很多极深的坑,一个个像井一样,把新鲜大粪倒了进去。因为土壤里有甲烷菌存在,那些粪就发起酵来,嘟嘟地冒泡。我小的时候,曾立在坑旁,划着火柴扔进去,粪面上就泛起了蓝幽幽的火光。

在我小时,觉得这蓝幽幽的火十分神秘。在漫漫黑夜里,几乎对之顶礼膜拜,完全忘记了它是从大便中冒出来的。

不幸的是,这挖坑倒粪的事难以为继,因为当粪发酵之后,人们才发现很难把它弄出来:舀之太稠,挖之太稀,从坑边去掏又难以下手,完全不似倒下去时那么容易。何况那些坑深不可测,万一失足掉下去,很少有生还的机会。所以那些坑,连同宝贵的屎,就一齐被放弃。

过了一些时候,坑面上罩上了浮土,长起了青草,与地面齐,就成了极可怕的陷阱。我的一个同伴踩了上去,惨遭灭顶之灾。这就是似水流年中的一件事。

线条说,此事还不算稀奇,下干校时听说过另一件事。在同一个时期,当地的干部认为,挖坑发酵太慢了。为了让大粪快速成熟,他们让家家户户在开饭前,先用自家的锅煮一锅屎(参见北京大学社会学系沈关宝博士论文——王二注),一边煮,一边用勺子搅匀,和煮肉的做法是一样的。还要把柴灰撒进锅里,好像加入作料一样。煮到后来,厨房里完全是这种味儿。有些人被熏糊涂了,以为这种东西可以吃,就把它盛进碗里,吃了下去。

这个故事是线条讲的,我听出前面是实(有沈博士论文为证——王二注),后面两句是胡扯,这种浪漫主义要不得。但是煮屎的事则绝不可少,因为它是似水流年中的一条线索。它说明有过一个时候,所有的人都要当傻×(线条所谓 silly cunt——王二注),除此之外,别无选择。当时我们还小,未到能作出选择的年纪。

而当我们长大之时,就有了两种选择:当傻×或是当亡命之徒。我们的选择是不当傻×,要做亡命之徒。

要记做亡命之徒的事，那就太多了。我们的很多同伴死了。死得连个屁都不值。比方说，在云南时，有些朋友想着要解救天下三分之二的受苦人，越境去当游击队，结果被人打死了。这种死法真叫惨不忍睹。想想吧：

一、天下三分之二的受苦人，你知道他们是谁吗？

二、天下三分之二的受苦人，你知道他们受的什么苦吗？

三、正如毛主席所说，世上没有无缘无故的爱，也没有无缘无故的恨。你什么都不知道就为他们而死，不觉得有点肉麻吗？

死掉的人里有我的朋友。他们的本意是要做亡命徒，结果做成了傻×。这样的故事太悲惨了，我不忍心写出来。假如要求直笔来写似水流年，我就已经犯了矫饰之罪。

我还知道很多更悲惨的事——在我看来，人生最大的悲哀，在于受愚弄。这些悲惨的故事还写得完吗？

线条说："就凭你这平凡、没长性、已经歇顶的脑袋瓜，还想在其他方面给人类提供一点什么智慧吗？假如你写了矿院的黑土之来历，别人就会知道它是屎，不会吃进嘴里，这不是一点切实的贡献吗？难道你不该感谢上帝赐给了你一点语言才能，使你能够写出一点真实，而不完全是傻屎话吗？"

如果决定这样去写似水流年，倒不患没的写，只怕写不过来。这需要一支博大精深的史笔，或者很多支笔。我上哪儿找这么一支笔？上哪儿去找这么多人？就算找到了很多同伴，我也必须全身心投入，在衰老之下死亡之前不停地写。这样我就有机会在上天所赐的衰老之刑面前，挺起腰杆，证明我是个好样的。但要作这个决定，我还需要一点时间。

我马上想起了二十三年前，也是仲夏时节，我和线条半夜里爬到实验楼顶上，看到漫天星斗，不禁口出狂言：假如有一百个王二和一百个线条联手，一定可以震惊世界！

黑 铁 时 代

大学四年级

一

在大学里的第四年，以前空空荡荡的信箱忽然满了起来，我开始收到推销各种东西的邮寄广告：时装、皮衣、首饰、化妆品、成套的唱片、CD、LD、丛书、文库，等等。有些东西过去买不起，有些东西人家不卖给我们；现在这些东西我都有了，堆在双层床的顶上。到目前为止，我还没付过钱，全是赊购。它们不仅是商品，还是我已经长大的证明。有一样东西人家在努力推销，我还没有买，那就是公寓的入住权。我今年已经22岁了，再有一年，就要毕业，搬出学生宿舍，住进黑铁公寓。以前的事情未必值得记述，对我来说，大学的四年级是第一个值得记录的年度。

所有上过大学的人，都必须住在有营业执照的公寓里。据说公寓里特别好，别人想住都住不进去。假如你生在我们的时代，对这些想必已经耳熟能详，但你也可能生在后世，所以我要说给你知道——假如有样东西人人都说好，那它一定不好，这是一定之理。我有一个表哥，开着一所黑铁公寓。我和他说，想到公寓里看看。他说："我正要搬家，你就不用过来了。"他正要搬进我们学校对面的旧仓库，正在那里装修房子。闲着没事时我常去看看，但装修公司的人不让我进去，说是这种地方不准学生来看。我说我是业主的表弟，表哥让我来看看工程质量，他们才让我进去了。

我表哥的公寓里地下铺着黑色的水磨石，四壁上涂着黑色的油漆。整个楼层黑得一塌糊涂，看起来倒是蛮别致的。地面和四壁都做好之后，在装修公司的泛光灯照耀之下，这地方像个夜里开放的溜冰场。但这地方想要住人的话，就得隔成房间才对。后来他们开始打隔断——水磨石地面上早就留好了地脚，他们在地脚上竖起了若干铁柱子，在铁柱子之间架起了铁栅栏，又在铁栅栏上涂上了黑漆。一面做这些事，一面往里面搬粗笨家具。等到这些活做好了之后，这地方倒像个动物园，放着很多关动物的笼子。和兽笼不同的是，每一间里都有一个小小的卫生间，有床，有桌子，这就让你不得不相信，这些笼子是给人住的：狮子老虎既不会坐抽水马桶，也不会坐椅子。我在滑溜溜的地面上走着，冷风刺着我的耳朵。时值冬日，北风在拆去了窗框的方洞中呼啸着。工人正把这些洞砌起来，此后这里会是一所没有窗户的房子，不点灯会伸手不见五指。我想不明白，为什么就不能留着窗户。

我表哥的房子装修好了，他搬了过来，带着他的家具、杂物，还有六个房客。家具装在大卡车上，由搬家公司的人搬上楼去，房客装在一辆黑玻璃的面包车上，一直没有露面。那辆面包车窗子像黑铁公寓的窗子一样，装着铁栅栏，有个武装警卫坐在车里，还有几个站在了周围。等到一切都安顿好了，才把面包车的门打开，请房客们下车。原来这些房客都是女的。有两位有四十来岁，看上去像学校里的教授。有三位有三十来岁，看上去像学校里的讲师。还有一位只有二十多岁，像一个研究生，或者是高年级同学。大家都拖着沉重的脚镣，手里提着一个黑塑料垃圾袋,里面盛着换洗衣服,只有那个女孩没提塑料袋。她们从车上下来,顺着墙根站成了一排,等着我表哥清点人数。

我表哥搬家那天,北京城里刮着大风,天空被尘暴弄得灰蒙蒙的,照在地面上的阳光也变得惨白。有两位房客戴着花头巾,有三位房客戴着墨镜,其他人没有戴。我表哥说:"老师们,搬家是好事情,大家高兴一点——这回的房子真不赖。"但她们听了无动于衷,谁也不肯高兴。我想这是很自然的,披枷戴锁站在过往行人面前,谁也高兴不起来。我听说监狱里的犯人犯了错误时,就给他们戴上脚镣作为惩罚——这还是因为他们已经在监狱里,没别的地方可送了。我们不过是多读了几本书而已,又没招谁惹谁,干吗要戴这种东西?当然,给犯人戴的脚镣是生铁铸的,房客们戴的脚镣是不锈钢做的,样子非常地小巧别致。但它仍然是脚镣,不是别的东西。我表哥见我在发愣,就解释说:"这不是搬家吗,万一跑丢一个就不好了——咱们平时不戴这种东西。"我表哥像别的老北京一样,喜欢说"咱们"来套近乎,但我觉得他这个"咱们"十足虚伪,因为他没戴这种东西。这些房客里有五个戴着手铐或者拇指铐——这后一种东西也非常地小巧,像两个连在一起的顶针,把两手的大拇指铐在了一起。不过这也不是什么好东西,因为假如没有钥匙,不把大拇指砍掉是取不下来的,而把拇指砍掉了就会立刻成为残废。她们双手并在前面提着袋子,像动物园里的狗熊在作揖。我表哥又说:手铐出门时才戴,不是总戴着的。那个年轻的女孩倒是没戴手铐,双手被一条麂皮绳子反绑在了身后。她挺起胸膛,好像就要从容就义的样子。我表哥解释说:这位老师讨厌手铐,所以用根绳子。他还对我说,要是你将来讨厌手铐,或者对铁器过敏的话,也可以用根绳子——他是在和我说笑话。我听说癌病房里的病人总拿死和别人开玩笑,已婚的女人和未婚的女人间总拿性来开玩笑。但我觉得这个笑话十足虚伪,因为他自己并没有用根绳子嘛。所有公寓的人肘弯都扣着一根铁环,被一根铁链串在一起,只有我表哥例外,这件事让人看着实在有气。

有句话我们经常听说:知识分子是社会的精英——而我正要变成一个知识分子,或者说,一个精英。以前我听到这里就满意了,现在不满意。现在我觉得更重要的是:应该怎么对待这些精英。这些房客们都穿着郑重的秋季服装——呢子的上衣和裙子,这些衣服都是很贵的;脸上涂了很重的粉,嘴唇涂得鲜艳欲滴。只有一个人例外:那个年轻的女孩没有化妆。她穿着花格衬衫,袖子挽到肘上,那个扣住手臂的钢环被掩在袖子里。下襟束在腰带里,那条小牛皮的腰带好像是名牌。腿上穿着退色的牛仔裤,脚下穿一双雪白的运动鞋。那条不锈钢的脚镣亮晶晶的,镣环扣在套着白袜子的脚腕上。背着手,姿势挺拔,四下张望着——她排在队尾。混在这样一群人里,她非常抢眼,我不禁盯住了她。她的领口敞开着,露出了锁骨和一部分胸口,随着呼吸平缓地起伏着。后来她转过身去背对着我——她的小臂修长,手腕被黑色的皮条纠缠着。有时她握紧拳头,把双手往上举着,这样双臂就构成个 W 形;有时又把手放下来,平静地搭在对面的手臂上。与此同时,别的房客低着头,一动都不动。直到一切都安顿好了,我表哥才说:好,进去吧。房客们从黑铁公寓的前门鱼贯而入,像一伙被逮住的女贼。那个女孩走在最后,她在我脚上踩了一脚,说:"小傻冒!看什么你?"既然她说我是傻冒,想必我就是傻冒了,但她也该告诉我,我到底傻在哪里。我还想和她说几句,但她已经走过去了。电动的铁门哗啦啦地关上,把别人都挡在了门外。

二

我住的宿舍离学校的南墙很近,学校的南墙又和我表哥开的公寓很近,有一段南墙是砌锅炉的耐火砖砌的,黄磣磣的,看起来很古怪。墙下有窄窄的一条草坪,出了南墙就能看见,总没人浇水,但草还活着。草坪里种了一丛丛的月季,夏天草坪上满是西瓜皮。草坪前面是马路,过了马路就到了黑铁公寓门前。人们说,所有的聪明人都住在公寓里,住在公寓外面的人都不够聪明。聪明人被人像大蒜一样拴成一串,这件事却未必聪明。你知道的吧,这世界上最不幸的事就是:吃了千辛万苦,做成一件傻事情。

黑铁公寓是一座四四方方的混凝土城堡,从外面看起来是浅灰色的,但它名副其实,因为它里面非常地黑。在高高的天花板上,亮着一盏遥远的水银灯,照着这间宽大的房子,好像一座篮球馆内部的样子,但是这里没有篮球架子。从底层的中央乘升降机到达四楼,你会发现自己在十字交叉的通道的中心。每条通道通向一个窗子,窗子的大小刚够区别白天和黑夜。在通道两边,雕花的黑漆铁栏杆后面,就是黑铁公寓的房间——房间里的一切都一览无余,你怎么也不肯同意,像这样的小房间可以要那么多的房钱。但是人家也不需要你同意,他们径直把你推进其中的一间,然后你就得为这间房子付钱了。隆冬时节,黑铁公寓里面流动着透明的暖风,从铺在地面上的橡胶地毯上方流过,黑铁公寓里面一尘不染,多亏了有效的中央空调系统。这里有第一流的房间服务——一日三餐都有人从铁门上的送饭口送进来。从这个口子送进来的还有内衣和卫生纸、袋装茶和袋装咖啡——在动物园里,人们也是这样给笼养的猛兽送东西,只是不送袋装咖啡——住在这个笼子里,你大概也用不着别的东西。这个地方过去是座旧仓库,现在是黑铁公寓。打听了这所公寓的房钱之后,我得出了这样一个结论:这黑铁公寓可真是够黑的。

经过深思熟虑,我在表哥那里打了一份工。大学四年级功课不忙,现在放寒假,我又需要钱。至于为什么要到表哥那里打工,我也说不清楚——深思熟虑的结果往往就是说不清楚。上工的头一天,我表哥说道:咱们这里什么都好,就是少了一样东西——他让我猜猜是什么。我想了半天没有想出来,他告诉我说:这里有七个房间,但只有六个房客,所以少了一个房客,空了一个房间。402室就是空着的。算数我是会的,但我没有注意过这件事。我倒注意到他说到空了一间房时看了我一眼,我马上就感到不舒服。他让我想想该怎么办,我又没想出来。他告诉我说:应该去买一个来。原来房客还可以买卖。这件事我不知道,想不出来也怪不得我啦。他打电话请人来替班,我们俩开车去了房客市场。这地方在中关村路口,食品商场二楼。最早是电脑市场,后来是股票交易所,现在卖人——什么能赚钱就卖什么,用我表哥的话说,什么牛逼这里就卖什么,这话把我逼入了两难境界。如果说房客,也就是社会的精英,是不够牛逼的货物,我没法同意,这等于说我也不够牛逼。但若说他们是牛逼的货物,我也不喜欢——谁也不愿被比做一个牛逼。

市场里熙熙攘攘,有很多摊位,每个摊位上都拴着好几个很牛逼的货物,穿着打扮和我表哥的房客搬家时差不多,但每人手里都有一把折扇,假如有人来问,就打开来遮着脸,隔着扇子和他说话——看起来像日本的艺妓。假如人成为商品,就应该遮着脸。

你未必去过那个房客市场,但你早晚是要去的:不是作为买主,而是作为货物。这间房子很高,没有天花板,在透光的塑料瓦中央有一个长方形的天窗。从底下看上去,天窗就像个亭子,或者说,像一道长廊。盯着它看得久了,脑海里还会冒出些木字边的中国字:"榭"、"枋"之类;这些建筑都是木头造的,但现在天然的木头很少了,这个天窗是角铁焊出来的。你正看得出神,忽然手上一阵冰凉。低头一看,眼前是一件黑皮夹克和一个秃头,他正把戴着黑皮手套的手放在你手腕上。当然,你是货物,对方是主顾。此时你如梦方醒,连忙用扇子把脸遮上。对方问道:"你是干什么的?"你要告诉他,是学中文的,除了从口袋里掏毕业证给他看,还要告诉他:"我每月都有作品在刊物上发表。"对方小声嘟囔道:"这才几个钱哪。"然后他后退半步,上上下下打量着你,摇摇头说:"你该减减肥了。"为了回答这种轻蔑,你要挺起胸膛,收紧肚皮,刷地把扇子一收,朗声说道:"大家评评理,我这样子难道还算胖吗?"有人给你鼓掌,都是卖主。有人嘘你,都是买主。有人一声不吭,都是货物。所有的货物都一声不吭,抬头看着天窗。

我表哥说,有些公寓的房客多房间少,有些公寓房客少房间多,互相之间需要调剂。这是合乎道理的,但此地交易的方法实在古怪。看好了货以后,把他带到市场中心的公平秤那里,卸掉了手铐脚镣,脱掉外衣和裤子,往磅上一站:论斤约,每斤100块。不管秃顶大胖子还是苗条小姑娘,都是这个价钱——就算是卖肉,也该分个等级。要是有什么争论,也都围绕这分量。买主指着房客说道:"早上你给他揣了不少吧?"这是指早饭而言。卖主则说:"甭管揣了多少,你看看现在都几点了。"这就是说,现在已经过了十点,早饭都消化了。我觉得这种买卖方法实在太笨,禁不住嘟囔了出来。我表哥听到了,就问我:"照你看,应该怎么卖?"我就提出了一个公式:用房客的收入乘一个权数,加他的预期寿命(这可以从他的健康状况估计出来)乘第二个权数,减掉他的消费。我表哥听了就说:"扯淡。像你这么会算账,我都该进公寓,还开什么公寓呢……还是得论斤约!"这话听得我目瞪口呆,因为它包含着精深的道理:有件事情你看着很笨,但别人都那么做,那就是因为不这么做就要倒霉——有这么一条,一切聪明与笨都要倒过来说。我表哥一点都不笨,甚至还可以说很精明——像这么精明的人却没有考上大学。也许这另有内情,但我不敢想下去了。

从理论上说,我表哥是个文盲。他受过九年义务教育,但所有的功课都是零分,既不识字又不会算数。像这样的人才能开公寓,因为他不会和房客串通一气。实际上没有比这更虚伪的事了:现在哪有文盲呢。就拿我表哥来说吧,他不仅会算数,而且三位以下的加减法心算起来比我还要快。他还有阅读的嗜好,床底下的纸箱子里放了那么大一堆话本小说。在市场上他看过了一个待售房客的文凭,回过头来问我:"表弟,这个词是什么意思:A—N—T—H—R—O—P—O—L—O—G—Y。"气得我差点骂了出来:"别装孙子了!你要是不认识这个字,这么长一个单词,怎么能拼得一个字母都不错呢?"

我说表哥精明,还表现在他知道买大胖子不值。这种人不光是压秤,而且往往有一身的病,有时会犯心脏病,有时会中风。不管犯了哪种病,结果总是一样——用他的话来说,叫做"砸在手里了"。他专找苗条的人打听。终于找到了一个苗条小姑娘,看样子不超过四十公斤,明眸皓齿,虽瘦精神却旺盛,大概在三十年之内不会有砸在手里的问题。他很中意。一问职业,却是个画家。我表哥就嚷了起来:"画家不要!都是穷光蛋,扔在街上都没人拣的!"女孩很受打击,蹲在地上就哭起来了。我也蹲下去安慰她——她说自己毕业一年多了,每天都被牵出来卖,不得安生,也没法工作。要是今天再卖不出去,回去就自杀——但看她的样子不像是当真的。她一眼就看出我不是个买主,就问我是学什么的。我说是学应用数学的。她说我没这个问题——专业好,人又瘦,会很好卖。想到自己好卖,稍微有点得意,过了一会儿,又连打几个寒噤。

三

一般以为,有学问的人聪明,必须把他们关进公寓里,没有学问的人比较笨,让他们在外面跑跑没有什么——这个看法是错误的。有学问的人往往很笨,没有学问的人反而很聪明。这是因为假如学问会给人带来好处，聪明人就不会不要它，或者有了学问也不让你知道。因为这个缘故，黑铁公寓里的房客就是一伙傻瓜，但她们都以为公寓里有个比她们还大的傻瓜，那就是我。

每天早上我要从床上爬起来，送403室的房客去上班。这张床放在公寓的走廊里，紧贴403室。这位阿姨身材颀长，肤色黝黑，刚起床时头发乱糟糟地垂在脸两旁，像个印地安人。洗漱之后，她要把头发编成一根辫子。在我看来，这比任何一种发式都要麻烦。然后她又给脸化妆，这段时间也是非常地漫长。我还没有活到等女人的年龄，所以禁不住催促道："阿姨，能不能快一点？"她答道："小表弟，不要急嘛。我要去上班。"有两件事使我感到不快：第一，我不喜欢她强调自己要上班。在这所公寓里，只有她要上班，因为她是银行的职员。第二，我不喜欢她叫我表弟——我不是她的表弟。弄完了脸以后，她取出一叠衣服：外衣放在下面，内衣放在上面，都叠得整整齐齐，脱掉身上的梳装袍，仔仔细细地穿戴起来——古代的武士上阵前披挂也没有她仔细。她穿的是一套暗色的男式西服，里面是薄薄的毛衣，所以显示出婀娜的曲线。我没看见她的大衣在哪里，看来她不准备穿大衣。今天外面在刮西北风，最高气温是零下10度。有句老话叫做"爱俏不穿棉，冻死不可怜"。我没有提醒她外面冷。既然是冻死不可怜，我可怜她干什么。

403室的阿姨终于穿戴整齐，戴上了耳环，隔着铁栅栏让我看"可以不可以"。我答道："很可以。"就打开铁门走了进去，手里拿了一个黑色的公文箱。这回轮到我问她可以不可以。她叹了一口气，把手伸了过来——这不是公文箱，而是一种手铐的式样。我怀着暗藏的快意，把她的双手铐在皮箱的把手上。

北京的三环路两旁的人行道上有一些铁柱子，以前我不知道是干什么的。早上有些铁柱边上有人，一只手拿着一张报纸在看。此时北风正烈,会把报纸吹走。吹走了一份,他会从大衣口袋里拿出另一份。在旧报纸飞走之后,新报纸展开之前,你会看到他的一只手被铐在柱上的一个铁环里。这就是黑铁公寓的房客,在等上班的班车。我把403的房客带到过街天桥下,那里有一根铁柱子,是银行的班车站。此时我穿着一件破旧的蓝棉大衣,把头缩在领子里,从口袋里掏出一条铁链和一把大锁来,说道:"伸伸手,阿姨。"只要她一伸手,我就可以把铁链从她腋下穿过去,往铁柱子上一套,把她锁在这里,然后我就可以回去睡懒觉——班车司机有开锁的钥匙。但是她不伸手,反而把双臂夹紧说:"你陪陪我。"我偏过头来,看着她,用很不讨人喜欢的口吻说道:"为什么呀?"这座天桥底下是个风口,别的地方刮着五级风,这里有七级。403的房客跺着脚,把双手缩在袖口里,往四下看着,忽然把嘴凑到我耳畔说道:"我怕在这里碰上性骚扰。"这倒是个使我不能推托的理由。我往四下看着,看到几团废报纸神速地呼呼飞过,没看到有人经过。现在没人不等于总没人,我不好意思就这么溜掉。

早上六点钟,黑铁公寓笼罩在一团黑暗的温暖里。虽然这里总是这么黑,但人的生物钟还在起作用,所有的房间里没有一丝声音,大家都在睡着。我睡在走廊的行军床上,被一阵刺耳的闹钟声吵醒,然后一盏雪亮的泛光灯直射我的面门。我像蝙蝠、像猫头鹰一样,讨厌这种突如其来的白光。403室的房客在白光下起身,脱下身上的睡袍,在卫生间里出出进进。我和她说过,换个红色的暗室灯就不会这么晃人。但她瞪着我看了好半天,然后说道:"红灯怎么成?我要化妆。我要去上班,不化妆怎么成?"我无话可说,只能眯着眼睛看她出出进进。她的样子当然无可挑剔,否则也不能在银行里做事。但我总觉得她小腹那里黑蓬蓬的一片,像生了一个大黑痣——起码那地方就难看得很。后来在马路边上,我心里一直想着那个大黑痣,对她的种种暗示就无动于衷——她在我身边不停地跳着脚,说道:"冷啊,冷。"我知道她的意思:她希望我把这件蓝色的破大衣解开,让她钻进来。但我不肯这么做:我不愿担上性骚扰的恶名。

早上七点钟,灰白色的街道变成了淡蓝色,路边的楼房的墙壁出现了红色的光斑。这个红蓝两色的世界只有一个寓意,那就是冷。我从桥底下探出头去,看到天空明亮,空气透明。风在割我的脸。403 室的房客转过身去躲避迎面来的风,她忽然叫道:"你看。"我转头看去,见到一个小个子,身穿一件破旧的军棉袄,双手揣在袖子里,从桥边走过。我没看到他的脸,只看到那一头乱发像板刷一样竖着。他走起路来一拐一拐的,看来小时缺钙给了他一双 O 形腿。我想他是一个四川来北京打工的民工。开头我不知道她叫我看什么,后来想起了她说自己常在等车时遇到性骚扰——这就是她说的骚扰者吧。我在心里冷笑了一下说:"别扯淡了,人家会骚扰你吗?"

我表哥常常关照我说,要尊重房客。起初我觉得这种叮嘱是多此一举:我自己将来也是房客,我会不尊重自己吗?但后来发现这不是多此一举,在天桥底下 403 喋喋不休时,要不是想起了表哥的叮嘱,我早就出言顶撞了。她说到银行里的种种好处,不但发工资,还发东西:香水、唇膏、山美子牌的内衣(看来她穿在里面的就是山美子了,样子是有点怪,但她不说我是看不出来的),还发香烟,我表哥抽的骆驼牌香烟就是她们那里发的。这种烟是用土耳其烟草手卷的——我说我表哥这两天怎么满身的鸡屎味儿,原来是她祸害的。我不喜欢听到这些事,这可能是因为银行不雇数学家。但我也不是冷酷无情之辈:听到她说话声发抖,我几次想把大衣脱下来替她披上,但马上又变了主意——她又说到那家银行是外资的,有不少外籍职员,也许有天嫁个外国人,就可以出国,不住公寓了。我不喜欢听到这些话,也许是因为我是个男人,不做变性手术没人肯娶我。到后

197

来,我听到她牙齿在打架,已经在解大衣的纽扣,但这时班车开来了,这个善举就没有做成。班车紧贴着马路牙子停下,前门打开,戴太阳镜的司机低头看看外面,说道:"啊哈,有人送啊。"403马上就振作起来,一面往班车上爬,一面说道:"可不是吗,我们管理员的表弟,在我们这里打工。"那辆班车方头方脑,所有的窗口都钉了铁条,叫人想起了运生猪的车——在车门关上之前,她对我说:"晚上早点来接我,别忘了。"我答应了一声,心里却在想:我要是能把这事忘了才好呢。

我想把接403房客的事忘掉,但没有成功——我才22岁,忘不掉上课,忘不掉交作业,也忘不掉去考试,单把这件事忘掉,有点说不过去。但我磨磨蹭蹭,迟了20分钟出门,我想这是说得过去的。走在路上我又在想心事,这就不可能走快。总而言之,走到天桥底下,天都快黑了。远远看到她抱着铁柱子站在那里。我表哥说:这种铐人的方式叫做恋人式,取人柱相亲相爱之意。但这种方式很不好,没给房客留任何的颜面:挺体面的人,当街搂根大柱子,算干什么的吗?有些房客会想:你既不仁,我也不义——假如他身手敏捷,就会设法爬上柱子,从柱顶逃掉。当然他也没地方可去,最后还得回公寓,但先让你着一宿的急。403室的房客当然没有能力从柱顶逃掉,但这么铐着她也不好:天气这么冷,铁柱又没什么暖意。我赶紧脱掉大衣,走过去披在她背上,一面说:"阿姨,我来晚了,对不起对不起。"一面在各个口袋里搜索公文箱的钥匙。此时天色已暗,桥底下更黑,看不到她的脸——能看见我也不敢看。她低声说道:"你能帮我擦擦鼻子吗?"我当然能。她鼻子下面有好长一溜清水鼻涕,三层手绢都挡不住寒意。我说:"鼻涕够凉的。"她哼了一声,听不清楚是哭还是笑。

晚上我陪403的房客回公寓,我走在她的身后。这也是表哥关照的,他说:"你刚得罪了房客,千万别走在她的前面。"在苍茫暮色中，她显得瘦小了很多，按说披上了一件棉大衣应该显得高大一些。走着走着，我觉得心里热辣辣的，禁不住说："刚才你碰到性骚扰了吗？"她说道："刚才没有。"从声调里听不出什么来。我又问："刚才没有什么时候有？"她说："白天，在银行里。"我说："那就不该怪人家民工。"她叹口气说："是啊是啊。"声音没精打采的。这可是少见的事，在所有的房客里，就属她总是精神抖擞。后来她跺起脚来，带着哭声说道："坏小子，还不快来暖暖我！"她想让我钻进大衣，搂着她让她暖和一点。这件事也是我的日常工作。但我不肯去，还说："阿姨，这可是性骚扰。"她终于哭了起来，说道："你干吗这么和我过不去？我不过是爱慕虚荣，没做什么坏事呀！"

四

我表哥终于买到了中意的房客，但不是在市场上买的。但这件事说起来话就长了，暂时不必提起。寒假里，有一天下了雪。我表哥没在公寓里，他带房客散步去了。这本该是我的事情，但我回学校去听报告了。那天下午他在办公室里喝茶，看到401号的红灯亮了起来。红灯连闪了两下才熄灭了，这表示住户想要出去散步。此时办公室里只有他一个人。他把脚从桌子上拿下来，穿上大头靴子，套上他的黑皮夹克，从办公室里出去，走到401门前，看到里面的女孩已经准备停当：她把头发束成了马尾辫，脸上化了淡妆，穿着白色的衬衣，黑色的紧身裤，脚上穿着长统皮靴——看来她已经知道外面在下雪。她手里拿了一个白信封。这位管理员是个秃顶的彪形大汉，他从皮带上提起钥匙串，把铁门打开。此时那个女孩把信封塞到他上衣口袋里——信封里是小费。管理员说："用不着这样。"——然后又改口道："用不着现在给。"但是钱已经给了。管理员看了一下这间房子：这里的每一样家具都是黑色的，黑色的矮床，床上罩着

黑色的床罩,黑色的钢管椅子,黑色的终端台上,放着黑色的
PC 机——机器是关着的。一切都收拾得井井有条,用不着他尽
督促、管理之责。正如他平时常说的,401 的房客最让人省心。
桌面上还有一个黑色的磁杯子,里面盛着冒气的热咖啡。管理
员建议道:"先把咖啡喝了吧。"那个女孩没有回答,只是面露不
耐烦之色——这位房客虽让人省心,但是很高傲。于是他走向
那张几乎看不见的黑皮沙发,又开双腿坐了下来。然后那个女
孩走到他面前,站到他两腿之间,然后转过身去,跪在地板上,
把双手背到身后。管理员在牙缝里出了一口气,俯下身去,用手
按住她的后脑,让她把头低得更低,直至面颊贴到冷冰冰的地
板,然后从袖筒里掏出一根麂皮绳索,很熟练地把她的双手反
绑在身后——我说的这件事发生在黑铁时代,黑铁时代的人有
很多怪癖。这位管理员像一位熟练的理发师在给女顾客洗头,
一面缠绕着绳子,一面说:"紧了说话啊。"但那个女孩没有说
话——看来松紧适中。等到捆绑完毕,他把她扶了起来,转过她
的身子,左右端详了一番,看到脸上没有沾到土,头发也没有散
乱,就从衣架上拿起黑色的斗篷,给她围在身上,系好了带子。
随后他又看到墙上还挂有一顶黑色的女帽,就把它拿到手里,
想要戴到她的头上。但那女孩摇了摇头,于是他又把帽子挂在
墙上,然后打开了铁门,让她走在前面,两个人一起到漫天的大
雪里去散步。

　　我在表哥的办公室里坐着时,桌面上的红灯也会亮起来。
他已经告诉过我,红灯亮是房客要散步,还告诉了我应该怎样
做。我站起身来说:"表哥,我去。"我表哥犹豫了一阵,在扶手椅
里艰难地侧过了身子,从腰上解下了钥匙串,和袖筒里拿出来
的皮绳绕在一起扔给我说:"对人家客气一点——最好叫声阿
姨。"这种关照是多余的,虽然她比我大不了几岁,我乐意叫她
阿姨。我走到 401 室门外,里面的女孩瞪大了双眼看着我,大概
没想到会是我。我开了铁门,走到她的面前说:"阿姨,我表哥叫

黑铁公寓是一座四四方方的混凝土城堡，从外面看起来是浅灰色的，但它名副其实，因为它里面非常的黑。

我替他。"她又发了一会儿愣,然后叹了口气说:"讨厌啊,你。"就转过身来,把双手并在一起。我坐在终端椅上,用那根皮绳把她的手反绑起来。平时我的手是挺巧的,但那一回却变得笨手笨脚,捆了个乱七八糟,而且累得两只手都抽了筋。办好了这件事,我站起来,拿了斗篷,笨手笨脚地要给她围上,又被她喝斥了一句:"笨蛋!你先把我的衣领竖起来!"后来我把斗篷给她披上了,带她出了门,到外面的小公园里去散步——那是在初冬的早晨,天气干冷干冷的。大风把地面上吹得干干净净。至于天上,就不能这么说。每个树枝上都挂着一个被风撕碎了的白色塑料袋,看起来简直有点恶心。

401 的房客想让我表哥带她去散步,不想让我带她去,我以为她是爱慕虚荣。对于女人来说,爱慕虚荣不算个毛病。我不会爱任何一个不爱慕虚荣的女人。那天晚上,403 的房客,那位银行的职员,检讨说自己爱慕虚荣,我听了以后钻进了那件棉大衣,抱住她说:"别哭了,阿姨。我喜欢你。"她听了马上就破涕为笑,说道:"坏小子,别撒谎了。我知道你喜欢谁。"401 的房客神态傲慢,姿势挺拔,我当然喜欢她,这是明摆着的事。403 告诉我说,她是刚进来的,所以这个样子,过上一段时间就和大家一样了,但我不信。403 知道我说喜欢她是撒谎,还是叫我搂着她,走完了到公寓的路。我对她没什么意思,但也喜欢搂着她。看来这个谎言很甜蜜。过去皇宫里宫女和太监谈恋爱,大概就是这样的吧。

我和 401 室的女孩在公园里,她在长椅上坐下来不走了,我站在她面前,搓着手——我穿得单薄,感觉到冷了,尤其是耳朵上。就这么过了一会儿,她忽然说道:"你在这里干什么?"我告诉她说:"我在这里打工。"她说:"到哪儿打工不行,偏偏要来这里——真讨厌啊你。"我说:"我在上大学四年级。"她说:"那又怎么样?"——口气很噎人。我说:"照你看,我应该看都不来看看,径直就住进来?"她说:"这是你的事,我怎么能知道什么应该什么不应该。"我说:"你不喜欢我,所以就说我讨厌。要是我表哥你就不讨厌了。"听了这话,她皱起眉头来说:"混账!"然后又说,"谁告诉你的?""这不是明摆着的事吗,还用人告诉?"她发了一会儿愣,然后对我说:"你坐下吧。"我在她身边坐下来。她接着发愣。又过了一会儿,她说:"要是你乐意,不妨搂着我。"我就搂着她,过了一会儿才说:"这不算性骚扰吧。"她笑了起来,说道:"油嘴滑舌,讨厌啊你。"然后把头放在我肩上了。

我在表哥这里打工,他给我一本公寓员工守则。那上面第一条就是:禁止对房客进行任何形式的性骚扰。但所有的人都没把这一条当回事。人都被看起来了,还说什么不准骚扰,简直是胡扯。要是公寓里换两个女的来看管,这些房客肯定要造反,因为她们不是同性恋者。这个小公园本是管理员和房客散步的场所,她不把头靠在我肩上,反倒显得不自然。她在我肩上伸直了脖子,说了一声:"不准讨厌啊!"就把眼睛闭上了。以后我就成了她打盹的枕头。因为我喜欢她,就心甘情愿地被枕着,肩膀压麻了也没说什么。

黑铁公寓的管理员终身生活在皮革的臭味里,他们必须赤膊穿皮衣,请不要以为这是种好受的滋味。我就不肯这样穿衣服——到了热天要起痱子,冬天衣服里又是冷冰冰的。假如他是男人,就必须是条彪形大汉,脸相还要凶恶。像这样一位管理员在雪天带着 401 小姐在公园里散步,此时天上降落的雪和米粒相似,有时大块的雪还会从杉树枝上跌落下来。公园里空无一人,他跟在小姐身后从松软的雪层中走过,同时在心疼脚上的皮鞋。小姐在一棵树前站住了,他也趁机从口袋里掏出一盒烟来。就在此时,她转过身来,径直走到他面前说:"我也想吸一支烟。"此时他面临着抉择:他可以说,不要吸烟,吸烟对身体没好处;他还可以不回答径直走开,这些都是管理员对待房客的方法。但他从烟盒里取出一支揉皱的骆驼牌香烟递了过去。小姐笑了一下,说道:"谢谢,我想抽自己的,在斗篷里面的口袋里。"管理员把自己的烟收了起来,俯身撩开她的斗篷到里面找香烟。这件斗篷的里面异常地深,他在里面翻来覆去,终于找到了一盒红色的硬壳坤烟,从中取出一支放进嘴里,然后把烟盒放回口袋里,为小姐整理好斗篷,系好颈下的带子。把一切都整理好之后,他取出自己的打火机,点燃了这支香烟,吸进了一口带有荷花苦涩味的烟——这种味道使他联想到女人阴部的气味,所以他不喜欢这种烟。他把这口烟全都喷了出来,然后很熟练地把香烟掉过头去,放到小姐嘴里——此时他细心地关照了一声:"用牙咬住,不然会掉的。"而小姐也闷声说了声谢谢。她转过身去,在公园里继续漫步,直到天色变暗她感到心满意足时,才回到黑铁公寓。她很喜欢今天的雪——可惜的是,不是每天都下雪。管理员跟在她的身后,他的时间也在一分一秒地过去。在内心深处,他感到无奈。但他知道,必须理解房客,尤其是在这天地一色的天气里。外面一片洁白,你却待在漆黑的屋子里,这种处境让人想到失去了的自由,因而变得心痒难熬。你不能光想着收房钱,有时也要迁就一下房客的心境——管理员就是这么想的。他还想道:好在不是每天都下雪。这件事发生在雪天,这个管理员是我的表哥。

五

从前,有位 23 岁的女孩子,一个有才华的音乐家,收到一纸通知,说她已被判定为专门人才,是国家的宝贵财富。因此她必须搬入一家领有执照的公寓,享受保护性的居住。乍一拿到这纸通知,她像别人一样感到天旋地转,还觉得世界末日已经来临;或者说,像从医生那里知道自己得了癌。但她很快又镇定了下来。她也像别人一样,注意到通知末尾那一行字:在 20 天之内,她拥有选择住入哪家公寓的权利;过了 20 天,当局就要

替她行使这种权利,代她指派一个公寓,这样的公寓必然又贵
又不好。所以她也像别人一样匆忙地利用了这个权利——把京
城里每一家公寓都看了一个遍。实际上,要选择一个终生居住
的地方,20天是根本不够的。但她也和别人一样,对自己最后
选定的地方深感满意——这主要是因为,她不满意也搬不出
去,除非她住的公寓赔钱,把她卖给别的公寓。她住的这家公寓
实际上只有一个管理员,此人同时又是经理、主要股东、法人代
表,等等;中等身材,长得很结实,头顶光秃秃,粗糙的脸上有很
多面疱留下的疤痕。起初她很害怕此人的模样,后来就不可避
免地爱上了他——但也不一定是真的爱上了。到了雪天,她要
请他带她出去散步……如你所知,这个女孩住在我表哥公寓的
401室里,这个管理员就是我的表哥。他身上有股鱼腥味,脸相
凶恶,主要是因为他的眉毛很浓。我和我表哥都是自由的,但他
将要自由下去,我却自由不了多久了。这是很大的区别。想起了
这件事,我就会觉得万念俱灰,找个借口不去上班。下雪那天我
该在公寓里,但我扯谎说学校里有事,就没有去。

　　除了我们学校对面的公寓和我表哥这样的管理员,黑铁公
寓和管理员还有别的模样。比方说,有这样的公寓:从正面的大
铁门进来时,身后照进来灰色的天光,你可以看清眼前是一大
片四四方方的空场,地上满是尘土、旧玻璃、陈年发黄的废纸,
还有大片干涸了的水渍,靠墙的地方堆放着拆成了木板的包装
木箱,靠墙的地方有些粗铁条焊成的小笼子,看起来和马戏团
用来搬运狮子老虎的笼子没什么两样。隔着铁栅栏,可以看见
里面放着大大小小的包装木箱, 有些小木箱上放着棉垫子,这
就是椅子,有些中等木箱上放着蛇形管工作台灯,这就是桌子。
有人坐在这样的椅子上,从嘴里呵出热气,去温暖手上的冻疮。
还有个大木箱铺着肮脏的棉门帘子,在门帘下面露出发黄的旧
报纸,这就是你睡觉的床。被推进一间空置的笼子里时,假如发
现角落里有干硬的陈年老屎,你千万不要感到诧异。等到电动

的大铁门隆隆关上时,头顶那些蒙满了尘土的天窗玻璃继续透入半透明的光线,这地方原来是旧车间,现在是黑铁公寓。所以这个故事又可以重新讲述如下:

当办公室里的红灯亮起来时,管理员把腿从桌子上拿了下来。她拿出一面小镜子照照自己的脸,这张脸的上半部盖着一层绿色的刘海,嘴唇涂得乌黑。她对自己的样子感到满意,就放下小镜子,披上黑皮上衣,从办公室里走了出去。她在走廊上歪歪斜斜地走着,弄出很大的声音,来到401室的门外,哗啦啦地打开铁门,大声大气地问道:"要干什么?"这就使待在里面的人几乎不敢说自己要干什么。此人是个肤色苍白的秃顶大汉,低头看着自己的鼻子,唯唯诺诺地说道,想出去散步。那女孩说道:"讨厌。"从自己腰带上解下一副手铐放在桌子上说:"自己戴上。"然后就一头闯到卫生间里去了。于是他就像戴手表一样,很仔细地自己把手铐戴在手腕上,然后瞪着大眼看卫生间敞开的大门——门里伸出两只穿着皮靴的脚,还能听到一种湍急细流的响声。这个男人按捺着心跳,等着他的管理员。在黑铁公寓里,管理员总是人们关注的中心,哪怕她正坐在马桶上撒尿……她,从卫生间里走出来,一面系黑色皮裤上的腰带,一面喘着粗气,端详着面前的男人。后来,她从衣架上拿下一件黑色的长袍,像用包装袋套住一台高大的仪器,把他罩在袍里(这件长袍没有袖子,只有两个伸出手来的口子,但已经缝死了),用黑布的头罩把他的头套住,只留下一双眼睛在外,就像伊斯兰国家的妇女,这样带他出去散步。上述两个故事发生在同一时间,但地点稍有不同——黑铁时代有不止一所黑铁公寓。有些人必须住在黑铁公寓里,因为他们太聪明。这个男人像一个会行走的黑布口袋一样跟在绿头发的管理员身后。他爱她,依恋她,因为她是自由的。

我们学校对面原来是一片工业区,现在破败了,长满了荒草。有很多厂房、仓库,现在都空着。原来人们也没发现这些房子有什么用场,后来他们发现这里可以办公寓。短短几个月,有好几家黑铁公寓搬了进来,眼看这里要成为一个公寓区。下午时分,我从窗口往外看,看到有两对人从不同的大门出来。一对是我表哥,带着 401 的房客,他们往西面走了。穿过一片平房区,走过一座久已废弃的铁路桥,运河对面有个小公园。还有一对往东面走,这条路的尽头有条竖着的街,那条街叫做市场街,街上有个农贸市场——往那个方向走比较热闹。那个绿头发管理员我认识,最早时她在我们学校食堂里卖饭,后来有一阵子她在农贸市场上摆烟摊;连账都算不清楚,而且喜欢说个“操”字。我也认识那个秃头——他在市场街上修过手表。和别的修手表的不同,他不是浙江人,而是本地人。这个人说话文质彬彬,不像个手艺人。他还托我到学校书店里买过书,买的什么我已经忘了。401 的女孩走在我表哥前面,姿势挺拔;秃头跟在绿头发的身后,弓着腰。我从窗内看着,不停地擦去窗上的呵气。玻璃上有一大片水,后来留下了一片白蒙蒙的污渍,和白内障病人的眼珠很相似。

六

绿头发的女管理员总用手指挖鼻孔,除了其状不雅,还会使手指甲开裂。她走起路来就像一个醉汉一样东歪西倒,说话声音粗哑,但是她很温柔。401 的房客,那条秃顶大汉和她出去散步,在街道上走了一会儿,就说:“咱们到啤酒馆去坐一会儿吧——我请你。”那个女孩想了想说:“好吧——下回我请你。”其实不管谁要请谁,都没有下一次了。于是他们来到一家熟识的啤酒馆,在一个僻静的车厢座里并肩坐下,要了两升啤酒,把头发染绿的管理员抬头看了看,没有人在注意他们,就撩起他的风帽,把啤酒杯端到他嘴前喂给他喝。桌子上有一碟花生米,她一粒粒地拣给他吃,还说:"小心点,别咬了我的手。"假如驯兽员养了一只海狮,她就会这样喂它东西吃,也会关照海狮别咬她的手——驯兽员对海狮就是这样温柔。此时啤酒馆里静悄悄,好像没有几个人,但这只是一种假象。啤酒馆里其实有很多人。

忽然之间,一伙大汉好像从地里冒了出来,拥到了桌前,用一根裹着胶皮的钢筋棍子把染绿了头发的管理员打晕,架起了穿黑袍的房客就走。后者是一条彪形大汉,但因为双手被铐住,无力抵抗。他能做的只是努力回头看倒在地上的女孩,但架住他的那些人说:"快走吧,没你的事——她死不了的。"他轻声答道:"我知道。"但又问了一句,"你们不会把她打坏吧?她会不会得脑震荡?"对后一个问题,劫人的人回答说:"不知道。"与此同时,他在别人的挟持之下飞奔着——这地方和黑铁公寓很近,被人撵上可不是闹着玩的。当天晚上,他就被卖掉了——请不要从字面上理解这件事。办公寓的希望有房客,而假如没有什么政策上的变化,房客就不会增多。所以就有了这样的事:有些人把某家公寓的房客劫走,介绍给另外一家——当然,这是要收钱的。这些人被叫做房客贩子。菜贩是蔬菜的来源,正如房客贩子是房客的来源。买卖房客只是改变他的住址,这和买卖人口是两回事。

劫走了秃头的房客贩子们把他拖到农贸市场附近,塞进一辆小四轮拖拉机的拖车里,在他身上盖了一床肮脏的棉门帘——这样这辆拖拉机就像一辆运菜的车,而他就像一堆容易冻坏、必须盖上的蔬菜。在拖拉机开走之前,人家又把棉被撩开,很客气地问道:"先生先生(大家都知道,住公寓的都是有文化的人),嘴里要不要塞东西?"秃头想了一下,皱起眉头来说:"不用塞——我不叫唤。"就把头缩回棉被之下了。棉被下面虽然暖和,但有一大堆白菜。房客贩子们尊重被劫者的意见,就没有塞他的嘴。贩子们只对管理员坏,对房客是很好的。与此同时,绿头发的管理员在地上醒了过来,感到头很晕。她看到自己的房客不见了,就赶紧回去叫人,去追那些房客贩子。此时她的样子不大好看,满头满脸都是血。后来才知道,她的后脑勺上被打起了一个大包,很久都不能平躺着睡觉。

我说过,我请这个秃头修过表,他还托我买过书。后来才发现,他还是我的老校友。他读的也是数学系,只比我高六级。但他没有念到毕业,念到大三,说是得了神经衰弱跟不上功课,就休学了,躲在市场街上修手表。和他同年的学生一个个都进了黑铁公寓,他还在修手表。看到我到市场街上来,戴着大学的校徽趾高气扬的样子,他心里免不了要暗自得意,还觉得我是望乡台上唱山歌,一个不知死的鬼。直到后来他被办事处的人堵在修表亭子里,人家拿出一纸公文,告诉他说:"根据新规定,你读过三年大学,也算个知识分子,应该住进公寓里。"当时他还很不虚心,对来人大叫大嚷说:不该有新规定。此人身体健壮,躲在亭子里负隅顽抗,别人拿他也没什么办法。直到那个绿头发的女孩拿出一样东西给他看,并且说道:"你想跟我们走呢,还是想被它在头上敲一下,然后再被我们拖走?"那东西是根铁管子,有一头套着浇花的胶皮管子,很有分量,足以把人打晕过去。秃头被她说服,跟他们走了,来到了办事处办的公寓里。他很感激她,因为她也可以不说服,径直就来打他一下。后来就是她管着他,所以他对她百依百顺,很有感情——这些事情都是后来这秃头亲口告诉我的。

天黑以后,401室的小姐和管理员乘电梯回到自己的楼层,他把她带进自己的办公室,为她解去斗篷,忽然把她推倒在办公桌上。如前所述,她的双手被反绑在身后,无法支撑身体,这下几乎把脸磕破。管理员一手握住她脑后的马尾辫,另一只手拉开抽屉,从里面拿出一把大剪子,嚓嚓几剪,就把她的长发剪短,剪得乱蓬蓬地像一个鸟窝。这意外的暴力早把女孩吓呆了。假如管理员的剪子停不住,就会把耳朵剪掉。她赶紧呜咽着说道:"知道,我在衣服里藏了烟。"管理员更加心平气和地问道:"烟应该放在哪里?"女孩说:"应该放在办公室,要抽时出来抽。"管理员说:"看来你知道自己犯的错误,这就省得我费嘴了。——还有一条,你最好别抽烟。这样身体会好。"说完了这些话,他把女孩带了出去,带到楼层中央的十字路口,这里有个矮矮的圆笼子,看上去像个字纸篓。管理员打开了笼子上面的锁,把女孩塞了进去。她在里面蜷着身子,就像母体里面的婴儿。管理员把笼门锁上——这是一把定时锁,和银行金库用的相仿——管理员说:"等到锁开了,你自己出来,到办公室里找我,看看该拿你怎么办。"说完就走了。剩下那个犯错误的女孩,在笼子里尽量坐直,等着面颊上的泪自己干掉,等着笼门上的锁自己打开。在黑铁时代,人们总是在等待着什么。

在黑铁公寓,女孩缩在笼子里,已经睡着了,又被一阵杂沓的脚步声惊醒。一伙穿黑色皮衣的人拖来一个裹在黑布长袍里的男人。那个女孩没有看到他的脸,但是闻到了他的气味,并且嗅出了他是一个男人。住在黑铁公寓的人嗅觉都很灵敏。他们把这个人拉进了402室——那间房子原来是空着的,把他推倒在床上,然后出来锁上了门。此人从床上挣扎起来,追到门口来,从袍袖里伸出双手来说:"你们先把我的手铐打开了啊。"那伙人里为首的转了回来,看看他戴着手铐的手,态度很好地说道:"你先忍忍,明天早上我们找锁匠——你还有张合同要签。"然后他们都走开了。

新来的人撩开长袍上的风帽,甩掉头发上的白菜叶子,环顾四周。这地方和他以前住的地方相仿:高高的天花板上悬着一盏水银灯,照着黑铁的笼子,唯一不同的是眼前有个圆形的小笼子,其状像鸟笼,里面有个女孩,双手反剪着缩成一团。他朝她笑了笑说:"Hi——这是什么地方?"女孩答道:"这里是黑铁公寓——你住的是402室。"那男人苦笑着说:"还是黑铁公寓,只是从 401 搬到了 402——这倒不足为怪。生在黑铁时代,不住在黑铁公寓,还想住在哪里?"又过了一会儿,那女孩忽然想表示一下礼貌,就说:"Hi——我就住在 401。我们是邻居。"现在她有了个男人做邻居,但是并不开心。因为她觉得此人身上的气味不好,是一股铁腥气。她皱了一下鼻子,那男人马上就察觉了。他道歉说:"不好意思,我身上味不好。不能怪我——我们那里几个月洗不了一次澡。"女孩说:"这里好多了。卫生间里可以洗淋浴。"那个男人走进卫生间,发现果然如此,而且喷头里流出的还是热水。虽然如此,这里还是黑铁公寓,说不上哪儿比哪儿更好。而且他还戴着手铐,根本不能洗澡。他又走回门边,看看对面笼子里的女孩,清清嗓子说道:"想不想聊聊?"女孩把头扭开,轻声说道:"还怕以后没的聊——别聊了吧。"谁也不想被装在一个笼子里,反剪着双手和别人聊天。但她马上又改变了主意,把头转回来说:"好啊,聊吧。"但是,在黑铁公寓里又能聊些什么呢。

对于以上事件,我还可以补上几句:下雪那天傍晚,有人在街东头的啤酒馆里打翻了一个管理员,劫走了一个房客,装在拖拉机上,转了一圈转到街西口,把他卖给了我表哥——此时我在场,因为房客贩子在门口用对讲机和他谈生意时,我表哥打电话叫我过去,还让我带着点家伙:和房客贩子打交道,谨慎一点可不是多余。于是我到了公寓外面,后腰上别着一把黑市上买来的钢珠手枪,站在马路对面的人行道上。我表哥见我来到,就把门打开,让那帮人进来,上了楼,把劫来的人送进房间,然后给了他们钱,让他们出去。在此期间我一直远远地跟在他们身后。这种一前一后的架势给他们一定程度的威慑。等到把这帮人打发出了门,我表哥对我说:"干得不坏。"我们表兄弟俩就到办公室里去喝咖啡。

又过了不一会儿,原主,也就是那个绿头发的女孩,给我表哥打电话,说她那里丢了一个人。我表哥说:"这个人在我这里,但是我花了钱。"对方也就无话可说。过了一会儿,她又问:"那帮劫人的家伙是什么样子?"我表哥说:"四个人,穿蓝色的旧工作服,开一辆'冀'字头的小四轮拖拉机,往京石路上走了。"对方说:"谢谢,欠你一个情。"就把电话挂上了。我表哥也把电话挂上。我想这四个人要糟了。绿头发的那伙人肯定要开着卡车去追。拖拉机跑不过汽车,追上他们肯定要倒大霉——后来京石路边上就翻了一辆拖拉机,烧得黑漆漆的。车厢里散放着四具黄碜碜的骨头架子,上面一点肉都没剩,像啃过了一样——也不知怎么烧得那么干净。我表哥知道以后,对我说:"该!就该这么整。让他们知道知道,在河北撒野成,北京容不得他们撒野。"后来才知道,北京城里常能见到外地来的房客贩子,开着小四轮拖拉机、农用汽车,还有各种可怕的交通工具来推销他们的货色。公寓管理员、警方等有关人士完全知道他们是些贼,到京城来销赃,但只要他们不在本地犯案,就睁一只眼闭一只眼。这是因为北京是文化城,需要他们贩来的货物。把外地的知识分子贩到北京,对此地的繁荣有益。但假若他们敢在此地作案,就对他们毫不客气——一定要让他们知道,在京城作案是死路一条。那些骨头架子知道了这些没有,却没法问了。

过了漫长的一刻,也许已经到了早晨吧,管理员来到402室,带来了一纸合同。秃顶的男人双手接住那张纸,眯起眼来凑近了瞧了一会儿,说道:"看不见——我没戴眼镜。"别人告诉他说:"看不见没关系,你先签了吧,有什么问题以后还可以修改。"这种话总是在骗人时说的。被骗的人知道这一点,但没说什么,乖乖地签了字。等到管理员走开时,他对笼子里的女孩说:"这里好像不错——起码还肯骗骗我。"那个女孩没有回答,只是歪着头。那男人关切地说:"你哪里不好?"女孩转过头来,想了一会儿,终于直言不讳地说道:"我憋了尿!"那个秃顶男人就去按了铃。管理员来了以后,问明了情况,把笼子打开,把女

213

孩放了出来,解开她的双手,让她进了卫生间。她方便以后,重新化了妆,换了一件衣服,跪在地上,被反绑好双手,然后又钻进了那个鸟笼子——等到管理员吹着口哨走远之后,她抱怨了一句道:"都是你多事——这回就不知什么时候才能出来了!"

七

有关我就要失去自由这件事,我表哥告诫我说:"你别太拿它当回事。"我觉得他说得太轻巧。我表哥这么想得开,他怎么不进公寓里当个房客? 听了这话,他说:"我不是想住都住不进去吗?"这又是一句气人的话。我听了以后不想理他,但他还要理我,说道:"表弟,处在你这种地位,想把自己气死是很容易的。"他说得也有道理。我想了想,强把心头的火气散去——虽然我也知道,这最后一句话也是在气我,但我只好听他的劝。与此同时, 被关在鸟笼子里的女孩终于等到了那激动人心的一瞬:笼门上的定时锁咔的一声,门自己敞开了。她挪动着坐麻了的肢体,从笼子里艰难地钻了出来。能够离开这座小笼子还不是激动人心的原因——离开了小笼子还要走进大笼子——激动人心的是她总算是等到了什么。此时大概是午夜。在灰蒙蒙的水银灯光下,她朝前走去,一直来到了办公室门前。这扇门是开着的,她用肩膀推开门走了进去。管理员仰坐在扶手椅上,脚跷在桌面上。这张桌子是黑色的终端台,和她自己房间里那张一模一样。这间房子里还有一些黑色的钢木家具,和她自己房间里的也是一模一样,但这里明亮一些。管理员把腿从桌上拿下来,说道:"到时间了? "那女孩点点头,走上前来,转过身去,让他解开捆在手腕上的麂皮绳子。如你所知,绳扣过了夜,变得异常地结实,根本解不开。管理员把女孩拉近了一些,但绳扣还是解不开。他伸开了大腿,让女孩坐在他的腿上,女孩就坐下了,坐得笔直,就如一位淑女坐在抽水马桶上,身上散发着荷花的苦涩味儿。这种气味使管理员感到一定程度的兴奋,他用一只手解绳扣,另一只手绕过了她的腰,从衬衣下面伸了上去,伸向她形状精致的乳房——她的皮肤逐渐变得粗糙了,很快出现了粟米状的颗粒,不言而喻,那是一些鸡皮疙瘩。管理员把手抽了出来,问道:"你讨厌我?"那女孩轻声答道:"不讨厌,但我害怕你。"管理员说:"这就好。害怕我是应该的,讨厌我就不好了。"他还给她把衣服整理好。不管怎么说吧,绳扣总是解不开。最后管理员拿起一把大剪刀,嚓的一声把绳子剪断了。女孩马上站了起来,揉着自己的手腕。管理员说道:"回去吧——你的房门是开着的。进去以后把它撞上。"女孩向房门走去——猛然转过身来说道:"你可以去再买根绳子——记在我的账上——还有,我对新来的房客宣传过你的公寓了。"

管理员确实对房客们说过,你们都是老房客了,有新房客来时,多宣传宣传咱们这里的好处。401 的女孩照他的嘱咐办了——我们说过,她告诉秃头说,这里有热水。但他不喜欢她说话的方式。"我宣传过你的公寓了",这样太直露。他喜欢大家把房客和管理员的关系理解为一种合作关系,但是谁也不肯这样理解这种关系。他还希望房客不要说"你的公寓",而要说"我们的公寓"。他在每个笼子里挂了一个牌子,上面写着:"请勿乱抛碎纸,爱护你自己的家。"但房客都把牌子扣过来挂着。我表哥虽然不高兴,拿他们也没辙。后来,他把牌子都摘掉了。

我表哥告诉我说,他喜欢女房客,女孩管着省心。他的房客都是些女孩,管起来是省心,可惜她们收入有限:有的是教师,有的是艺术家,没人挣大钱。开公寓的收入除了房钱,还可以按一定的比例从房客的收入里收取管理费,这一算我表哥就很亏了。后来有了这个秃头,我表哥就赚了。这家伙在网络上开了家软件公司,我表哥听了就说:"在网络上开公司——很牛逼呀你。"秃头很谦虚地说道:"很一般——不牛逼,不牛逼。"但是一查他的账,发现确实牛逼。表哥倒没收他什么管理费,只是请他做自己的合伙人,把他的全部钱,还有全部收入都拿来入了股。秃头也无话可说:反正住在公寓里,要钱也没什么用处。我表哥还说:"你要钱时管我要。"那秃头也没管他要过。连网络的月费都不管他要,这一点实属可疑。表哥对我说,看来秃头有私设的小金库。这也不算什么了不起的狡猾,要是我在表哥这里住,也要私设小金库。

这个秃头最早住过的公寓设在一座放蔬菜的土库里。这座土库在北京西面的一条运河边上,那里有道高高的土岭,有人说是元大都时代遗下的土城。不管是不是吧,那土岭的土质异常地坚硬。土库挖在光秃秃的土台里,土台周围有几小片菜地,一片乱糟糟的小树林,再远处才是新建的高层建筑。总而言之,那是都市里很难得的一片荒凉地方。夏天的傍晚,那位后来染绿了头发的管理员会走进土库去找那个秃头,手里拿着一根细长的铁链子,打开铁笼的门,把铁链套在他脖子上说:"走,秃头,陪我去游泳。"此时秃头可能在干各种各样的事情:在台灯下修手表(有一段时间他靠修手表来挣公寓的房钱),看编程序的书,或者是用最便宜的线路板拼凑一台PC机——不管在干什么吧,他马上要扔下手中的事情跟她走,否则就会被链子勒死。管理员身上穿着花花绿绿的尼龙游泳衣,手里拿着塑料垫子、浴巾、消闲的妇女杂志,很快她就把这些东西随地抛撒,而秃头不等东西落地都一一接住,捧在手里。这位管理员对房客性别的看法和表哥完全相反,她说:"我喜欢男房客,男房客管起来放心。"

河边有片沙地,沙地中央有棵白杨树,到了这个地方,管理员取出一把将军不下马的锁来,把秃头像一只奶山羊那样锁在树上,把钥匙挂在脖子上,一头扎进河水里去。秃头待在岸上百无聊赖,就蹲在地下扒沙土。偶尔有人骑着自行车经过,他就低下头去,用湿沙子堆筑城堡、坦克,还有一切童年堆筑过的东西。有时候那位骑车人还会从车上下来,走下斜坡,一直走到秃

216

头面前蹲下问道:"哥们儿,你丫玩的这是什么性游戏?"秃头把脸别转过去不回答。这位骑车人又站起身来,对河里的管理员大声说道:"姐们儿!你们玩得够野的啊!"管理员只顾游水,也不理他。那个人见没有人管理,只好艰难地往堤岸上面爬,嘴里还说:"我行我素,目中无人,我真服了你们了。"然后他就骑上自行车走了。有时候这位过路人实在磨磨蹭蹭,管理员就在水里大喝一声道:"别讨厌啊!他是我们的房客!"过路人听了,瞪上秃头一眼,说道:"我还以为是干什么的,原来是住公寓的!"他朝秃头脸上啐上一口,然后就走掉了。

在岸上百无聊赖时,秃头经常在把玩项上的锁链。那条链子是公寓里的人自己做的,用铁丝弯成环,再用电焊机把缺口焊住,就做成了一条铁链,做工实在是很糟,链环七大八小,焊点七扭八歪,还尽是虚焊。样子更是别提有多难看了。把这样的链子套在脖子上实在丢人,后来秃头买了一瓶黑油漆,把它油了一遍,这回好看多了。只可惜油漆是劣质货色,经常掉色,常把他脖子染得漆黑。等到秃头当了网络工程师,挣了一些钱,就买了一条尼龙链子。这东西乌黑乌黑,看上去像是铁的,但又轻又暖,而且异常坚固,永远也挣不断,但这是以后的事情。当时发生的事情是,管理员在水里游够了,爬上岸来,把系在树上的链子解开拿在手里说:"你也游游。"秃头打量着自己——他穿着一件无领上衣,一条肥大的裤子,是用看不出脏的黑色合成纤维布料做成的(那种布看起来油脂麻花的,表面凸起了很多线头,结实得很,但穿在身上非常不舒服),说道:"我没有游泳裤。"管理员往四下看了看——"我说过了吧,这里比较偏僻——有什么关系呢?你是男的啊。"他想了想,说道:"是啊,我是男的啊。"就把上衣脱了下来,在身上乱抓了几把,然后又解开了拦腰系着的布带子,就跳下水去。管理员坐在岸上,手里抓着那根链子,那链子有五六米长——她看上去像个放风筝的人。秃头的水性很好,一切人类游泳的姿势都能运用自如,所以他就采用了被拴住脖子时最适用的一种姿势：狗刨式，打出很多水花，把头高高地扬在水面上。

等到他游够了爬上岸来，管理员已经给自己铺好了垫子，戴上了太阳镜，躺在垫子上打起瞌睡来。秃头想去把衣服穿上，但管理员已经把铁链绕到自己脚上，链子因而变短，够不着衣服了。他只好在管理员身边蹲下，看上去像一只很乖的狮子狗。管理员一觉醒来，看到的情形就是这样：秃头蹲在地上，双膝紧靠在肩膀上，双手抱着膝盖，阴囊下垂，阴毛披挂在阴茎周围，像个芋头，天几乎已经黑透了。此时她大叫一声道："好啊，打道回府！"

秃头过去待过的那所公寓是办事处办的。众所周知，办事处是城市里最低一级的行政单位，什么好事都落在后面。这家公寓就办在了菜窖里，也拉不来好的房客。所以他们把自己管辖范围内一切有点文化的人都抓了起来，关在菜窖里。就说这个秃头吧，他只念过两年多师范就退了学，在街口修手表，也被抓了起来。这些乱七八糟的人被关进了菜窖，反倒奋发上进，开了不少高科技公司，公寓的收入大增，从菜窖搬进了废车库——这位秃头说得很坦白：既然修手表都免不了被抓，倒不如发点财，让自己也过得好一点。等到有了钱，秃头就给自己买了一条尼龙锁链，买了皮革的护腕和护踝，还买了一块假豹皮苫在腰间。出门时，他戴上黑皮面具，让管理员用不锈钢手铐把自己反铐住，用锁链牵住脖子，就可以理直气壮地上街了。不管被谁看到，都可以理直气壮地说自己是个性变态，不用说是见不得人的公寓房客了。管理员经常牵着他逛街，给自己买东买西；秃头也有机会到处去遛遛。这里面的道理很简单：有钱就可以买到自由。管理员牵着他走到街口的公共厕所，递给看门的三毛钱和链子的一头，说道："大娘，替我牵着点。"看厕所的看看秃头，说道："带进去吧，没人见怪的。"然后管理员去上厕所，他在屋角蹲着。有个小女孩走过来说："大叔，可以往你脸上撒尿吗？"他还可以理直气壮地回答道："这不是我的爱好。"我们

管理员坐在岸上，手里抓着那根链子，那链子有五六米长——她看上去像个放风筝的人。

在此说到的,就是自由。管理员上完厕所回来,问他道:"你撒尿吗?"秃头想了想,答道:"撒。"于是管理员把他带到抽水马桶边上,撩开那张豹皮,取出他的把把,对准了马桶说:"尿吧。"秃头红着脸说:"你拿着我不好意思,尿不出来。"管理员就说:"没关系,没关系,尿吧。为房客服务,是我们的责任吗。"说得这么好听,你要是没有钱,她肯定记不得自己有这种责任。然后,秃头就在管理员手里尿了起来,他感觉自己像个小孩子,不像个男人。因为这个管理员,秃头对那个公寓很满意。但是后来他被人劫到了另一家公寓里,此后就没有这种待遇。后来我或者表哥带他上街,只管撩起豹皮,就让他尿,谁也不给他拿着,有时尿到了腿上,有时尿到豹皮上,弄得他臊烘烘的。他对这种前景很有一点感慨。假如他的邻居肯听的话,他想要说一说,但她总是不像要听的样子。如果他执意要说,她就让他说上两句,然后用一句评论来打断他:"你觉得自己太重要了。"听了这样的评论,秃头先是愣上一下,然后同意道:"是啊,我觉得自己太重要了。"然后就不说话了。

我说过的吧,我表哥新买来的这个秃头原来是个牛逼人物,除此之外,他还是个君子,所到之处与人方便,很少给人添麻烦。他在网络上开了一家软件公司,用户经常打电话、发电传,问他软件的问题,他也不厌其烦地解释着。无奈有些用户实在太笨,怎么解释也不管用,这时他就要亲自去一趟。如果就在本市,那还好办,要是外地,就得发个特快专递,把他自己寄过去。我送他上邮局办有关手续,开着我表哥的吉普车。这辆车的特异之处是在挡风玻璃后中央有个大铁环,可以把房客的一只手铐在上面,我和秃头出去时就是这样的;还有一个特异之处在于房客的座位比驾驶座矮很多,秃头坐在我身边,比我矮了半个头,他东张西望,嘴里哼着一支不知所云的歌。

有关我表哥的这辆吉普车,还有些需要补充的地方:它是蓝色的，既没有顶篷，又没有门，但车上总带着一块大苫布，到了地方就把它苫上。我表哥出门时总带着一个房客，他说是帮他算账——我表哥是个文盲，但只在理论上是这样。实际上他能算账，三位以下的加减乘除算得比我还快。他还有阅读的嗜好，喜欢看话本小说，床底下纸箱子里有老大一堆。虽然如此，他还是老问别人："这是多少啊？"或者是："这上面说些什么？"用他自己的话来说就是："总得装装样子吧。"当然，我表哥带房客出门，不光是要她算账——我和他出门时，也坐在那个座位上，我表哥常常下意识地把手放在我大腿上。

我和秃头上邮局，帮他办有关手续。手续相当烦琐，除了填单子，还要打手印，照相片，留血样，万一他在邮递的过程中逃跑了，要靠这些资料把他追回来。这些手续办好后，邮局用30天不褪色的荧光染料在他额头、手背、前胸等部位盖了章，上面写着："邮递物品，交回有奖，藏匿有罪。"万一他跑掉了，别人看到这些印迹，就会把他逮送回来。他长叹一声对我说道："出门受罪啊，小老弟。"在这座公寓里，只有秃头真正把我当小老弟，这让人感到亲切，又让人感到绝望。我说："你也可以不出门，没人逼着你去。"他说："那怎么成？我不能让用户失望。"办好了这些手续，就要把他装箱——当然是装寄人的专用集装箱。我和他在邮局后面的库房里，看着传送带上运来的三个箱子。箱子有大号写字台那么大，是深蓝色的，绘有 EMS 标志，顶面漆成黄色，侧面有箭头，有大字，写着此面向上。有两个巴掌大小的窗户。打开椭圆的箱门一看，里面衬有塑料衬垫，有个大箱子占了四分之一的空间，人可以坐在上面，箱里有个化学马桶；顶上有盏不碎的节能灯。里面当然不舒适也不宽敞，但若只待48小时，看来还能坚持得住。三个箱子都是这样的，但装箱的小姐还是说道：挑一个吧。这位小姐穿着绿色的制服，戴着绿色的大檐帽，可是穿了一双雪白的运动鞋，色调不协调。秃头挑也不挑,就朝头一个箱子里钻进去了——但他被小姐制止住。这位小姐抬起腿来,用脚尖勾住了秃头的胳臂:邮局的小姐的脚像功夫师的那样灵巧,看上去真是怪怪的。她厉声喝道:"穿着衣服就钻进去吗?"这话不但让秃头意外,连我都感到意外:我手里提着一条黑色的塑料垃圾袋,秃头的全部衣服鞋袜都在里面,除了他身上那条破破烂烂的内裤。他直起身来,说道:"连裤衩也脱?以前不是这样啊。"那小姐只说了一句:"衣服和人分着邮。"别的就懒得再说了。他只好把裤衩也脱了下来——他那个东西真是大极了,垂在两腿之间老大的一嘟噜。小姐看了不好意思起来,飞腿去踢他的屁股,说道:"还不快钻进去——他妈的,怎么能这么大。"秃头的屁股上留下了一个黑色的鞋印,这使我感到不快。也不知道为什么,我竟会有这样的想法:这个人是我送来的,要踢也得我踢啊。所以我就瞪着那个小姐,把她瞪跑了。好在邮局里人多,瞪跑了这个还有别的。

躲在箱子里,秃头领到了邮寄途中的给养:一袋饼干,一瓶矿泉水。他还要求邮局的职员给他一个坚固的塑料袋子。邮局的人给了他袋子,还说:"一听就知道你是个专递油子。"我想这是指他常被邮寄,颇有经验而言,所以就请教他为什么需要这个袋子。他说:首先,这个化学马桶里盛的不是专用的药剂,而是颜色相近的蓝墨水——这原因很简单,药剂贵,墨水便宜;用墨水来代替药剂,有关人员就能赚钱。其结果就是屎屙到马桶里还是屎。其次,集装箱外面写着顶面朝上,但在运输的过程中哪面都可能朝上。马桶里的东西全会洒出来,他可不想吃到自己的屎。至于袋子派什么用场,他还没有讲到,邮局就要发货了。秃头钻进那个箱子,别人把门关上,上了锁,打上铅封,他就被寄走了。过了几天,用户把他寄了回来,集装箱送到我们公寓里时,果然是侧倒着的。我们把箱门打开,他从里面钻了出来:此时他已经变成了个蓝色的人,手里紧握着一袋自己的屎。虽然出门是如此不便,但他还是经常出门,一会儿把自己寄到海南岛,一会儿把自己寄到吐鲁番,去给用户排忧解难。他的脸上身上都盖满了戳记,就像一封到处旅行的公文。秃头就是这样的。我受他精神的感召,虽总要送他去邮局,也不觉得麻烦。

八

我一直等待住在404室的房客有事叫我,最后总算等到了机会。我到她门外时,她已经着装完毕,等着我带她去散步。隔着铁栅栏我对她说:"我是你的学生,猜猜看我是谁?"这位老师是近视眼,留着一头短发,穿着无袖的长裙和绒线衫,把嘴唇涂成了褐色。她一直教我们班,从一年级的数学分析教到了现在。我认识她,在闭路电视上天天见到。她不认识我,也不知道我叫什么名字。她眯着眼睛看了我很久,终于叫了起来:"你的拓扑考了75分——你这个小傻冒。"我的脸忽然阴沉了下来。她说得很对,我的拓扑是考了75,这说明我是个小傻冒。但我还是很不高兴,冷冷地说道:"请你转过身去,背着手。"然后我开门进去,握住她背着的手往上提,压低她的脖子,使她跪倒在地板上,然后从腰上取下手铐,冷冷地说道:"对不起了,老师。"我把她反铐了起来。

我的老师已经46岁了,嘴角处有很深的皱纹,但远看是看不出来的。因为她生得娇小玲珑,看起来比较年轻。我带她上公园,心里想着自己在学校里的事。数学系的功课很难,而且一年比一年难,有很多人都被刷掉了。上学期我的拓扑考了75,还不是补考时得到的。这不仅是这门课的全班最高分,也是自我们入校以来的全班最高分。为了这门课我经常熬夜,但被老师称做傻冒。我想着这件事,隐隐听到老师在叫我。我不想答理她,就装做没有听到。后来她用肩膀撞了我一下说:"喂!叫你傻冒你不高兴?"这是不言而喻的,所以我没有回答。她又说:"不要生气。你还傻得过我吗?"这话说得有道理。这位老师是数学博士,我们刚入学时,她是副教授,现在是正教授——这些都是她比我傻的证明。我的火气正在散去,同时也注意到,虽然年龄大了一些,老师依然是有魅力的女人。

我和我的数学老师坐在公园的长椅上。老师披一件半长的呢子斗篷,戴一顶黑色女帽——这身装束很时髦。傍晚时分,天上飘落着零星雪花,公园里游人稀少。我把她抱了起来,放在自己身上,让斗篷搭在自己肩上,在里面抱住她的身体。老师很柔顺地躺在我身上:除了是个有魅力的女人,她还是个讨人喜欢的房客,像住 402 室的秃头一样。她穿着一件紧身的绒线衫,束在腰带里,双手被反铐在身后。那副手铐是防弹尼龙做的,上面有一行小字:"Made in U.S.A."。我用手指捏住绒线衫,问道:"老师,可以吗?"开头她说:"随你的便。"这话使我感到冷淡,所以我就僵着不动。她后来又说:"没什么不可以的。"这话又让人感到振奋。我把她的腰带松开,把绒线衫从腰带里拽了出来,把手伸向老师赤裸的身体。虽然皮肤略显松弛,老师的身体依然美好。在我的爱抚下,起初她保持着矜持的态度,后来就哭了起来,说道:"别这样对待我。"我说:"我爱你呀。"她说道:"你以为我会相信吗?"我把手缩回去,同时说道:"不信就算了。"老师又说:"别,就这样吧。"我很仔细地抚摸了各个地方,然后替她束好衣服,就如一个小孩打开属于自己的糖盒子,取出一颗糖,然后把盒子仔细盖好。她使我兴奋不已,因为她不是一般的房客,她是我的老师啊。

有关我的老师,还要补充说,在小学里我有好几位老师,在中学里我有更多的老师,但在大学里只有一位老师,每一门功课,从一年级的分析到三年级的拓扑都是她教,而且一门比一门更难。至于考试题目,简直是匪夷所思的古怪刁钻。考完之后,你会在电子信箱里收到必须补考的分数,加上一首骂人的打油诗:"你是一个无脑汉,两耳之间屎一团……"假如你有这样的老师,自然也会对她有极深的感情。后来在公园里,我把她抱在怀里时,她也承认自己是存心整我们,理由是:"眼看一群小傻瓜,死命念着傻功课,就觉得气不打一处来!"既然小傻瓜里有我一份,我听了当然不高兴。然后她就安慰我说:"别不高兴——你们谁也没傻过我。现在落到了你手里,想怎么弄我就弄吧。"听了这样的话,我马上替她束好衣服,理好头发,整理好项上束的丝巾(在公寓里干了这些天,我做这些事已经很内行了),把她扶在我身边坐好道:"老师,我怎么会弄你?我是尊敬你的。"她静坐上一会儿,又把头靠在我肩上,脸上却已经潮湿了。在黑铁公寓里,尊敬就是最大的虚伪,虚伪就是最大的轻蔑。我怎么能这样对待我的老师呢?我把她抱在怀里,吻她冷冷的嘴唇、松弛的下巴。与此同时,我一点都不爱她——这也是虚伪,但比尊敬要好多了。

九

我表哥很早就开始歇顶,还不到三十岁,头顶就光秃秃的了。假如所有的头发都掉光还好一点,偏偏在额头上方还剩了一小撮黑毛,看上去像过去小孩子留的盖头,或者是早年间彝族人留的那种天菩萨;还可以说,他有一撮卓别林式的小胡子,可惜长得不是地方。要是一般人头秃成了这样,肯定要把这撮毛剃光,免得别人看到他时发笑。但我表哥没有这样做,他身上有股狠劲儿,叫别人笑不出。他自己也爱和别人说个笑话,别人听了也只好苦笑一下——住在黑铁公寓里,谁敢不买他的账。只有401的房客敢不买他的账,听了他的笑话,把小嘴一瘪,小声说道:"无聊。"我表哥听不到,就算听到了也不以为忤。虽然表面上对她严厉,但他喜欢她。这也不是什么难想象的事,假如你是公寓的管理员,又会喜欢谁呢?

晚上我到公寓里,在办公室里看到我表哥,他正在愁眉苦脸,好像刚拔了牙一样。他瞪着死鱼眼睛看了我好半天,忽然解下钥匙串扔给我说："你去告诉401,让她在一号等我。"一般来说,一号是指厕所,但黑铁公寓里没有一间房子是专门的厕所。看我表哥的样子,他好像无心给我详细解释。我拿了钥匙到了401室门外,对里面说道："我表哥叫你到一号等他。"那女孩对此看来已经有些精神准备,因为她没在终端台前,而是坐在床上等待着。听了这话,又问了一句道:"去一号,是吗?"我点了点头。她往四下看了看,说道:"你转过身去。"然后,在我身后就响起了窸窸窣窣的衣服声。这时我问道:"哪儿是一号?"那女孩懒洋洋地答道:"你不知道,是吗?"——我可不是不知道吗?

假如你认识我,一定会说我有点呆头呆脑。这也不足为怪,假如你像我这样总在盘算着,一定也会呆头呆脑:我一面在黑铁公寓里出出进进,观察着这种生活,一面又在盘算逃开它的办法。说老实话,要逃还是有办法逃的,天涯海角,地方很大。但我逃到哪里都没有身份,怎么谋生可是个大问题。打个比方说,我可以跑到山西去,找个私人开的小煤窑,下井去背煤——窑主看到我有胳臂有腿有脊梁,肯定会满意,多半不会向我要身份证件,但是干这种事还不如住进公寓。我正在想这些事,忽然听到有人在敲身后的铁门。回头一看,401的女孩站在铁门前:她上身着一个无肩带的黑色胸罩,下身着一条黑色三角裤,脚下穿着一双塑料拖鞋——她的皮肤非常之白。她简单地化了一下妆:涂了嘴唇,还画了眉毛,手里拿了一条浴巾。我把铁门打开,她走了出来,在我肩上拍了一下说:"走啊,上一号。"这时我以为一号必然是桑拿浴室。此时她脸上红扑扑的,很是兴奋,但假装轻松,吹着口哨——但不大会吹,噗噗的。她带我走到一个小门前面,让我拿钥匙打开门,里面是间灰蒙蒙的房子——从地面到天花板都是裸露的水泥。我不知道还有这间房子。地中间有张木板床,是用很厚实的木板钉成的。但是这间房子不是桑拿浴室——这里面太过凉快了。她走到床前,愣了一会儿,把浴巾铺在床上,然后就趴了上去,把手脚都伸直,对我说道:

"来,把我的手脚都拴住。"这时我发现这床上钉有一些皮带。我把她的手脚都拴住以后,她又说:"把背带解开。"我把她胸罩的背带解开了,然后就不知做什么好——我发现这女孩的腰很细,身材也很苗条,但这不算什么新发现。忽然之间,这间房子里响起了我表哥的声音,但我表哥又不在房子里。这件事又让我愣了一愣,然后才想到,这间房子里必然有暗藏的对讲设备。

实际上,这间房子里不但有对讲设备,还有暗藏的摄像机:我们的一举一动表哥都能看到。我表哥叫着我的小名:"小×,给阿姨用酒精擦擦背。"女孩听了哧地笑了一声,说道:"原来是小×啊。"而我在东张西望地找酒精。女孩说:"在床底下。笨蛋,往哪儿找。"床底下果然有个广口瓶,盛了半瓶酒精,还有一大包脱脂棉。我拿酒精棉球在她背上涂时,她在看自己的手,先看手心,后看手背。擦着擦着,我表哥就进来了,双手窝着一根黑色的藤条。他的脸涨得通红,不尴不尬地咳嗽着。女孩也抬头看我表哥,急促地说道:"别打屁股,打了就不能坐——我还有事没做完呢。"与此同时,她羞得满脸通红。看来我表哥要打这个女孩,在这种地方也不是什么不能想象的事情。但他们俩都很不好意思,既然如此,还不如不打呢。表哥走到了床前,说道:"这件事不能怪我——是你自己招的祸。"女孩打断他说:"要打快打吧,别说教了。"此时我躲到门外去,用牙咬着指节,开始盘算在这件事里我扮演的是什么角色。

我表哥从那扇门里出来时,已经恢复了正常的样子。他看了我一眼就走开了。我走进那间房子,看到她在板床上,把身体伸直,面侧向门口,脸上红扑扑的,一副若有所思的神情。在她背上有八道血痕,排列整齐,间隔划一,但我没敢仔细看。我走向前去,解开她手脚上的皮带,同时问道:"打得厉害吗?"她很冷静地答道:"一般。"但她的牙齿在咯咯地响着,浑身直打哆嗦。然后她反手扣上了胸罩上的带子,慢慢地坐了起来,双脚在地面上搜索着拖鞋。此时我发现她虽表面上镇定如常,其实疼得很厉害,因为她的脚哆里哆嗦,而且在拌蒜。我建议道:"我背你回去,如何?"她先是皱了一下眉头,然后说道:"也好。"就这样我把她背回了401室。她的身体很滑腻,还有很多汗。等到她在自己床上趴好,把枕头拉到颔下时,我还在她床边站着。她说道:"你走吧。等会儿我能动了,就去冲个冷水澡。"我说:"不行吧,会化脓的。"她说不会,这里很干净,没有细菌。我还想问问这种事情是不是经常发生,但她说道:"你让我安静一会儿,好吗?"这件事情的始末就是这样。后来我做了一夜的梦,梦见自己背了很多女人回自己的房间,像一个龟奴。

表哥告诉我说,他有权力责打房客。他给我一本小册子,叫我自己去看。这本书的名字叫做"公寓员管理手册"。书上确实提到了管理员可以用藤条打房客,因为这是为了房客好,但这一点在鞭打之前必须对房客说清楚。他可以把他(或她)打疼,但不能把他打坏。而且假如房客生了病,发烧在38度以上,白血球在一万以上,就可以免受鞭责。但在任何情况下都不能给他吃止疼药。我看了这些规定很不满意:其中并无一条规定说道,假如房客是管理员的表弟却当如何。我表哥力气大,打起人来一定很疼,我不想让他来打我。手册上还写着,一定要营造一种平静祥和的气氛,让打的人愉快,挨的人开心——但这是不可能的事情。当然,越是不可能的事情,就越要往纸上写——这件事情我们都是知道的。

我很想知道401女孩的脊梁后来怎么样了,所以常去看她。当天下午她就起了床,坐在终端台前工作。那些鞭痕起初是鲜红的,后来是紫色的,然后颜色越来越淡。再后来她穿起了衬衫,那些鞭痕就看不见了。我到表哥那里要来了钥匙,走进那个房间,走到那女孩身边,拿手遮住屏幕,她看到屏幕上有手,抬起头来看着我。此时我说道:"阿姨,我想看看你的背。"她说:"讨厌。"因为头上戴着耳机,说话声音很大,简直就像斥责。但她没有斥责我的意思。她把一只手从键盘上拿了下来,解开腰间的皮带,把衬衫的后摆从裤子里拉了出来,说道:"自己看。"就去做自己的事了。我撩起她的衣服,看到那些鞭痕已经变成了浅灰色的,用手去触也只能感到很轻微的下凹。看这个趋势,这些鞭痕很快会不留痕迹地消失掉。但不管怎么说吧,挨打总不是个好滋味,而且我也不能相信让我挨揍是为了我好。

401室的女孩说:我表哥打她,完全是公事公办。首先是有关部门给我表哥打了个电话,说道:"你还管得住管不住自己的房客? 要是管不住就早点关门。"然后就把电话挂上了。我表哥没有办法,只好叫小力巴(该力巴就是我)把她带到一号去拴上。然后他到那里去,等小力巴走后,先问明了情况,然后说:"没办法,只好打你了。"他先用藤条在自己手心上试了一下,确认它既不太锋利,也不太钝,然后开始抽打她的脊梁。他还是不大好意思,关照她说:"要是打疼了,你不妨叫唤出来,这样会好一点。"女孩说道:"谢谢。你也不妨抽一下,问一声'你改不改',这样也会好一点。"对于坐着工作的人来说,打人家的屁股实属缺德。我表哥从来不往屁股上抽。当然,被抽的地方很疼,但不疼又不行。我表哥不肯在责打时逼问"改不改",他说这不诚实:"你就是说改,我也要接着抽。"女孩说,我表哥很诚实,所以她爱他。这件事情的起因是这样的:人在黑铁笼子里待久了,难免郁闷,最后就会撒起癔症,到处乱发 E-mail。发到别的公寓里是没有问题的。就怕发到国外和有关部门,内容再带有歪曲性、挑逗性和污辱性。这类行为必须制止,所以要抽一顿或者打一顿。此后起码有两个月不想再干这种事情——巴甫洛夫学说对此有很好的解释。疼痛和外伤又可以增加机体的免疫力。总而言之,我不该把此事想得太坏。当然,这也不是好事——既不好,也不坏,不过是公事公办罢了。我听了还是不开心,就说:"那你们就别撒癔症了。"她说:"胡扯,不撒癔症怎么能成!"看我瞪着眼睛,她又进一步解释说:"不是我们要撒癔症,而是我们已经有了癔症。"但她看样子还是蛮正常的。看到我还是瞪着眼睛,她说:"别这么傻冒成不成?"我顺嘴说道:"不是我要装傻冒,而是我本身就是傻冒。"我是真心的,但听起来像一句玩笑。听了这话,她笑起来了。

402的秃头也说,挨两下打没有什么。在他原来的公寓里,绿头发的管理员也打过他。比方说有这么一次,夏天的中午,她走进土库,对他说道:"秃头,我不得不打你了。"这种事情来得很突然,不由他心里不慌,急急忙忙地把桌上的东西收拾了一下,然后问道:"脱裤子吗?"女孩说道:"脱。"他就把裤子脱掉,围上一条浴巾,精赤条条地走到院子里。大槐树下放了一个板凳。秃头趴到板凳上,把胯部横担在凳面上,屁股撅得高高的,把浴巾解开,好像对方是个肛门科大夫。女孩说道:"用手把阴囊兜住,别打坏了。"就拿起一块木头搓衣板,双手抡动,噼噼啪啪地打了起来。这个秃头身体健壮,也经打;但不是一条好汉——他怕疼。挨了几下就哼哟哼哟的,又挨了几下,就说:"差不多了吧。"那女孩住了手,看看他的屁股说:"不行,还得打几下。"过一会儿秃头又说:"歇歇吧。"女孩说:"我不累。"但她不问秃头疼不疼。直到把他的屁股完全打肿,红通通亮晶晶像熟透的苹果,她才把板子丢下,擦擦脸上的汗说:"打完了。唉呀,手上都打了泡了。"还把手伸给秃头看。当然说的是她自己的手,秃头手上不会打泡。后者哼哟哼哟地说:"可以抹点红花油。"她就去抹红花油,当然,是抹在自己的手上,没抹在秃头的屁股上——这个部位面积很大,没有那么多红花油。实际上,这座土库只有一半是公寓,另一半放着苹果。那女孩拿了一个熟透的红苹果作为样板,放在板凳边上,先把秃头的屁股打得像苹果一样,然后就把苹果吃掉了。此时秃头已经不能动弹,只好叫人把他架回去,趴在板床上。假如库里没有苹果,就得拿茄子当样板,工程也因此变得浩大,从早上打起要一直打到天黑,把屁股打得像马路一样平坦,用手指弹弹,叮当有声。401 的女孩打断他说:"行了行了,你别编了。"但秃头说,他一点都没有编,说得完全是真的。他也说,总不挨打就要撒癔症了。我想了一下说:"我知道你们撒的是什么癔症了——你们都是受虐狂!"401 的女孩听了说:"胡扯。"就转身去工作,不再理我了。402 的秃头却说:"我们要真是受虐狂倒好了!"在这个世界上,羡慕什么人的都有,就是没有羡慕受虐狂的。他的话把我彻底搞糊涂了。

<h2 style="text-align:center">十</h2>

四年级的寒假不准离校,我们要受毕业教育。在这项教育里要告诉我们毕业以后会是怎样的前景,口说无凭,眼见为实,所以必须请学长出场作报告。第一场报告请了我们学校最有成就的一位校友,她是计算机系毕业的,才 35 岁就得了图林奖——这是信息科学的最高奖项。我在会议室里看到了她,瘦瘦的,穿一件紫缎子的旗袍,脖子上束一条白色纱巾。人长得一般,胳臂也很细;但是手臂上肌肉的线条清晰,简直像个轻量级的拳击手。她把双手放在桌子上,手腕上套着一副铐人猿泰山都不过分、亮晶晶、黄灿灿的大手铐。据介绍,这手铐里还裹了贫化铀的芯子,这可是做穿甲弹的材料。万一钥匙丢了,用电焊气焊都打不开,用等离子束才能割开;或者到医院里去,先截肢,把手铐取下来,然后断手再植。铀的比重很大,所以那副手铐有 20 公斤重。难怪她手臂肌肉发达——是练出来的。报告是照稿念的,内容都是套话。最激动人心的内容是大家排着队去看那副手铐。那上面镀的是 24K 金,上面镌了四个大字:"国之瑰宝"。这评价也不为过分,只是没有说清楚什么是瑰宝——是手铐呢,还是戴手铐的人。我提出这个问题,马上得到了好几个不同的答案。坐在瑰宝旁边的一个男人说:手铐是瑰宝。我身后一位同学说:人是瑰宝。一位在场的领导说:都是瑰宝。而那位手臂强壮的学长本

人却说："你是瑰宝——小兔崽子,别在这里装骚鞑子了。"她的意思是说:我提这种问题是存心捣蛋。但我不是的。我没有捣蛋的胆量。除此之外她的话还有一重意思:什么都不是瑰宝。

大字底下还有一行小字:三部一局监造。我问她这是什么意思。她说三部是公安部、人事部、劳动部,一局是技术监督局。然后顺嘴嘟嚷道:监造归监造,钱可是我自己出。旁边有人把话头接了过去,说不管谁出钱,总是国家监造。这是政治待遇,表明了国家对她的重视——别人想买还不卖给他哪。这位瑰宝把嘴闭了起来,脸上挂上了冷峭的微笑。那副手铐之中,她有一双很美丽的手。

大学四年级时,你还会收到个人用品公司的邮购广告,推销一些稀奇古怪的东西,产品目录上注明了是"外出用具"。从名字来看,它该是牙刷、旅行包,男人用的剃须刀,女人用的唇膏。但从图片上看,和这类用品有很大距离。那些东西怎么看怎么像些脚镣、手铐,而且价格不菲。不管卖多少钱,总不是好东西。假如这些东西要给我们戴着,还要我们来出钱,简直是岂有此理。但我表哥的房客每人手里都有一大堆,而且还在不断地买。我问她们为什么要买,回答是:"闲着没事,总要买点东西","出门总要戴,这是个门面",或者"这是首饰"。我表哥从来不买这种东西,他自己用不着,给别人买吗? 他说是:这太肉麻了——我看他是舍不得钱。但他说得也有道理。秃头来时戴着一副不锈钢手铐,后来撬坏了,但他还保存着,说是绿头发女孩给他买的,留着作纪念——看上去是有点肉麻。报告会结束时,有人用丝带把那副大手铐拴好,挂在我们那位校友的脖子上,使她看起来像个前线下来的伤兵。这是合乎道理的,这东西太重,会砸坏东西,更会把自己砸坏。两个保镖夹住她,把她架了出去,上了一辆装甲运钞车——她住在香山公寓,那是国家级的公寓,出来一趟要特批。

听完了报告,我回到公寓里,替我表哥值班。我不喜欢坐办公室,喜欢搬把椅子坐在走廊里,和房客们聊天。说起我们这位校友,房客们都知道。知道她戴着一副贫化铀手铐,知道她住在香山公寓,还知道她是个傻逼。对图林奖她们没有一点敬意,还说越能得奖越是傻逼。这些话也有点道理。意外的是,她们被关在笼子里哪儿都不能去,消息反而比我灵通了百倍,连我刚刚在会场上问什么叫三部一局都知道了。我问她们怎么知道的,403室的房客朝前努了努嘴。在她面前的终端台上,放着一台黑色的 Roax 机,和光缆连着,光缆连着网络。我们学校里也有网络的终端,但和这里的大不相同,设备水平差了两代。我们那里要受种种限制,他们这里一点限制都没有。拿电影来打比方,我们的终端是 PC 级,她们是 X 级的。这道理很明白:我们在校园里,怕我们学坏。她们被关在这里,不怕她们学坏。假如她们做了坏事,自会有人用藤条抽她们的脊梁——连我们那位学长兼国之瑰宝也不例外。当然,她有政治待遇,所以用马来西亚的藤条,请新加坡的刽子手。此人乘一架公务机从新加坡飞来,抽完以后吃两个汉堡包,又飞回新加坡去。当她被抽得惨叫时,刽子手还会用鸟语来安慰她说:"小姐,你是国宝啦,别这样叫啦。"待遇归待遇,所有的费用都是她自己出:请人的钱、飞机钱、藤条钱,还包括刽子手吃的两个汉堡包。

大学四年级时有种感觉,人们好像不再像过去那样怕我们学坏了。所谓学坏,无非就是调皮捣蛋,逃学,得零分,不想进黑铁公寓。我隐隐地感到现在学坏已经晚了。千辛万苦考进了大学,千辛万苦念到毕业,都是为了进黑铁公寓。现在要下个决心不进来,总是心有未甘。我禁不住多想黑铁公寓的好处,尤其是那台 Roax 机。从寄来的广告和说明材料上,我知道那是一种技术奇迹,使我魂梦系之。想买必须先定下自己要住的公寓,这种机器只准安装在公寓里。但定公寓我还有点犹豫:别的尚在其次,挨打这一条,不管打屁股打脊梁,打得像苹果还是打到像茄子,总归是有点吓人。

黑铁时代

一

　　黑铁时代的象征是那支鹅毛笔。这支笔捏在手里弯弯曲曲
像条死蛇，写起来更是弯弯曲曲。因为这支鹅毛笔，那张粗糙的
桌子上就免不了要插上一把红锈斑斑的刀——这把刀的用途
是把笔端削尖一些。桌上还有一碗氧化铁墨水，表面浮着一层
五彩油膜，散发着浓烈的腥气——虽然如此，你还是不得不用
这支鹅毛笔，因为用毛笔没法写算式。每个亲手计算的人都会
知道，算式有多么重要。薄暮时分，草房顶的破洞有时会在风里
呼啸。有些雪花从窗纸的破洞里飞进来，不知不觉在桌面的一
角积起了厚厚的一层。屋子里呵气成烟，手指也冻得通红。除此
之外，墨水的表面也结了一层细小冰凌。在寒风呼啸之中，那支
鹅毛笔越来越短，在指间捏不住了——这是今天最后一支鹅
毛。伏案演算的人不得不站起身来，搓搓手指，用搭在肩上的黑
斗篷裹住冻麻了的肩膀。他去把门打开，眼前一片茫茫的白色
中间，是一条黑色的小路。此时他既不愿出去，在这条泥泞的小
路上走，也不愿待在黑暗的家里。但是权衡了以后，他还是出了
门，用一把无聊的锁把两扇门锁住——这件事既不是发生在过

去,也不是发生在现在。它发生的地点谁也说不清楚。

　　戴上耳机,独自走进这个白雪皑皑的世界——过去,比尔·盖茨设想过怎样营造一个虚拟的真实:戴上液晶眼镜和立体声耳机,钻进一件厚厚的紧身衣。眼镜里传来图像,耳机里传来声音,紧身衣上数以十万计的触点让你身临其境——当然,控制一切的是计算机。现在用不着这种笨重的东西,只要戴上这副耳机就够了。虽然对电子技术有些知识,我也不知道耳机里面有些什么。我知道它效果很好,还知道这种东西很便宜。在那条黑色的小路两旁,堆着翻卷的积雪。在小路尽头出现了街道,雪地上的一道污渍接上了一条乌黑油亮的石板路……石板就如一张沾了油的饼铛。在漫天的白气中,沿着空无一人的街道,有个女孩朝他迎面走来。她披着一件短短的黑斗篷,斗篷下露出了两条洁白的腿,迈动得飞快。她脚上穿了一双厚厚的紫色木屐,但紫色不是木头的本色——所以她的脚跟也被染得通红。这个女人走过之后,在街面上留下了一股香气,走在路上的男人在这种气味里愣住了。他转过身去,看这女孩的背影,结果看到了她屐底的铁掌留在石板上的一溜火星。那条石板路像融化的柏油一样平静,上面映着雪天翻腾的灰色云朵。这个男人面临两种选择,一是沿着黑暗的小路继续前进,到一间灰暗的铺子里买鹅毛;或则沿着相反的方向,追随那双洁白的腿,还有被染红的脚跟。因为这件事发生在一个虚拟的世界里,所以这两种可能都发生了。

　　我表哥说:"你是懂科技的人,替我看看房客们都在干什么。"他们在干些什么,他都看到了,看不到的只是网络上的情形。我当然可以替他去看,但是需要一笔钱来买机器和付上网费。有了这笔钱之后,我到网络上漫游,看到了这些。我当然可以告诉我表哥,他的一个房客(住在 402 室的秃头)在网络上勾画出这样一个世界——但我又不知道从何说起。如你所见,这

应该说，401 的女孩表现得相当大度，她除了偶尔说上一声"我觉得你可以多洗几遍澡"之外，没有说过别的。

既不是一个故事,也不是一个游戏……

秃头再次进入自己的文件时,他嗅到空气里有一股淡淡的荷花气味,空中除了呼啸的风声,还能听到隐隐的音乐声。他知道有人已经进入了自己制造的这个虚拟世界。他在北风呼啸的街头站了一会儿,努力判断方向,然后尾随荷花的气味而去,很快就追上了走在前面的女孩,和她并肩走着。他探出头去看她的脸,这个女孩的脸很白净,也比较丰满,不像他认识的任何一个人。但他也知道,在虚拟的世界里,每个人都会变形,声音也会变——他也不像他自己。他们走到街道的尽头,前面又是茫茫旷野。在风把雪吹薄的地方,露出了黑色的菜畦,菜畦旁的水沟虽已被滚来的雪堆平,但沟边疏疏落落还立着枯黄的芦苇;路边立着一座孤零零的中式木楼,共计三层,但已显得非常之高。他们在楼前站住,仰头看看此楼黑色的面容——窄小的楼廊,在木柱和窗棂上,漆皮开裂,露出底下的麻絮;还有那些开裂的窗户纸。有一条铁链子穿过门上的窗洞,把两扇门锁在一起。女孩走上石阶,掏出钥匙去开门锁。这把锁是黄铜制成的,古色古香。女孩拿出的钥匙也是古色古香,和挖耳勺很相似。秃头不轻易称赞别人,但他不禁说道:这把钥匙很好。营造虚拟的世界容易,但把一切细节都考虑到就很不容易。他本人也是个中好手,所以很欣赏这种细腻周到的设想。门呀的一声打开之后,他们走进了一间空空落落的大厅。除了四根粗大的柱子,就是漫地的方砖。迎面还有一座一人高的镜子,在这个世界里应该说是舶来品。镜面上镀层剥落,形成很多像蕨类植物似的条纹。他走向前去,寻找一块完整的镜面,以便看清自己,最后他找到了。他头发茂密,长了满脸的黑胡子和一张瘦长脸。除此之外,他还发现自己的身材是很高的,整个来说,和铜版画上的堂吉诃德很相似。秃头准备自己变成各种模样,但现在这个样子还是出乎他的想象。他不禁后退了一步,惊叹了一声。如你所知,虚拟的世界经不起感情的任何波动。于是他又退回了自己起初进入的地方——他重新坐在了终端椅上,面对着屏幕上那个像木门似的图标,图标的下角有行小字标明了"hei"。此时再去浏览这个文件,就会发现其中插有新的段落。现在已经不是一个人的故事,而是一个游戏了。他把手放在自己胸口,感到心跳得很厉害。

401室女孩的网址上有一个文件,名字也叫做"hei",用红黑两色的图标做标志。这是一个黑色的铁栅栏门,门上悬挂着红色的帷幕。想要跨过这个门槛有很多困难,因为这个入口是给自己留着的。当然还有别的入口,但从那些入口进去你就不可能是主人,只能是客人。有一个闯入者越过了这个门槛,对此无须作更多的解释,在网络世界里,没有去不了的地方,只有道行不够高深的人。然后他就坐在黑铁公寓401室的终端椅上,手贴着面颊——手下的感觉异常滑腻。发现401室的女孩把虚拟世界设在真实之中,闯入者会感到诧异。他走向栅栏,看看酣睡中的秃头:这张脸苍白虚胖,脸上爬满了苍蝇,看起来像死尸,但还是活着的——还有呼吸。然后他回过头来,发现这笼子里有了一样现实中没有的东西:一座穿衣镜,边框是黑铁做成的,所以几乎看不见,能够看到的部分很窄,但假如侧点身子来照,也够宽了。她的模样就如平日见到的那样,只是腰更细了一些,腿也更长些,穿着就如现实中所见,泛白的牛仔裤和花格子衬衫,脸也和现实中所见的一样——这故事开始时就是这样。然后她搬来一把椅子坐在镜子前,开始化妆、更衣。一个男人身临其境,就会感到这个过程漫长、令人哭笑不得。等到这些事做完之后,她穿上了紫色的衣衫——麂皮的无袖短衫和短短的褶裙。这种衣料贴在身上的感觉很细腻。她穿牛仔裤和花格衬衫比较性感,穿这样的衣服不性感。当她穿上牛仔裤和衬衫时,就好比一个女人未遭男人的玷污,可以称为处女;而穿着那身紫色的服装则显得淫荡。纯洁的形象比较性感,淫荡的形象不性

240

感,但女孩的感觉却恰恰相反。她按了两下电铃,管理员在走廊尽头出现。当这个穿黑衣服的男人走近时,她感到胸口发闷,呼吸急促,同时还觉得腿有点软。这些感觉并不能使闯入者感到愉快,但不管怎么说吧,他还是很感动:一个男人能使女人对他有这样的感觉,就叫做不虚此生。

二

秃头到商店里去买鹅毛,鹅毛就插在柜台上的一个瓷罐子里。他先朝鹅毛伸出手去,又按捺住冲动,把手按在柜台上,对老板说:"买十支鹅毛——扎毽子用的。"驼背的老板走过来,低头看他放在柜台上的手——指缝间还有墨水的痕迹。看过以后抬起头来看着秃头说:"我问你干什么用的了吗?"这位老板有一只眼睛生了白内障,惨白惨白的像一个脓包,他就用这只眼睛盯住了秃头,一直看到他的心里去。为了回避这惨白的目光,秃头抬起头来看头顶——头顶上有纵横着的梁和柁,构成一幅复杂的画面。尽管有这些不便,秃头还是买到了鹅毛。他又可以回去伏案运算——虚拟的世界比现实世界还是多一些自由。他走出这间商店,来到街上——他又回到漫天大雪里了。他正要回到自己的住处,用鹅毛笔在羊皮纸上开始他的工作——说来你也许不信,他在虚拟的 17 世纪里,用鹅毛笔和羊皮纸做工具,做着网络工程师的工作。你信也好,不信也罢,事情都没有什么两样。人一定要有他需要的环境才能工作。我现在正在网络上写自己的小说,我可能在黑铁公寓里,对着一台电脑工作着,此时我在真实里。也可能坐在棕榈树下,用芦苇做的笔往纸草卷上写着。所以,你不要问我在什么地方。

秃头离开了那所商店走在路上,忽然又嗅到了一股荷花的气味。他发现那个女孩走在他身旁,样子和上一次稍有不同,但还可以看出是同一个人——或者说是同一个幻象。他说道:

"Hi,你又来了。"她答道:"是啊,要不,干什么呢?"说话的腔调似乎有点熟悉。他不禁问道:"你是谁?"对方答道:"何必要问我是谁?"然后她加快了脚步。他知道是追不上的——在虚拟的世界里,能不能追上一个人,总是取决于对方的意愿。但他还是禁不住去追赶,直到她消失在街道的尽头,才停下来喘粗气。在网络上你会遇到很多人,你可以问她是谁,她会告诉你,会给你名片,甚至把电话号码写在你的手上。没有人会拒绝回答她是谁,告诉了你,你也找不到她,因为这是虚拟的真实。忽然间雪又密了起来。他穿过大雪走回自己的土房,在黑暗中想了好久,得出一个结论是:在实际的世界中,这个人是自由的。既然已经想到了这一点,也就到了重返现实的时节。他把耳机从头上摘了下来。这时周围一片寂静,一片黑暗。天花板上亮着那盏遥远的灯,在隔壁的笼子里,女孩在床上睡着。此时可能是午夜,也可能不是午夜。在黑铁公寓里,分不清白天和黑夜。

后来,那个女孩再来访问自己的文件时,发现一些异样之处。她穿上了紫色的衣衫,按动电钮召唤管理员,管理员就来到了,站在她身后。此时她发现,这位管理员不像平日那样死气沉沉,那样呆板,而是带有一些灵气。他站在她身后沉重地喘息着——过去没有这种喘息。他躬下身子,从镜子里看自己的脸,此时他的鼻息留在她后颈上。然后,他站直了身子,用手指在她脖子上按了一下。这是示意她低下头去,把双手放到背后。此时她感到这只手指的指端十分粗糙。男人的手指应该是这样的,但她以前没有想到。她还嗅到了身后的气味:汗酸味,还有一种海风似的腥味。有关气味,她以前也没有想到。总而言之,这个管理员和她以前想象出的那个不同,他是个陌生人。这种变化使她感到现在不再是一个人的故事,而是两个人的游戏了,故事远非游戏可比,她对此又没有任何思想准备。她发现有人窥视了她的内心世界,这使她蒙羞。从镜子里看到,她的脸已经通红。但她如管理员所示，深深地低下头去，同时在心里想道：蒙羞的感觉其实是非常之好。

　　晚上，我待在宿舍里。我的房间里总是黑着灯，正如它过去总是亮着灯。过去我开了灯就懒得关上，逐渐习惯了在灯光下睡觉。后来灯泡憋掉了，我也懒得换上，逐渐习惯了在黑暗中生活。现在这间房子里笼罩着一层蓝色的光，是从 monitor 上发出来的。等我把机器关掉，眼前还有一个灰色的方块。不知道是阴极射线管还在发光，还是我眼底的幻象。不管怎么说吧，等这层灰色褪尽，整个房间又呈现出黑白两色的轮廓，就如一篇卡夫卡的小说。应该承认，卡夫卡的小说我读不懂，或者读懂了，却不能同意。我在网络上看到的事情，就如卡夫卡的小说。我可能是不懂，也可能是不同意。我觉得他们都太过古怪。

　　秃头下次进入自己的文件，一切又都发生了变化：他的茅草房里不再像冰窖那么冷了。房子里吹着一种温暖的风，这是从墙缝里吹进来的，脚下依然冒上来森森的寒气，这是因为脚下还是那么冷。房间里的一切变得井然有序：桌子还是那张木板桌子，床还是那张木板床，但已经变了一下位置，屋里就变得宽敞了不少。桌子上乱放的纸张被收拾了起来，地面也扫过了，整个房子里明亮了很多。仔细观察后会发现，窗户纸已经换过了。原来是一张不透明的塑料纸，现在变成了一张透明的塑料薄膜。在中古的场景中出现了现代的东西，虽然不协调，但秃头不想挑剔这种毛病。他只想到了这间房子有人来收拾，就像一个家的样子了。这些都不是他的设计，是别人做的。从别人做的这些事情里，他感到了一丝暖意。

　　后来，他走出了房子，发现外面的世界也发生了改变。现在正值傍晚时分，天上的云正在懒洋洋地散去。天地之间吹着和煦的暖风，在西下的阳光照耀之下，从地面到天顶，这厚厚的大气里，好像都是暖和的风。地面上的雪已经变成了薄薄的一层，而且变得千疮百孔。远处的小路两旁,立着竹编的篱笆,上面爬满了紫色的牵牛花。除此之外,天上还飞着红蜻蜓。这个世界依然是他的世界,只是添上了几分暖意。虽然这不是他的本意,但他还是觉得很好。他在小路上走着,满身都是暖意。这种温暖来自别人的关心——有人关心和没人关心是很不同的。人人都渴望爱情,但只有有人关心的人才能够体会到什么叫做爱情。如你所知,我的问题就是没人关心。

晚上我躺在宿舍里,想着 401 女孩的样子,想起了她下巴上有一粒粉刺。因为这个缘故,她不算非常漂亮,只能说长得还行。我说过,我这间房子里没有灯。后来我走到窗前,看看外面的街道。这条街上漆黑一片。原来这条街上不分白天黑夜总是亮着灯,后来灯都坏了,大家只好摸黑。好在住在这里的人都熟悉这条街,所以没有灯也行。现实的世界很少发生变化,晚上你睡着时世界是这样,早上醒来时还是这样。不像在网络上,几个小时之内,一切都会变得面目全非。

晚上,401 室的女孩和管理员一起出门,走在黑暗的街道上。这条街上原来没有灯,现在有了灯——黑漆的铸铁灯柱顶上,亮着仿古的街灯,19 世纪煤气灯的式样。昏黄的灯光下,墙角窄窄的草坪上那些枯萎的月季花又恢复了生气。草坪上不再有垃圾,而且也恢复了整洁。现在这条街变得适合散步了。在她自己设计的世界里也有这条街,但她从来没有想到要让它变得整洁,这是别人的主意。这就使她心存感激——虽然还不知要感激谁。管理员一声不吭地走在前面,他的样子就如在现实中所见,只是走路的姿势更加挺拔。她决定要感激他,就加快了脚步赶上去,和他并肩走着,告诉他说,她很喜欢这条街。她还说,她想起了苏格拉底的话:不加检点的生活是不值得一过的。但是他没有回答。说句实在话,我听说过这句话,但我不知道苏格拉底是谁。

　　夜色中，管理员带 401 的女孩到离公寓不远的一个酒吧去。这所酒吧安着黑色的铁门，铁门上镶着四片厚厚的玻璃，玻璃背后挂着红天鹅绒的帷幕，门两侧有两根黑铁的灯杆。按动铁门上的门铃，就有戴黑色面具的侍者来开门，脱掉她披着的斗篷，用锁链扣住她项圈上的铁环，把她带走——我想她会喜欢的。谁知她并不喜欢，拼命地挣扎了起来。如你所知，虚拟的世界不容许任何情绪激动，每个想摆脱眼前幻象的人只要大哭大闹，马上就可以退出。所以我不能够勉强她。到了外面，她看了我一眼说："我知道你是谁了——你真是讨厌啊。"我不能强迫她进入我的酒吧。实际上，我不能强迫她做任何事情。我说："陪我走走可以吗？"她说："这可以。"于是我们就在这条虚幻的街上走了两趟，她还把头发蓬松的头靠在我的肩上。但是我们没有说什么。她身上带有荷花苦涩的香味，只可惜这种气味不能带回现实中来。

三

　　学校里不是只有我一个人。我发现楼下的水管冻裂了，就到处去找人，最后在锅炉房的某个角落里找到了一个管子工。他听说水管冻裂，只是漠然地答道："知道了。"看来他是不会去修的。然后他马上就问我会不会打麻将，或者是敲三家。从这句问话来看，学校里除了我和他，还有别的人，甚至有希望能凑起一桌麻将来。除此之外，我在校园偶尔也能碰到一个长头发的家伙，背着手风琴急匆匆地走过。看来他是艺术系的学生，正要赶到什么地方去上课。我想要告诉他，学艺术也不那么保险，我认识一个女音乐家，现在就住在我表哥开的公寓里。但他总是躲着我走，假如我跟着他，他就要紧跑几步。这也不足为怪，我能看出他是艺术系的学生，他也能看出我是数学系的学生，所以他躲我像躲瘟疫一样。而我想要告诉他的正是：不要以为我才是瘟疫,你自己也是瘟疫——这话当然很不中听,所以他躲我是对的。

在那些行将住进黑铁公寓的人中,有种隔阂:有些人认为自己过得提心吊胆是受了另一些人的连累。前两年这所学校里学生还多时,别的系的人常往我们系的人身上吐吐沫。除了数学系,物理系和化学系的人也常受到这种对待。而我们这些系里的人则往无线电系和计算机系的人头上吐吐沫。这两年这种事情少了,不是因为隔阂没有了,而是因为学生们都退了学,去另谋出路。但就我所知,退了学进去得更快,住在学校里倒安全些。那些退学的同学现在都在公寓里。你说自己没学什么,管理员是不会放你出去的。他们会说:在公寓里照样可以学习。不但现在退学不管用,你就是十年前就退了学,也免不了住公寓。就拿住在我表哥公寓402室的秃头来说,他是我的一位老校友。十年前他上大学二年级时退了学,现在这股风潮一来,照样被逮进公寓里去。我说的这种隔阂在公寓里照样存在,这位秃头住在402室,总想和邻居打招呼,但别人总是不理他。直到住了一个礼拜情况才好了一些。

在黑铁公寓里,秃头和401女孩的床是并排放着的,中间只隔了一道铁篱笆,和一张双人床并无两样。秃头对这张床的模样感到很不好意思,很想把它挪开。他试了又试,但总是白费力气:床是用地脚螺丝拧在地上的,而螺丝钉一头埋在水泥里,另一头又被焊死了。弄明白了这一点以后,他忽然感到如释重负,可以心安理得地和女孩并排睡下了。应该说,401的女孩表现得相当大度,她除了偶尔说上一声"我觉得你可以多洗几遍澡"之外,没有说过别的。那个秃头就不停地洗着,但身上总有一股铁锈气。最后他说:"我身上的味是洗不掉的。想要去掉这股味,只能把自己阉掉。"那女孩听了以后,淡淡地说道:"那倒不必了。"这种冷淡是不公平的,因为这个秃头不是说说而已,假如他的邻居再嫌他有味儿,他真的准备把自己给阉掉。这种自我牺牲精神不是人人都有的,所以,就是拒绝这种牺牲,起码也该说声谢谢。

　　住在 402 室的秃头原来有个绿头发的管理员,我和她很熟。当管理员以前,她在市场街上摆烟摊。再以前,她在我们学校的食堂里卖过卤菜,两只手各套一个塑料袋接我们递过来的钱,等到拿吃的时候再把塑料袋拿下来。她的手长得很漂亮,脸长得也不错,但是最好的还是身材。夏天我在河边上散步,遇见她在河岸上晒太阳。她摘掉墨镜,眯起眼睛来看着我,然后说道:"我好像见过你。"——这说明她的记性也不错。我赶紧掏出学生证来给她看,说明我还没有毕业,以免她把我捉去住公寓。看完了证件以后,她用手拍拍身边的地面说:"坐。"这女孩是个自来熟。

　　然后她又指指水里的秃头说:"我们的房客。"秃头正被一条细长的链子牵着,在水里游着很小的圈子——那条河的水总是不大流动,绿油油的像一塘死水,秃头在水里游动时像一只小狗。后来他爬上岸来,伸手去拿裤子。女孩说道:"别穿裤子了,把屁股也晒晒。"他答应一声,趴在了地上。此时我注意到,此人从脸相到身材的确极像我表哥,但神情很不像。神情不像,那就什么都不像了。那女孩还告诉我说:"这个人很不错。"秃头听到这种称赞,满脸涨得通红。下一句话他听了就不那么高兴——"他是我们的摇钱树!"但他还是受到了鼓励,努力去挣钱,最后居然成了个小富翁。像这么胡扯下去就不会有个完,我现在要说的是:这个秃头的为人非常老实。后来他住进我表哥的公寓,说要把自己阉掉,可不是瞎说的。在黑铁公寓里,他把自己洗了又洗,才撩开被子,准备上床了。这时睡在他身边的女孩说道:"该去买条新内裤——身上穿的都露毛了。"说完她翻了一个身,把脸转到自己那一侧去。秃头又站了一会儿,没有再听到什么。他就钻到自己被子里去。又过了一会儿,听到周围没有别的动静,他从枕头下面摸出一副耳机来,偷偷地戴在头上了。

我在河边碰上那个秃头,除了发现他很像我表哥之外,还发现了些别的。此人的阳具甚为伟岸,而我表哥是什么样子我却没有见过。此人甚至比我表哥还要健壮,胸膛像一个木桶,胸口、手背、脚面上都长着黑毛。我对他的管理员说:"这人的毛真多。"她听了哈哈大笑了一阵说:"男子汉大丈夫,哪能没有毛?"我又说:"他是不是你的面首?"那女孩愣了一阵,然后笑得打滚,用脚蹬蹬秃头的头顶说:"说,你是不是我的面首?"后者闷声答道:"不是——是也不能告诉你。"管理员听了很高兴,对我说道:"听见了吧?我说他不错,他就是不错。"后来她把两只脚都放在他的头顶上,而秃头则用秃顶去摩挲她的脚心,这个情景让人看了很不舒服——虽然那绿头发的女孩说这很舒服。我看着身上直发冷,赶紧走了。在他营造的虚幻世界里,他应该用秃头去亲近哪个女孩的脚心,但是他没有。他只是伏在一张桌子上不停地演算,探讨世界的奥秘——这就是秃头的可敬之处。

黑铁公寓

一

我很小时就离开了学校,做过各种各样的事情,现在我在学校里当电工。人家看到我时说:"嘿,这小电工。"他们说我怎么看都不像 18 岁,想当电工就不能低于 18 岁——这又有什么呢,岁数的问题我们来想办法。一年前我在开大货车,那时候我20 岁,警察看我不像,就塞点钱好了。两年前我在街上摆烟摊,人家问我多大了,我说 25 岁。今年我 18 岁,真是越活越年轻了。你想要我几岁,我就可以几岁,你想要什么样的证明文件我都能找来,要不然我还能在外面混吗?总而言之,我现在梳着油亮的分头,穿着贼亮的皮鞋,跷着二郎腿坐在传达室里,很像一位电工大爷,这可比驾车跑长途好多了。甭管驾驶证上几岁,我知道自己很爱打瞌睡,常把车开进沟里,开货车我是太小了点。摆烟摊受人欺负,又挣不来钱。而跟货车到新疆贩哈密瓜呢,我又吃不了这种苦。在机关学校里混事是最舒服的了。

学校的入口立着两根粗大的门柱,门柱之间是紧闭着的黑漆铁栅栏大门。学生从旁门出入。经过传达室窗外时,他们盯着我看。我坐在看门老头的木板床上,看着自己的脚尖,偶尔把脚尖移开,朝痰盂里吐口痰。我知道他们在看什么:这小子年纪轻轻,怎么不去上中学,跑到这里来坐着。这可叫没办法的事——俗话说得好,各人有各人的造化。我的造化还是小的,我有个表哥,比我大不了多少,已经做了多年的生意,挣了不少钱。现在他要百尺竿头更进一步:他要开公寓了。

所有上过小学的人都要上中学,所有上过中学的人都要上大学。所有上过大学的人,都必须住在有营业执照的公寓里。据说公寓里特别好,别人想住都住不进去。假如你生在我们的时代,对这些想必已经耳熟能详,但你也可能生在后世,所以我要说给你知道——假如有样东西人人都说好,那它必定不好,这是一定之理。

所以假如你在上学的年龄,一定要从学校里逃掉,这是当务之急——逃掉以后怎么谋生就成了问题。我一直在给人打工,我表哥在做生意。做别的倒也罢了,他居然做起公寓来了。这行当不但对品行、阅历有种种要求,还要年满 35 周岁。要是我记得不错,我表哥顶多比我大一岁——也就是说,不满 18 岁。但你到了他的面前一定会打消这一个想法:我表哥头顶光秃秃,两腮和月球的表面相仿。额头上有三道抬头纹,配上又黑又粗的眉毛和一脸奸笑,就像一根 45 岁的老油条,这都是吃药吃的。在眼前这个社会里,人只有过了求学的年纪才能有前途。在这方面,撒谎只能解决一部分问题。这家伙拿着类固醇、睾丸酮一类的药物当家常便饭来吃,还劝我也吃,但我可不想拿自己的身体来开玩笑。顺便说一句,这家伙不但手背、脚背、胸口、小腹上满是黑毛,连背上都长着。至于他那杆大枪,让人看了都替他害臊——说实话,我今年只有 16 出头,我可不想长这种东西。

我表哥先骗下了公寓管理员的证书,又骗下了公寓的营业执照,然后租下了学校对面的旧仓库,在里面装修房子。他说:

"我还是离你近点好,有事找你商量时近便些。"他说自己最近经常一阵一阵地犯糊涂,脑子不管用了,照我看是吃药吃的。最近一段他住在我这里,每天早上,他拿几十片药,放在捣臼里捣碎,加把麦片用牛奶一冲,就那么吃下去,日久天长哪有不犯糊涂的。牛奶和麦片都是我买的,他从来就不买。连方便面他都不买,但却忘不了吃。他抽我的烟,喝我的茶,牙刷用他自己的,但使我的牙膏。唯一肯往我这里拿的就是药,而我又不吃药。我看药他也没花钱买,准是找拣破烂的要的。拣破烂的什么药都能拣到,要知道有公费医疗。我表哥是个铁公鸡——一毛不拔。他还以此为荣,说道:"要不然,我就攒出开公寓的钱了? "

有关我表哥,还可以说得更多一些:我们经常搭伙干事,他嫌我懒,我嫌他抠,所以总是弄不长。现在我们处于拆伙的状态:我当我的电工,他跑他的买卖。但不管他干什么,我还得去搭把手,理由很简单:总共就这一门亲戚。要是回家亲戚会多些,但我不敢回家——一进家门居委会就会找来,抓我去上工读学校,工读学校也是学校噢。

我表哥的房子装修好了, 他搬了过来, 带着他的家具、杂物,还有六个房客。家具装在大卡车上,由搬家公司的人搬上楼去,房客装在一辆黑玻璃的面包车上,一直没有露面。那辆面包车窗子像黑铁公寓的窗子一样,装着铁栅栏,有个武装警卫坐在车里,还有几个站在了周围。等到一切都安顿好了,才把面包车的门打开,请房客们下车。原来这些房客都是女的。有两位有四十来岁,看上去像学校里的教授。有三位有三十来岁,看上去像学校里的讲师。还有一位只有二十多岁,像一个研究生,或者是高年级同学。大家都拖着沉重的脚镣,手里提着一个黑塑料垃圾袋,里面盛着换洗衣服,只有那个女孩没提塑料袋。她们从车上下来,顺着墙根站成了一排,等着我表哥清点人数。

我表哥搬家那天,北京城里刮着大风,天空被尘暴弄得灰蒙蒙的,照在地面上的阳光也变得惨白。有两位房客戴着花头巾,有三位房客戴着墨镜,其他人没有戴。我表哥说:"老师们,搬家是好事情,大家高兴一点——这回的房子真不赖。"但她们听了无动于衷,谁也不肯高兴。我想这是很自然的,披枷戴锁站在过往行人面前,谁也高兴不起来。我听说监狱里的犯人犯了错误时,就给他们戴上脚镣作为惩罚——这还是因为他们已经在监狱里,没别的地方可送了。给犯人戴的脚镣是生铁铸的,房客们戴的脚镣是不锈钢做的,样子小巧别致。但它仍然是脚镣,不是别的东西。我表哥干笑着说:"脚镣是租来的,这不是搬家吗,万一跑丢一个就不好了——咱们平时不戴这种东西。"我表哥像别的老北京一样,喜欢说"咱们"来套近乎,但我觉得他这个"咱们"十足虚伪,因为他没戴这种东西。这些房客里有五个戴着手铐或者拇指铐——这后一种东西也非常地小巧,像两个连在一起的顶针,把两手的大拇指铐在了一起。不过这也不是什么好东西,因为假如没有钥匙,不把大拇指砍掉是取不下来的,而把拇指砍掉了就会立刻成为残废。她们双手并在前面提着袋子,像动物园里的狗熊在作揖。我表哥又说:"手铐出门时才戴,不是总戴着的。"那个年轻的女孩倒是没戴手铐,双手被一条皮绳子反绑在了身后。她挺起胸膛,好像就要从容就义的样子。我表哥解释说:"咱们讨厌手铐,所以用根绳子。"我听说癌病房里的病人总拿死和别人开玩笑,已婚的女人和未婚的女人间总拿性来开玩笑,这些笑话也是"咱们、咱们"地说着吧。但我觉得我表哥的笑话十足虚伪,因为他自己并没有用根绳子嘛。所有要住进公寓的人肘弯都扣着一根铁环,被一根铁链串在一起,只有我表哥例外。

我表哥告诉我说,这六个房客是从劳动局领来的,都还不错,为此没少给主办人好处。他说他一早起来,租车、租铁链子、租脚镣,忙了个要死,刚才还满地爬着往别人脚上拴链子。他还抱怨我没去帮他的忙。这话没道理,我在学校里做事,人家找电工马上就得到，如果不到会炒了我的。虽然腰里挂着BP机，我也不敢走远了。他让我今天下午别走了——他进了六个大活人。他的意思是让我留下给他出出主意。我表哥被药物催得秃头秃脑，别人原看不出他几岁，但一张嘴就漏馅儿，别人听到了这些话，要是再猜不出我们是谁就是傻子了。我一直在偷眼看那皮绳反绑的女孩，只见她对身边一个房客说："欧阳，两个小流氓。"小流氓想必是指我们了。我听了也不生气："我们俩岁数不大，而且的确不是好人。"那位欧阳还不错，答道："小流氓就小流氓吧，总比老流氓强。"——也不知强在哪里。我表哥耳朵聋没听见，要是听见了准要动手打人。对他这个人，我还是有一点了解的。

　　房客们都穿着郑重的秋季服装——呢子的上衣和裙子，这些衣服都是很贵的；脸上涂了很重的粉，嘴唇涂得鲜艳欲滴。只有一个人例外：那个年轻的女孩没有化妆。她穿着花格衬衫，袖子挽到肘上，那个扣住手臂的钢环被掩在袖子里。下襟束在腰带里，那条小牛皮的腰带好像是名牌。腿上穿着退色的牛仔裤，脚下穿一双雪白的运动鞋。那条不锈钢的脚镣亮晶晶的，镣环扣在套着白袜子的脚腕上。背着手，姿势挺拔，四下张望着——她排在队尾。我一直盯住了她看，她的领口敞开着，露出了锁骨和一部分胸口，随着呼吸平缓地起伏着。后来她转过身去背对着我——她的小臂修长，手腕被黑色的皮条纠缠着。有时候她握紧拳头，把双手往上举着，这样双臂就构成个愤怒的 W 形；有时又把手放下来，平静地搭在对面的手臂上，这样就构成了一个平静的一字形。与此同时，别的房客低着头，一动都不动。直到一切都安顿好了，我表哥才说："好，进去吧。"房客们从黑铁公寓的前门鱼贯而入，像一伙被逮住的女贼。那个女孩走在最后，她在我脚上踩了一脚，说："小坏蛋！看什么你？"我翻翻白眼儿说："又看不坏，看看怎么了？"

二

黑铁公寓是一座四四方方的混凝土城堡,从外面看起来是浅灰色的,但它名副其实,因为它里面非常地黑。在高高的天花板上,亮着一盏遥远的水银灯,照着这间宽大的房子,好像一座篮球馆内部的样子,但是这里没有篮球架子。从底层的中央乘升降机到达四楼,你会发现自己在十字交叉的通道的中心。每条通道通向一个窗子,窗子的大小刚够区别白天和黑夜。在通道两边,雕花的黑漆铁栏杆后面,就是黑铁公寓的房间——房间里的一切都一览无余——你怎么也不肯同意,像这样的小房间可以要那么多的房钱。但是人家也不需要你同意,他们径直把你推进其中的一间,然后你就得为这间房子付钱了。隆冬时节,黑铁公寓里面流动着透明的暖风,从铺在地面上的橡胶地毯上方流过,黑铁公寓里面一尘不染,多亏了有效的中央空调系统。这里有第一流的房间服务——一日三餐都有人从铁门上的送饭口送进来。从这个口子送进来的还有内衣和卫生纸、袋装茶和袋装咖啡——在动物园里,人们也是这样给笼养的猛兽送东西,只是不送袋装咖啡——住在这个笼子里,你大概也用不着别的东西。这个地方过去是座旧仓库,现在是黑铁公寓。打听了这所公寓的房钱之后,你会得出这样一个结论:这黑铁公寓可真是够黑的。

那个穿花格衬衫的女孩住在门口,她说我们是两个小流氓,如果说是指我们不肯上学流窜在外,那就说得完全对。但流氓还有一层意思,指在两性关系上行为不端的人。在这方面她只说对了一半。说对了一半——对的那半是我表哥。他和所有搞得到的女孩之间全都不干不净,满脑子都是下流主意,称为小流氓不为过。至于我呢,虽然从初二就离开了学校到社会上混事,但始终洁身自好,和一切女孩之间都是清白的。我喜欢知识，找了一大堆书在看，但我表哥呢，除了药典什么都不看……他身上的味也难闻，好像一个马厩。就这么个家伙，在房客面前还有点腼腆，和我小声嘀咕道："怎么办呢？这可都是些有学问的人哪。"我说："还有什么怎么办的，先把那根穿羊肉串的签子拔了吧。"我表哥看了我一眼，然后才领悟到这是指把房客们连在一起的铁链子。这些房客都站在公寓的走廊里，哪间房都进不去。他从口袋里掏出一大把小钥匙来给我，我就去开那些锁在手臂上的锁——这种小锁是人家锁信箱的，一块五一把。虽然也挣不开，但我表哥也够会省钱的了。每打开一个，那人就径直走开，走进自己房间里——谁住哪间房早就交代过了。开到队尾时，碰上了那个女孩。她瞪我一眼说："你才是羊肉串！"我和表哥说话声音很轻，但她还是听见了。后来知道，她是个音乐家。音乐家耳朵不灵怎么成呢。

在公寓装修好之前，表哥住在我宿舍里，睡在我双层床的上铺上。他在那里放响屁，声如裂帛。只要响上几次，屋里的气味就和山羊圈相仿。他还拿我的脸盆洗脸，洗过以后水都不倒——那水就如一锅隔宿的羊肉汤。那所公寓是我设计、我监工，预算也是我造的——平日好学不倦就有这种好处。遗憾的是用的全是他的钱，我表哥付清了给我的劳务费，所以公寓是他的。我表哥满肚子都是糠，但也有两点让人不能不佩服：一是能省钱，二是能吃苦。省钱的情形我说过了一些，但还没说到主要的：我们出去吃饭，他要把盘底的菜汤全舔光。不但舔自己桌上的，还舔邻桌上的。舔盘子不值得佩服，干着这种丑事，面不改色，坦坦荡荡，这就让人佩服了。至于吃苦，那真是没说的。大冬天到新疆去贩瓜，押闷罐车回来，车厢又不能喝酒——瓜见了酒味马上被催熟烂掉——跑上一趟回来，两个耳朵全生了冻疮，像贴了两摊干鸡屎。在澡堂子里泡两个小时，出门买张硬座票，又上路去新疆——这样做事你行吗？当然，你要是贩过瓜，就知道主要的难处在于车过河南时，黑更半夜，当地那些苦哈哈撬开车门就抢瓜,此时你要抄起根棍子兜头就打,把头顶着的麻袋片、棉帽打飞,把脑子打出来。干这事我也行,要论心毒手狠,我们表兄弟俩差不太多。我就是吃不了苦,而我表哥就是上不了台面。房客都进了自己的房间,他还拿眼睛瞅我,问我该怎么办。我伸手按动按钮开关,只听轰的一声响,所有的铁门一齐关住,把房客关了起来。表哥从口袋里拿出一块抹布(他管这叫手绢)擦擦脑门说:"真该死! 还忘了有这么个开关。表弟,你该一样一样再对我说说。"我表哥虽乱吃药,但还不至于这么糊涂,早上才讲过他就忘了。我看他是慌的。现在走廊上空空荡荡,每个房客都坐在自己房间里的床上一声不吭。整个公寓在屋顶的水银灯光下鸦雀无声,看起来蛮像样的。表哥很高兴,说道:"多么好啊。表弟,咱们拿出来捋一管吧——庆祝庆祝。"他就喜欢做这种惊世骇俗的建议,以此显示自己是特立独行之士,倒不一定真要这么做。我说:"这是你的公寓,要庆祝你庆祝,要捋你捋。"房客在自己的笼子里听到了这样的鬼话,全都无动于衷,只有那个穿花格衬衫的女孩皱了一下眉头。

把房客锁上以后,我们俩到办公室里喝咖啡。这间房子和房客的大屋不同,有一个很大的窗户。满屋黑色的家具,散发着一股醋酸味。假如我记得不错,冰醋酸是种黏合剂。这里的一切都是新的,brand new——我正在学英文,不知不觉就要来上一句。我舀了一些咖啡豆,放进磨里磨着。表哥躺进了黑皮沙发,马上又跳了起来,看着那些咖啡豆说:"小二(这是我的小名),咱们是不是太过牛逼了? "在我表哥的词典里,牛逼指奢华,还有很多辞意,在此不能一一开列。我告诉他说:"不牛逼。我们喝掉咖啡,留着发票,就可以上账。这笔钱叫做管理费,按国家的财务制度,最后算在房客头上。"他听了满脸通红,说道:"财务制度真牛逼,我算种上了铁杆庄稼了。"——当然,此间的牛逼,又是英文 wonderful 之意。他还让我帮他算算自己有多牛逼——此处之牛逼又是每月收入之意。我说："你且慢牛逼，管不住房客有你的好看。上面吊销你的执照，叫你血本无归。"他说："能管住的。今天这不是第一次慌了吗？"然后他又说起第一次来，刚动手摸摸，自己就先流了——这是个下流比喻。我能听懂，但不接茬。后来我要回学校，表哥送我出来。走在走廊上，看到每个房客还规规矩矩坐在自己的床上，又开双腿，眼睛看着我们——这好有一比，在幼儿园小班里，大家排队去厕屎，屙完不敢站起来，都在看阿姨的眼色。看来大家都懂规矩，这就省我表哥的事了。

我和表哥走过走廊时，迎着每个房客的目光，心里微微有陶醉之意——尤其是当房客比较年轻、比较漂亮时，更是这样。走过 403 室门口时，迎上了那位欧阳的目光。这位房客肤色黝黑，身材颀长。除了穿花格衬衫的姑娘，这公寓里就属她漂亮。她朝我们一举铐住的双手说："就这么一直铐住我们吗？"语调里颇有责怪之意。我们俩确实是忘了房客身上的镣铐应该早点打开，这是我们的不妥之处。照我看来，应该把别人的镣铐都打开，留着欧阳的，因为谁都不开口，显得她太牛逼。但我表哥不是这么理解问题，他一拍脑袋道："说得是！脚镣是租的，按小时算钱，得早点还哪。"说着他就拿钥匙，打开每间房门，卸掉脚镣，把它们束成了一捆扛在肩上说："我去还脚镣，手铐你开吧。"说完就跑了。此后公寓里就剩了我一个人。在这座公寓里，有八座紧闭的笼门，里面有六个被束缚着的女人。我手上有五把手铐的钥匙。

三

我逐一打开笼门，去给房客开手铐。如你所知，我没上过大学，连初中都没读完，但我绝非浅薄之士。我知道威严来自礼貌。每开一副手铐之前，我都微微躬躬身子说道："对不起了，阿姨。"等手铐开了以后，她们都揉揉手说："谢谢。"人家住公寓也不是一天两天了，油头粉面的小流氓也见过一些，想必知道嘴越甜心越毒这个道理，所以都是乖乖的。就是403室的欧阳，一开了铐就把我推开，一头闯进了卫生间。过了好半天才随着水箱的轰鸣声回来，嘴和手都是湿的。我瞪着她说："怎么也不说个谢谢？"她把双手都伸了过来道："好了，反正尿也撒完了。你不妨再把我铐上。"我马上答道："何必这样呢，阿姨？我就住在附近，以后常见面。"她愣了一下，假笑着说："是呀，是呀。谢谢你了，小表弟。"妈的，谁是你表弟？你是我的表嫂吗？我一点都不喜欢她。

有关我自己，还要做些自我介绍。我脸色惨白，个子倒是蛮高的，但软绵绵的没有劲儿。穿什么上衣都显大，穿什么裤子都嫌肥。眼睛像患了甲亢一样凸出，脸上有很多鲜红的小斑点。不知什么地方没长膜道，叫人一眼就能看出小来。但你也不要小看我，知道我的人都说：这孙子手特黑。这当然是个比方，实际上我的手一点都不黑，而是雪白雪白，四季温凉。看相的说，男生女手，大富大贵，但这一点到现在我还没看出来——我走进401室，对坐在床上的女孩说："阿姨，你转过身去，我给你解绳子。"她马上站了起来，转过身去。那双交叉在一起的洁白手臂又呈现在我面前了。

有件事你可能早就看出来了：现在你很少能看到青年，也很少看到中年人，能见到的中青年里还有不少像我表哥那样是假的。这是因为你看到的人都没有文化，老年人常常错过了受教育的机会，小孩子还没有受教育。而中青年已经受过了教育，后悔也来不及了。所以当眼前这位女孩说"两个小流氓"时，欧阳答道："总比老流氓好吧。"——不是流氓的人一定要落到流氓手里，而流氓非老即小，你别无选择了。我拖过一把椅子来，想要解开捆在手臂上的皮条：这不是一根皮条，是一束细皮条，系了很多扣。我一个一个解着,但注意力都在手臂上。在屋顶那盏水银灯照耀下,手臂上反射着暗淡的光。我禁不住在上面吻了一下。她冷冷地问道:"怎么回事?"我答道:"阿姨,我喜欢你。"她听了一哆嗦,大概是气的。

我表哥在房客面前张慌失措,是因为他没有文化,搞不来太复杂的事,所以发慌。我有一些文化,虽然还不够多,但已能壮我的胆子。我一面给 401 室的女孩解绳扣,一面把脸贴在她手臂上。她的臀位很高,腿很长。裹在粗布底下的臀部也让我神魂颠倒。我还毅然告诉她说:"阿姨,你的腰很细,腿也很直。"她听了发抖个不止。等到绳子解开了,她转过身,扬起手来,看样子想要抽我个嘴巴。我坐着不动,决定让她抽一下,但她没有抽下来——大概是想清楚了吧——把手往外一指说:"你出去,我要换衣服。"我站了起来,把椅子拖开,眼睛直视着她,郑重说道:"我爱你,这是真的。"然后退出了房间,把门锁上了。

以上的叙述会给你一个印象,好像我表哥脸皮很薄,我脸皮很厚——起码在两性关系上是这样。实际上远不是这样。公寓装修好之前,我回自己宿舍里去,十次里有九次遇上表哥搂着个女孩坐在我铺位上。如前所述,他的铺位是上铺,如果坐上去,也许整个床都要塌掉,所以我也不好抱怨什么。他们经常把我的床搞得很乱,而我是很讲整洁的。次数多了,表哥也觉得不好意思,就对女孩说:"既然碰上了,你和我表弟也玩玩。"——表哥的厚颜无耻就到了如此程度。那女孩不是"鸡"(打鸡我表哥还舍不得钱哩),把小嘴一撇说:"我不。"遇上这种场面,我总是不动声色地朝他们走去,说声"对不起",从床底下掏出几本书来,包在报纸里,拿着走了。出了门还听到女孩说:"你表弟怎么这样怪?"表哥说:"他就这样。看着吧,早晚坏在这上……"他说早晚要坏,是指我喜欢读书。在这种情况下,我就拿着书到地下室去读。现在我表哥搬走了,我可以在自己的房间里读书了。

晚上我可以回自己宿舍去读书。现在有各种各样的书,有纸质的书,这种书可以拿在手里读,听见有人敲门就把它塞到床底下;有光盘书,这种书要用有光驱的 PC 机来读。我的抽屉里锁了一台笔记本电脑,可以读光盘书。别人看到了,我就说自己在打游戏。还有网络版的书,看那种书要有 Net PC。我在地下室里装了一台,谁也看不见,但那地方太冷、太潮,待不久。相比之下,我还是爱看纸做的书,尤其是小开本的,这种书藏起来方便。书太多了,读不完,而且我读书是要避人的,因为我住在黑铁公寓之外。相比之下,住在公寓里的人就没有这个问题。

在公寓里,我把大家都放开,退到走廊上。所有的房客都动了起来,收拾自己的东西,把衣物放进床头柜,把几本随身携带的书放在桌面上,打开案头灯调整角度、试试亮度,更有人把桌上的 Net PC 也打开了,阴暗的公寓里又多了一种 monitor 的光亮。我在走廊上慢慢走时,里面的人都警觉地抬起头来,举着手里的书,或者把屁股从椅子上挪开一半指着眼前的键盘问道:"可以吗?"起初我想耸耸肩膀说:"随你们的便。"后来又觉得不妥。这些人在公寓里住久了,听到走廊上有人走过就问可以不可以,所以我说:"当然可以。"她们也就安心去做事。又过了一会儿,整个公寓又恢复了平静,大家都在看书或者看荧屏。我也常做这些事,但没有人看到。自己在看书时,有人在背后看着,这种感觉我没有体验过。说老实话,我有点羡慕。后来我表哥回来了,悄悄地走了进来,站在我身后——此人走路像只猫,很难听到,我是从他身上带的冷气感觉到的。他站着看了好半天,才开口说道:"很牛逼,不是吗?"这个牛逼我就不知是什么意思,所以也不接茬。过一会儿他又说:"你知道她们干什么呢?"我说不知道。他说:"她们给我挣钱呢。"我表哥就知道钱,但他说得也对。她们在寻求知识,但也在给我表哥挣着钱。这后一点让人想起来不那么太愉快。

现在我在自己屋里看书,既不必闻我表哥的屁味,也不为他翻身的声音所骚扰，但我还是静不下心来。这间房子里空无一人，没有人从我面前走过，我也不必举起这本书来对他请示道：可以吗？因此这里缺少读书的气氛。

四

我住的宿舍离学校的南墙很近，学校的南墙又和我表哥开的公寓很近，有一段南墙是砌锅炉的耐火砖砌的，黄碜碜的，看起来很古怪。墙下有窄窄的一条草坪，出了南墙就能看见，总没人浇水，但草还活着。草坪里种了一丛丛的月季，夏天草坪上满是西瓜皮。草坪前面是马路，过了马路就到了公寓门前。那儿原是个很大的工厂，有很多几层的厂房，有铁道贯穿其中，铁路边上有货栈。总而言之，那地方空房子多得很，以前没发现它有什么用处，现在发现了——我表哥搬来后，又搬来好几家，南墙外面那条马路很快就变成了公寓一条街。这对我有些好处：我是电工，我表哥的房子又是我设计的。有很多人找我做活，下电线、设计房子。这段时间外快挣得很多。

下雪那天下午，黑铁公寓的管理员在办公室里喝茶，看到401号的红灯亮了起来。红灯连闪了两下才熄灭了，这表示住户想要出去散步。此时办公室里只有他一个人。他把脚从桌子上拿下来，穿上大头靴子，套上他的黑皮夹克，从办公室里出去，走到401门前，看到里面的女孩已经准备停当：她把头发束成了马尾辫，脸上化了淡妆，穿着白色的衬衣，黑色的紧身裤，脚上穿着长统皮靴——看来她已经知道外面在下雪。她手里拿了一个白信封。这位管理员是个秃顶的彪形大汉，他从皮带上提起钥匙串，把铁门打开。此时那个女孩把信封塞到他上衣口袋里——信封里是小费。管理员说："用不着这样。"——然后又改口道："用不着现在给。"但是钱已经给了。管理员看了一下这间房子:这里的每一样家具都是黑色的,黑色的矮床,床上罩着黑色的床罩,黑色的钢管椅子,黑色的终端台上,放着黑色的 PC 机——机器是关着的。一切都收拾得井井有条,用不着他尽督促、管理之责。正如他平时常说的,401 的房客最让人省心。桌面上还有一个黑色的瓷杯子,里面盛着冒气的热咖啡。管理员建议道:"先把咖啡喝了吧。"那个女孩没有回答,只是面露不耐烦之色——这位房客虽让人省心,但是很高傲。于是他走向那张几乎看不见的黑皮沙发,又开双腿坐了下来。那个女孩走到他面前,站到他两腿之间,然后转过身去,跪在地板上,把双手背到身后。管理员在牙缝里出了一口气,俯下身去,用手按住她的后脑,让她把头低得更低,直至面颊贴到冷冰冰的地板,然后从袖筒里掏出一根麂皮绳索,很熟练地把她的双手反绑在身后。我说的这件事发生在黑铁时代,黑铁时代的人有很多怪癖。这位管理员像一位熟练的理发师在给女顾客洗头,一面缠绕着绳子,一面说:"紧了说话啊。"但那个女孩没有说话——看来松紧适中。等到捆绑完毕,他把她扶了起来,转过她的身子,左右端详了一番,看到脸上没有沾到土,头发也没有散乱,就从衣架上拿起黑色的斗篷,给她围在身上,系好了带子。随后他又看到墙上还挂有一顶黑色的女帽,就把它拿到手里,想要戴到她的头上。但那女孩摇了摇头,于是他又把帽子挂在墙上,然后打开了铁门,让她走在前面,两个人一起到漫天的大雪里去散步。